Stephen King

DOLORES CLAIBORNE

Uitgeverij Luitingh ~ Sijthoff

Derde druk
©1992 Stephen King
©1993 Uitgeverij Luitingh B.V., Amsterdam
Alle rechten voorbehouden.
Published by agreement with the author and the author's agents,
Ralph M. Vicinanza, Ltd.
Oorspronkelijke titel: *Dolores Claiborne*
Vertaling: Lucien Duzee
Omslagontwerp: Karel van Laar
Omslagillustratie: Schriemer & Schriemer, Groningen

CIP/ISBN 90 245 1069 4

Voor mijn moeder, Ruth Pillsbury King

'Was will das Weib?'
Sigmund Freud

'R-E-S-P-E-C-T, find out what it means to me.'
Aretha Franklin

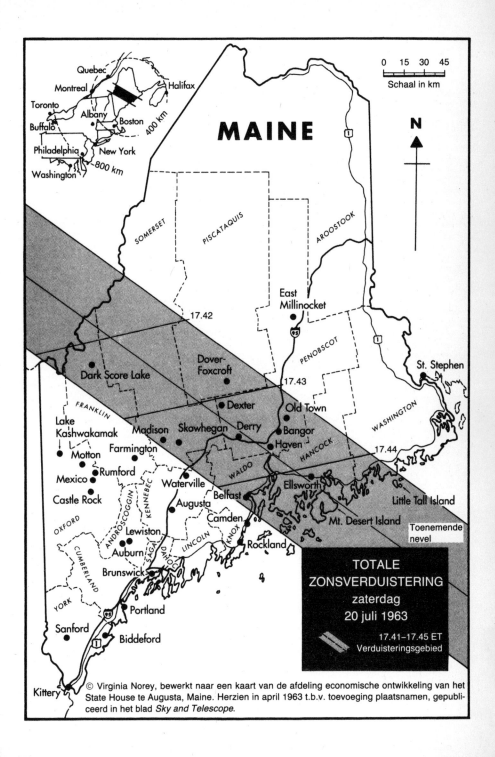

Wat vroeg je, Andy Bissette? Of ik 'die rechten begrijp zoals je ze aan mij hebt uitgelegd'?

Godsamme. Hoe kunnen mannen zo dòm zijn? Nee, hou jíj je maar koest – hou op met je geklets en luister even naar me. Ik heb het idee dat je het grootste deel van de nacht naar me zal zitten luisteren, dus je kunt er maar beter aan wennen. Omdàt ik begrijp wat je me hebt voorgelezen! Zie ik eruit alsof ik al m'n verstand ben kwijtgeraakt sinds ik met je naar de supermarkt ben gelopen? Dat was nog maar maandagmiddag, voor het geval het je ontschoten is. Ik zei je dat je vrouw je er behoorlijk van langs zou geven als je dat brood van een dag oud kocht – zuinig met muntjes, maar zwierig met briefjes, zegt het oude spreekwoord – en had ik gelijk of niet?

Ik begrijp mijn rechten heel goed, Andy; mijn moeder heeft geen idioten grootgebracht. Ik begrijp mijn verantwoordelijkheden ook, god beware me.

Alles wat ik zeg kan tegen me gebruikt worden voor een rechtbank, zeg je? Nou, de wonderen zijn de wereld nog niet uit! En jij kunt gewoon die grijns van je gezicht halen, Frank Proulx. Je mag dan tegenwoordig een belangrijke smeris zijn in de stad, maar het is nog niet zo lang geleden dat ik je zag rondrennen in een afgezakte luier met diezelfde idiote grijns op je gezicht. Laat me je eens een raad geven – als je in de buurt komt van zo'n wijf als ik, moet je die grijns maar van je gezicht halen. Ik begrijp meer van jou dan van een ondergoed-advertentie in de Sears-catalogus.

Goed, we hebben ons lolletje gehad; we kunnen er maar beter mee beginnen. Ik ga jullie drieën een verrekte hoop vertellen, te beginnen met ongeveer nu, en een verrekte hoop zóu waarschijnlijk tegen me gebruikt kunnen worden voor een rechtbank, als iemand dat nu nog zou willen. De grap ervan is, dat de mensen van het eiland het meeste ervan al weten, en ik ben bijna zo ver dat het me allemaal niets kan verrekken, zoals Neely Robichaud altijd zei als hij de hoogte had. Wat hij meestal had, zoals iedereen die hem heeft gekend je zal kunnen vertellen.

Maar één ding kan me wèl verrekken, en daarom ben ik hier uit eigen beweging naartoe gekomen. Ik heb dat kreng Vera Donovan niet vermoord, en het maakt niet uit wat je nu denkt; ik ben van plan het je te laten geloven. Ik heb haar die klotetrap niet afgeduwd. Het is prima als je me voor die ander wil opsluiten, maar ik heb niks van het bloed van dat kreng aan mijn handen. En ik geloof dat je dat zàl geloven tegen de tijd dat ik klaar ben, Andy. Jij was altijd best een geschikte jongen, voor een jongen – eerlijk bedoel ik – en je bent een fatsoenlijke man geworden. Maar laat het je niet naar je hoofd stijgen, je bent net zo opgegroeid als elke andere man, met een vrouw om je kleren te wassen en je neus af te vegen en je in de goede richting te zetten als je de verkeerde kant op wilt lopen.

Nog iets voor we gaan beginnen – ik ken jou, Andy, en Frank, natuurlijk, maar wie is die vrouw met de bandrecorder?

O, Christus, Andy. Ik wéét dat ze een stenografe is! Zei ik je net niet dat mijn ma geen idioten heeft grootgebracht? Ik mag dan aanstaande november zesenzestig worden, maar ik heb ze nog allemaal op een rijtje. Ik weet dat een vrouw met een bandrecorder en een stenoblok, een stenografe is. Ik kijk naar àl die rechtbankseries, zelfs naar dat *L.A. Law* waar niemand langer dan een kwartier achter mekaar zijn kleren aan schijnt te kunnen houden. Hoe heet je, schatje?

Eh-eh... en waar kom je vandaan?

O, hou toch op, Andy! Wat heb je vanavond nog meer te doen? Was je van plan naar het strand te gaan om te kijken of je een paar kerels kon vangen die zonder vergunning schelpen aan het rapen zijn? Dat zou waarschijnlijk meer opwinding zijn dan je hart kan verdragen, niet? Ha!

Zie je wel. Dat is beter. Jij bent Nancy Bannister uit Kennebunk, en ik ben Dolores Claiborne van hier, van Little Tall Island. Ik heb al gezegd dat ik behoorlijk wat te praten heb voor we hier klaar zijn, en jullie zullen merken dat ik geen spat gelogen heb.

Dus als je wilt dat ik wat harder praat of wat langzamer, gewoon zeggen. Laat je door mij niet tegenhouden. Ik wil dat je elk godvergeten woord noteert, te beginnen met dit: negenentwintig jaar geleden, toen politiecommissaris Bissette hier nog in de eerste klas zat en plakplaatjes verzamelde, heb ik mijn echtgenoot, Joe St. George, vermoord.

Ik voel het hier tochten, Andy. Misschien houdt het op als je je godvergeten klep eens dichtdeed. Ik weet trouwens niet waarom je zo verbaasd kijkt. Jij weet dat ik Joe heb vermoord. Iedereen op Little Tall weet het, en waarschijnlijk weet de helft van de mensen aan de overkant van het kanaal, in Jonesport, het ook. Het is alleen maar dat niemand het kon bewijzen. En ik zou het hier nu niet zitten bekennen in aanwezigheid van Frank Proulx en Nancy Bannister uit Kennebunk, als dat stomme kreng van een Vera niet weer eens, voor de zoveelste keer, een rotstreek had uitgehaald.

Nou, ze zal er nooit meer eentje uithalen, nietwaar? Die troost heb ik in ieder geval.

Schuif die recorder wat dichter naar me toe, Nancy, schat – als dit toch moet gebeuren, moet het goed gebeuren, daar zit ik aan vast. Is het eigenlijk niet knàp wat die Japanners maken? Zeker wel... maar ik denk dat we allebei weten dat wat er op de band komt binnen in dat lekkertje, me voor de rest van mijn leven in het spinhuis kan brengen. Toch heb ik geen keus. In het aangezicht van de hemel zweer ik dat ik altijd heb geweten dat Vera Donovan zo ongeveer mijn dood zou zijn – ik wist het vanaf het eerste moment dat ik haar zag. En kijk eens wat ze heeft gedaan – kijk gewoon eens wat dat godvergeten ouwe kreng me heeft geflikt. Deze keer heeft ze echt haar tanden in mijn donder gezet. Maar dat heb je met rijke mensen, als ze je niet dood kunnen schoppen, knuffelen ze je dood.

Wat?

O, godsamme. Ik kòm er zo aan toe, Andy, als je me gewoon even met rust laat! Ik probeer gewoon te besluiten of ik het van achter naar voren moet vertellen of van voren naar achteren. Ik kan zeker niet iets te drinken krijgen, hè?

O, bàrst met je koffie! Stop die pot maar in je reet. Geef me maar een glas water als je te krenterig bent om me een slok van de Beam te geven die je in je bureaula bewaart. Ik ben niet...

Wat bedoel je, hoe ik dat weet? Luister eens, Andy Bissette, iemand die niet beter wist, zou denken dat je gisteren uit een zak zoutjes bent komen waggelen. Denk je dat de lui van het eiland alleen maar kunnen praten over dat ik mijn echtgenoot heb vermoord? Verrek man, dat is óud nieuws. Jij, nou – jij leeft in ieder geval nog.

Dank je, Frank. Jij was altijd al een fatsoenlijke jongen, hoewel het in de kerk wat lastig was om naar je te kijken, tot je moeder je van dat neuspeuteren afhielp. Godsamme, er waren momenten dat je die vinger zo ver in je neus had gestoken dat het een wonder was dat je je hersens er niet uit pulkte. En waarom bloos je, verdomme? Er is nog nooit een kind geweest dat het niet prettig vond om zo af en toe van dat groenige spul uit die snorkel te vissen. In ieder geval was je slim genoeg om je handen uit je broek te houden en niet aan je ballen te zitten, in ieder geval in de kerk, en je hebt een heleboel jongens die nóóit...

Ja, Andy, já – ik gá het vertellen. Jezus Mina, je hebt nog stééds de kriebels in je kont, hè?

Ik zal je wat zeggen: ik doe een voorstel. In plaats van het van voren naar achteren of van achteren naar voren te vertellen, zal ik in het midden beginnen en zo'n beetje beide kanten op werken. En als het je niet bevalt, Andy Bissette, zet je het maar op je ruklijst en ga je ermee naar de kapelaan.

Ik en Joe hadden drie kinderen, en toen hij in de zomer van '63 stierf, was Selena vijftien, Joe Junior dertien en Little Pete net negen. Nou, Joe liet me nog geen pot na om in te pissen en nauwelijks een nagel om m'n reet mee te krabben...

Ik denk dat je dit een beetje mooier moet maken, Nancy, vind je niet? Ik ben maar een oude vrouw met een rottig humeur en een nog beroerder taalgebruik, maar dat is meestal zo als je een slecht leven hebt gehad.

Goed, waar was ik? Ik ben nu toch niet de draad al kwijt, wel?

O – ja. Dank je, schatje.

Wat Joe me naliet was dat lullige hutje bij de East Head en tweeeneenhalf hectare land, voornamelijk braamstruiken en het soort groeisels dat opkomt als je het veld hebt schoongemaakt. Wat nog meer? Laat es zien. Drie vrachtwagens die niet reden – twee open bakken en een pulpkar – vier vaam hout, een kruideniersrekening, een rekening van de ijzerwinkel, een rekening van het benzinestation, een rekening van de begrafenis... en wil je kaarsjes op die godvergeten taart? Hij lag nog geen week onder de grond toen die zuiplap van een Harry Doucette langskwam met een kloteschuldbekentenis waarop stond dat hij nog twintig dollar van Joe kreeg voor een honkbalweddenschap!

Dat liet hij me allemaal na, maar denk je dat hij me ook maar wat godvergeten verzekeringsgeld naliet? Nee, jongen! Hoewel dat een verhulde zegen zou kunnen zijn, zoals de dingen bleken uit te pakken. Ik denk dat ik daaraan toekom voor ik klaar ben, maar alles wat ik nu probeer te zeggen, is dat Joe St. George eigenlijk helemaal geen man was; hij was een godvergeten molensteen die ik om mijn nek droeg. Erger eigenlijk, omdat een molensteen niet dronken wordt en dan 's nachts om één uur thuiskomt, stinkend naar bier, en een wip met je wil maken. Niet dat dat nou de reden was dat ik die klootzak heb vermoord, maar ik denk dat ik net zo goed hier kan beginnen als waar ook.

Een eiland is geen goede plek om íemand te vermoorden, dat kan ik je wel zeggen. Lijkt wel alsof er altijd iemand in de buurt is die staat te popelen om zijn neus in jouw zaken te steken, net wanneer je je dat het minst kan permitteren. Dat is de reden dat ik het deed toen ik het deed, en daar kom ik ook nog op. Voorlopig volstaat te zeggen dat toen ik het deed Vera Donovans echtgenoot zo ongeveer drie jaar daarvoor was omgekomen bij een auto-ongeluk buiten Baltimore – daar woonden ze als zij 's zomers niet op Little Tall waren. Toentertijd zaten de meeste schroefjes bij Vera nog goed aangedraaid.

Met Joe uit beeld en zonder geld, zat ik klem, dat kan ik je wel vertellen – ik heb het idee dat niemand in de hele wereld zich zo wanhopig voelt als een alleenstaande vrouw met kinderen die van haar afhankelijk zijn. Ik had net zo'n beetje besloten dat ik beter het kanaal over kon steken en kijken of ik geen baantje kon krijgen in Jonesport – schappen vullen in de Shop n Save of serveren in een restaurant – toen die stomme kut plotseling besloot het hele jaar door op het eiland te gaan wonen. Bijna iedereen dacht dat er bij haar een stop was doorgeslagen, maar ik was helemaal niet zo verbaasd want ze bracht toen toch al veel tijd hier door.

De vent die destijds voor haar werkte – ik herinner me zijn naam niet, maar je weet wie ik bedoel, Andy, die stomme lulhannes die zijn broeken altijd zo strak droeg dat de hele wereld kon zien dat hij ballen had zo groot als jampotten – belde me en zei dat De Mevrouw (zo noemde hij haar altijd, De Mevrouw; Jezus wat was-ie stom) wilde weten of ik full-time voor haar kon komen werken als huishoudster. Nou, sinds 1950 had ik het 's zomers al voor de familie gedaan, en ik denk dat het heel natuurlijk voor haar was om mij te bellen voor ze iemand anders belde, maar toen leek het het antwoord op al mijn gebeden. Ik zei direct ja en al die tijd heb ik voor haar gewerkt tot gisteren voormiddag toen ze van de trap aan de voorkant op haar stomme, lege kop viel.

Wat deed haar man ook weer, Andy? Maakte hij geen vliegtuigen?

O. Zekers, ik denk dat ik dat wèl heb gehoord, maar je weet hoe mensen op het eiland praten. Het enige wat ik zeker weet, is dat zij goed gevuld waren, àllemachtig goed gevuld, en zij kreeg alles toen hij stierf. Buiten wat de regering pakte natuurlijk, en ik betwijfel of dat ook maar in de buurt kwam van het bedrag waar ze recht op hadden. Michael Donovan was zo bijdehand als wat. Sluw ook. En hoewel niemand het zou geloven door hoe ze de afgelopen tien jaar was, was Vera net zo sluw als hij... en ze bleef haar sluwe dagen houden tot ze stierf. Ik vraag me af of ze wist in wat voor rotzooi ze me achter zou laten als ze niet in bed zou sterven door een lekkere rustige hartaanval. Ik heb het grootste deel van de dag daar op East Head gezeten, op die gammele trap, en erover nagedacht... daarover en over een paar honderd andere dingen. Eerst dacht ik van niet, een bord havermoutpap heeft meer hersens dan Vera Donovan op het laatst had, en toen dacht ik eraan hoe zij met de stofzuiger was, en ik dacht misschien... ja, misschien...

Maar het maakt niks meer uit. Het enige wat nu wel uitmaakt, is dat ik uit de hete olie in het vuur terecht ben gekomen, en ik zou mezelf dolgraag in veiligheid willen brengen voor mijn reet nog erger verbrand raakt. Als ik het nog kan.

Ik begon als Vera's huishoudster en ik eindigde als zoiets wat ze 'betaalde gezelschapsdame' noemen. Ik had er niet lang voor nodig om het verschil door te krijgen. Als Vera's huishoudster had ik acht uur per dag, vijf dagen per week, met gezeik te maken. Als haar betaalde gezelschapsdame had ik daar de klok rond mee te maken.

Ze kreeg haar eerste beroerte in de zomer van 1968 toen ze op de tv naar de Nationale Conventie van de Democraten in Chicago zat te kijken. Dat was maar een kleintje, en altijd gaf ze Hubert Humphrey er de schuld van. 'Ik heb uiteindelijk een keer te vaak naar die blije klootzak gekeken,' zei ze, 'en dan springt er een godvergeten bloedvat. Ik had moeten weten dat het zou gebeuren, en voor hetzelfde geld was het Nixon geweest.'

Ze kreeg een zwaardere in 1975 en toen had ze geen politici die ze de schuld kon geven. Dokter Freneau zei tegen haar dat ze beter op kon houden met roken en drinken, maar hij had zich de moeite kunnen besparen – zo'n deftige tante als Vera-lik-me-reet Donovan luistert niet naar een doodgewone ouwe plattelandsdokter als Chip Freneau. 'Ik overleef hem,' zei ze altijd, 'en dan neem ik een whisky-soda op zijn graf.'

Een tijd leek het erop dat ze dat gewoon zou doen – hij bleef op haar vitten en zij bleef doorstomen als de *Queen Mary*. Toen, in 1981, had ze haar eerste kanjer, en die lulhannes verongelukte bij een auto-ongeluk op het vasteland direct het jaar d'rop. Het was toen, dat ik bij haar introk – oktober 1982.

Moest ik? Ik weet het niet. Denk het niet. Ik had mijn sociabele uitkering, zoals Hattie McLeod het altijd noemde. Het was niet veel, maar toen waren de kinderen al lang weg – Little Pete zelfs weg van de wereld, het arme, verloren schaap – en ik was er ook in geslaagd een paar dollar opzij te leggen. Het leven op het eiland is altijd goedkoop geweest en hoewel het niet meer zo is als vroeger, is het nog behoorlijk wat goedkoper dan het leven op het vasteland. Dus ik denk niet dat ik bij Vera móest intrekken, nee. Maar toen waren zij en ik aan elkaar gewend. Het is moeilijk aan een man uit te leggen. Ik denk dat Nancy daar, met haar blocnotes en pennen en bandrecorder, het begrijpt, maar ik denk niet dat ze wat mag zeggen. We waren aan elkaar gewend zoals, denk ik, twee oude vleermuizen aan elkaar gewend kunnen raken en ondersteboven naast elkaar hangen in dezelfde grot, ook al zijn ze bij lange na niet wat je noemt de beste vriendinnen. En het was eigenlijk geen grote verandering. Het ophangen van mijn zondagse kleren in de kast naast mijn werkkleren was eigenlijk nog de grootste, omdat ik tegen de herfst van '82 daar altijd de hele dag was, en ook de meeste nachten. Het betaalde iets beter, maar niet zo goed dat ik een aanbetaling op mijn eerste Cadillac kon doen, als je begrijpt wat ik bedoel. Ha!

Ik denk dat ik het voornamelijk deed omdat er niemand anders was. Ze had een zaakwaarnemer daarzo in New York, een man die Greenbush heette, maar Greenbush was niet van plan naar Little Tall te komen zodat ze uit haar slaapkamerraam naar hem kon gillen erop te letten die lakens met zes knijpers op te hangen, geen vier, en ook was hij niet van plan de logeerkamer te betrekken om haar luiers te verschonen en de stront van haar dikke, ouwe reet te vegen terwijl ze hem ervan beschuldigde dubbeltjes te stelen uit haar godvergeten porseleinen spaarvarken en hem zei dat ze ervoor zou zorgen dat hij daarvoor in de gevangenis kwam. Greenbush regelde de cheques; ik ruimde haar stront op en luisterde naar haar getier over de lakens en de stofpluizen en haar godvergeten porseleinen spaarvarken.

En wat maakte het uit? Ik verwacht er geen medaille voor, zelfs geen Purple Heart. Ik heb een hoop stront geruimd in mijn leven, heb nog meer gezeik aangehoord (ik ben zestien jaar met Joe St. George getrouwd geweest, weet je nog?) en het deed me allemaal niks. Ik denk dat ik ten slotte aan haar vastzat, omdat ze niemand anders had. Het was òf ik òf het verpleegtehuis. Haar kinderen kwamen haar nooit opzoeken, en dat was een ding waarom ik medelijden met haar had. Ik verwachtte niet van ze dat ze de deur plat zouden lopen, begrijp me goed, maar ik begreep niet waarom ze hun ouwe ruzie niet bij konden leggen, wat die ook was, en zo nu en dan konden komen om een dagje of misschien een weekend met haar door te brengen. Ze was een ellendig kreng, ongetwijfeld, maar ze was hun má. En ze was toen oud. Natuurlijk weet ik nu een heleboel meer dan toen, maar...

Wat?

Ja, het is waar. Ik mag doodvallen als ik lieg, zoals mijn kleinzoons graag zeggen. Je belt gewoon die gast Greenbush als je me niet gelooft. Ik denk dat als het bekend wordt – en dat gebeurt, dat gebeurt altijd – er in de *Daily News* van Bangor wel van die snotterige artikelen zullen verschijnen over hoe prachtig het allemaal is. Nou, dan zal ik je wat vertellen – het is níet prachtig. Een klotenachtmerrie is het. Wat er hierbinnen ook gebeurt, mensen zullen zeggen dat ik haar heb gehersenspoeld om haar te laten doen wat ze heeft gedaan en haar toen heb vermoord. Ik weet het, Andy, en jij ook. Er bestaat geen macht in de hemel of op aarde die mensen kan tegenhouden het ergste te denken als ze dat willen. Nou, geen enkel godvergeten woord ervan is waar. Ik heb haar niet gedwongen wat dan ook te doen, en zeker deed ze niet wat ze heeft gedaan omdat ze van me hield, of me zelfs maar mocht. Ik denk dat ze het mìsschien heeft gedaan omdat ze dacht dat ze me iets schuldig was – op haar eigen, vreemde manier zou ze gedacht kunnen hebben dat ze me heel wat schuldig was, en het zat niet in haar aard om ook maar iets te zeggen. Zou zelfs kunnen dat wat ze heeft gedaan, haar manier was om mij te bedanken... niet voor het verschonen van haar strontluiers, maar voor het daar alle nachten zijn, als de draden uit de hoeken kwamen of de stofpluizen onder het bed te voorschijn kropen.

Je begrijpt het niet, ik weet het, maar dat komt wel. Voor je die deur openmaakt en deze kamer uitloopt, beloof ik je dat je alles zult begrijpen.

Op drie manieren was ze een kreng. Ik heb vrouwen gekend die dat op meer manieren waren, maar drie is voldoende voor een seniele, oude vrouw die voornamelijk in een rolstoel zat of op bed lag. Drie is verdòmde goed voor zo'n vrouw.

De eerste manier waarop ze een kreng was, was er een waar ze niets aan kon doen. Je herinnert je nog wat ik zei over de wasknijpers, dat je er zes moest gebruiken om die lakens op te hangen, nooit gewoon vier? Nou, dat was gewoon één voorbeeld.

Sommige dingen móesten op bepaalde manieren worden gedaan als je voor mevrouw lik-me-reet Vera Donovan werkte, en daar wilde je er geen een van vergeten. Van tevoren vertelde ze hoe de dingen gedaan zouden worden, en ik zeg je dat de dingen dan ook zo gingen. Als je iets een keer vergat, dan kreeg je een uitbrander. Vergat je het twee keer, dan werd je gekort op je geld. Als je het drie keer vergat, dan had je het gehad – dan stond je zonder pardon op straat. Dat was Vera's regel, en voor mij was het prima. Ik vond het hard, maar ik vond het eerlijk. Als jou twee keer was verteld op welk schap ze het baksel neergezet wilde hebben als het net uit de oven kwam, en níet wilde dat je het op de vensterbank van de keuken neerzette om te laten afkoelen zoals simpele Ieren zouden doen, en je kon het nog niet onthouden, zat er een goede kans in dat je het nóóit meer hoefde te onthouden.

Drie missers en je stond buiten, dat was de regel, er bestonden absoluut geen uitzonderingen op, en daardoor heb ik door de jaren heen met een hoop verschillende mensen in dat huis gewerkt. Vroeger heb ik vaker dan eens horen zeggen dat werken voor de Donovans zoiets was als door een draaideur binnenstappen. Misschien kreeg je één draai, of twee, en sommige mensen gingen wel tien keer rond, of twaalf, maar uiteindelijk werd je altijd weer op de stoep uitgespuugd. Dus toen ik voor haar ging werken – dat was in 1949, het jaar nadat Selena was geboren – stapte ik dat huis in zoals je een drakehol binnenstapt. Maar ze was niet zo slecht als mensen graag van haar wilden maken. Als je je oren openhield, kon je blijven. Dat deed ik, en die lulhannes deed het ook. Maar de hele tijd moest je op je tenen blijven lopen, omdat ze intelligent was, omdat ze altijd meer wist wat er gaande was onder de mensen van het eiland dan wie ook van de andere zomergasten… en omdat ze vals kon zijn. Zelfs toen, voor ze al die andere problemen kreeg, kon ze vals zijn. Het was voor haar zoiets als een hobby.

'Wat kom je hier doen?' zegt ze tegen me op die eerste dag. 'Moet je niet thuis zijn om voor die nieuwe baby van je te zorgen en lekkere, uitgebreide maaltijden klaarmaken voor het licht van je leven?'

'Mevrouw Cullum wil graag vier uur per dag op Selena passen,' zei ik. 'Ik kan alleen maar part-time, mevrouw.'

'Part-time is alles wat ik nodig heb, zoals, geloof ik, in de advertentie van het plaatselijke Suffertje staat,' pareert ze meteen – en laat me gewoon het puntje van die scherpe tong van haar zien, niet echt venijnig zoals ze later zo vaak zou doen. Voorzover ik me kan herinneren, was ze die dag aan het breien. Die vrouw kon breien als een speer – een paar sokken op een dag was geen probleem voor haar, zelfs al begon ze pas om tien uur. Maar ze zei dat ze ervoor in de stemming moest zijn.

'Jamevoi,' zei ik. 'Dat is zo.'

'Ik heet niet Jamevoi,' zei ze, terwijl ze haar breiwerk neerlegde. 'Ik heet Vera Donovan. Als ik je aanneem, dan noem je me mevrouw Donovan – in ieder geval tot we elkaar goed genoeg kennen om daar verandering in te brengen – en ik noem jou Dolores. Is dat duidelijk?'

'Ja, mevrouw Donovan,' zei ik.

'Prima. Het begin is in ieder geval goed. Geef nu antwoord op mijn vraag. Wat doe je hier als je een eigen huis hebt om bij te houden, Dolores?'

'Ik wil wat extra geld voor de kerst verdienen,' zei ik. Onderweg daarheen had ik al besloten dat ik dat zou zeggen als ze het zou vragen. 'En als ik tot die tijd voldoe – en als ik het werken voor u prettig vind, natuurlijk – dan blijf ik misschien nog wat langer.'

'Als jíj werken voor míj prettig vindt,' antwoordt ze me, toen rolde ze met haar ogen alsof dat het idiootste was dat ze ooit had gehoord – hoe kon iemand het níet prettig vinden om voor de fantastische Vera Donovan te werken? Dan herhaalt ze weer: 'geld voor de kerst'. Ze is even stil, terwijl ze me al die tijd aankijkt, zegt het dan weer, zelfs nog sarcastischer: 'Gèèèèld voor de kèèèrst!'

Net zoals ze vermoedde was ik daar in werkelijkheid omdat ik nauwelijks de rijst uit mijn haar had geschud en al huwelijksproblemen had, en ze wilde me alleen maar zien blozen en me mijn ogen zien neerslaan om het zeker te weten. Dus ik bloosde niet en ik sloeg mijn ogen niet neer, hoewel ik pas tweeëntwintig was en het kantje boord was. Evenmin zou ik ook maar iemand toe hebben gegeven dat ik al moeilijkheden hàd – voor geen geld ter wereld zou iemand het uit me hebben gekregen. Geld voor de kerst was goed genoeg voor Vera, hoe sarcastisch ze het ook mocht zeggen, en het enige dat ik mezelf wilde toegeven, was dat het huishoudgeld die zomer een beetje krap was. Pas jaren later kon ik de echte reden noemen waarom ik die dag de draak in haar eigen hol was gaan opzoeken: ik moest een manier zien te vinden iets van het geld terug te halen dat Joe door de week verzoop en vrijdagsavonds verloor met pokeren in de achterkamer van Fudgy's Tavern op het vasteland. Toentertijd geloofde ik nog dat de liefde van een man voor een vrouw en van een vrouw voor een man sterker waren dan de liefde voor drinken en de boel op stelten zetten – dat liefde uiteindelijk boven zou komen drijven als room in een fles melk. De tien jaar daarna kwam ik daar wel ach ter. De wereld is soms een trieste leerschool, nietwaar?

'Nou,' zei Vera, 'we zullen het met elkaar proberen, Dolores St. George... hoewel ik me zo voorstel dat je, ook al werk je buitenshuis, met een jaar of zo weer zwanger zult zijn, en dan ben je hier voor het laatst geweest.'

Het feit was dat ik toen al twee maanden zwanger was, maar ook dat zou ik voor geen geld ter wereld hebben gezegd. Ik wilde de tien dollar per week die het baantje betaalde en ik kreeg die, en je kunt me maar beter geloven als ik zeg dat ik elke rooie cent ervan verdiend heb. Ik werkte me die zomer uit de naad, en toen het Labor Day werd, vroeg Vera me of ik wilde blijven als zij teruggingen naar Baltimore – iemand moet zo'n groot huis als dat het hele jaar door bijhouden, weet je – en ik zei prima.

Ik bleef het doen tot een maand voor Joe Junior werd geboren, en ik was zelfs al weer terug voor hij van de tiet was. In de zomer liet ik hem achter bij Arlene Cullum – Vera wilde geen huilende baby in het huis, zij niet – maar als zij en haar man weg waren, nam ik zowel hem als Selena mee daarheen. Selena kon meestentijds alleen worden gelaten – zelfs met twee, bijna drie, was ze de meeste tijd wel te vertrouwen. Joe Junior sleepte ik op mijn dagelijkse rondes met me mee. Hij deed zijn eerste stappen in de grote slaapkamer, maar neem maar van me aan dat Vera dat nooit heeft geweten.

Ze belde me een week na de geboorte (ik had haar bijna geen geboortekaartje gestuurd, maar besloot toen dat als zij dacht dat ik uit was op een mooi cadeau het haar probleem was), feliciteerde me met de geboorte van een zoon, en zei toen waarvan ik denk dat ze daarvoor belde – dat ze mijn plaats voor me openhield. Ik denk dat het haar bedoeling was dat ik me gevleid zou voelen, en dat was ook zo. Het was zo ongeveer het grootste compliment dat een vrouw als Vera kon maken, en het betekende heel wat meer voor mij dan de cheque met een bonus van vijfentwintig dollar die ik van haar dat jaar in december per post ontving.

Ze was moeilijk, maar eerlijk, en in dat huis van haar was zij altijd de baas. Haar man was daar overigens maar een op de tien dagen, zelfs 's zomers als ze daar zogenaamd de hele tijd woonden, maar als hij er was, wist je nog altijd wie er de leiding had. Misschien had hij twee- of driehonderd werknemers die elke keer dat hij klote riep hun onderbroek lieten zakken, maar Vera was de baas van de hele handel op Little Tall Island, en als ze hem vertelde zijn schoenen uit te trekken en ermee op te houden haar mooie schone vloerkleed smerig te maken, deed hij dat.

En zoals ik zeg, ze had haar manieren waarop dingen gedaan moesten worden. O ja, zeker wel! Ik weet niet waar ze haar ideeën vandaan haalde, maar ik weet wèl dat ze er een gevangene van was. Als dingen niet op een bepaalde manier werden gedaan, kreeg ze pijn in haar hoofd of in haar buik. Het kostte haar zoveel tijd per dag om dingen te controleren, dat ik vaak genoeg dacht dat ze heel wat minder kopzorgen zou hebben als ze er gewoon mee was opgehouden en dat huis zelf schoonhield.

Alle badkuipen moesten bijvoorbeeld met Spic & Span uitgeschrobd worden. Niet met Lestoil, niet met Top Job, niet met Mr. Clean. Gewoon Spic & Span. Als ze je betrapte dat je een van de badkuipen met iets anders aan het schrobben was, God beware je.

Wat het strijken betrof, moest je voor de boorden van de hemden en bloezen een speciale spuitbus stijfsel gebruiken, en voor je ging spuiten had je dat stukje gaas dat je over de boord heen moest leggen. Dat klotegaas deed godverdomme niks, voorzover ik ooit heb kunnen zien, en ik moet minstens tienduizend hemden en bloezen in dat huis hebben gestreken, maar als ze de waskamer binnenkwam en zag dat je met de hemden bezig was zonder dat stukje gaas op de boorden, of als je dat niet minstens over het eind van de strijkplank had hangen, God beware je.

Als je er niet aan dacht de afzuiger in de keuken aan te zetten wanneer je iets aan het bakken was, God beware je.

De vuilnisemmers in de garage waren ook zoiets. Er stonden er zes. Sonny Quist kwam één keer per week om het afval op te halen en van de huishoudster of een van de meisjes – wie er toevallig het dichtst bij stond – werd verondersteld dat die de emmers in de garage terugzette op het moment – nee, nog éérder – dat hij weg was. En je kon ze niet gewoon in een hoek slepen en daar laten staan; ze moesten twee aan twee naast elkaar tegen de rechtermuur van de garage worden neergezet, met hun deksels omgekeerd erbovenop. Als je vergat het op precies die manier te doen, God beware je.

Dan had je de matten met welkom erop. Er waren er drie – een voor de voordeur, een voor de deur naar de patio en een voor de achterdeur, waar zo'n snobistisch bordje hing met LEVERANCIERS-INGANG erop – tot vorig jaar toen ik er niet meer naar kon kijken en het weghaalde. Een keer per week moest ik die matten met welkom opnemen en ze op een grote steen leggen achterin de achtertuin, o, ik zou zeggen ongeveer veertig meter van het zwembad vandaan, en het stof eruit meppen met een bezem. Het stof moest echt om je oren vliegen. En als je wat lanterfantte, had je alle kans dat ze je betrapte. Ze keek niet èlke keer als je de welkom-matten aan het kloppen was, maar wel heel vaak. Ze stond dan op de patio met een verrekijker van haar man. En waar het om ging, was dat als je de matten terugbracht naar het huis, je ervoor moest zorgen dat WELKOM de juiste richting op wees. En die was dat als er mensen naar welke deur dan ook liepen ze het konden lezen. Leg een welkom-mat omgekeerd terug op het bordes en God beware je.

Er moeten wel vijftig verschillende dingen zoals dat zijn geweest. Vroeger, toen ik begon als dagmeisje, hoorde je bij de supermarkt een hoop gezeur over Vera Donovan. De Donovans zorgden voor heel wat afleiding, door de jaren vijftig heen hadden ze een heleboel hulp in huis, en doorgaans was degene die het hardst zeurde zo'n meisje dat part-time was aangenomen en toen was ontslagen omdat ze drie keer op rij een van de regels was vergeten. Ze vertelde dan iedereen die maar wilde luisteren dat Vera Donovan een gemene, kijverige oude taart was, en daarbij nog zo gek als een deur. Nou, misschien was ze gek en misschien niet, maar ik kan je één ding zeggen – als je die regels niet vergat, kreeg je geen moeilijkheden. En ik zeg maar zo: iedereen die zich weet te herinneren wie met wie slaapt in al die soap-series die ze 's middags uitzenden, moet zich kunnen herinneren Spic & Span te gebruiken in de badkuipen en de welkom-matten op de juiste manier terug te leggen.

Maar nu de lakens. Dat was iets wat je nóóit verkeerd wilde doen. Ze moesten perfect gelijk over de lijnen gehangen worden – zodat de zomen gelijk hingen, weet je – en op elk laken moest je zes wasknijpers gebruiken. Nooit vier; altijd zes. En als je er een door de modder sleepte, hoefde je je geen zorgen meer te maken tot je drie keer iets verkeerds had gedaan. De lijnen hebben altijd in de tuin opzij van het huis gehangen, wat precies onder haar slaapkamerraam is. Ze liep dan naar dat raam, jaar in jaar uit, en gilde naar me: '*Zes knijpers, nu, Dolores! Let op! Zes, geen vier! Ik tel, en mijn ogen zijn nog net zo goed als vroeger!*' Dan zou ze... Wat, schat?

O, kul, Andy – laat haar met rust. Dat is een zinnige vraag, en geen man heeft de hersens om die te stellen.

Ik zal het je zeggen, Nancy Bannister uit Kennebunk, Maine – ja, ze hàd een droger, een mooie grote, maar het was ons verboden er de lakens in te doen, tenzij er volgens het weerbericht vijf dagen regen op komst was. 'Het enige laken dat het waard is op het bed van een fatsoenlijk mens gelegd te worden, is een laken dat buiten te drogen heeft gehangen,' zegt Vera, 'omdat die lekker ruiken. Ze vangen iets van de wind die ze deed fladderen, en ze houden die vast, en die geur stuurt je weg in heerlijke dromen.'

Ze zat vol gelul over een heleboel dingen, maar niet over de geur van frisse lucht in de lakens. Volgens mij had ze daar puur gelijk in. Iedereen kan het verschil ruiken tussen een laken dat in een Maytag was rondgedraaid en een dat fladderde in een goede zuidenwind. Maar er waren zat winterochtenden dat het zo'n tien graden onder nul was en de wind sterk en vochtig uit het oosten kwam, recht van de Atlantische Oceaan af. Op dat soort ochtenden zou ik zonder commentaar die lekkere geur hebben opgegeven. Lakens ophangen in een felle kou is een soort marteling. Niemand weet hoe het is tot je het hebt gedaan, en als je het eenmaal hebt gedaan, vergeet je het nooit meer.

Je neemt de mand mee naar buiten naar de lijnen en de stoom komt van de bovenkant, het eerste laken is warm en misschien denk je bij jezelf – dat wil zeggen, als je het nooit eerder hebt gedaan – 'Ach, dit is niet zo erg.' Maar tegen de tijd dat je dat eerste laken hebt hangen, met de zoom recht en die zes knijpers erop, stoomt-ie niet meer. Het is nog steeds nat, maar nu is het ook nog koud. En je vingers zijn nat, en díe zíjn koud. Maar je gaat naar het volgende, en het volgende, en het volgende, en je vingers worden rood en ze worden langzamer en je schouders doen pijn en je mond is verkrampt door de knijpers die je erin bewaart, zodat je je handen vrij hebt om dat klotelaken steeds maar weer netjes en gelijk te hangen, maar de meeste ellende zit precies in je vingers. Als die gevoelloos zouden worden, was dat misschien iets. Je wenst bijna dat het zo was. Maar ze worden gewoon rood en als er genoeg lakens zijn, gaan ze verder naar een soort van bleekpaars, zoals de randen van sommige lelies. Tegen de tijd dat je klaar bent, zijn je handen echt net klauwen. Maar het ergste is dat je weet wat er gaat gebeuren als je eindelijk weer binnen bent met die lege wasmand en de warmte op je handen slaat. Ze beginnen te tintelen en dan beginnen ze in de knokkels te kloppen – alleen is dat gevoel zo hevig, dat het eigenlijk eerder húilen is dan kloppen. Ik wou dat ik het je kon beschrijven zodat je het wist, Andy, maar ik kan het niet. Nancy Bannister daar kijkt alsof zíj het weet, in ieder geval een beetje, maar in de winter zit er een wereld van verschil tussen het ophangen van je was op het vasteland en het ophangen van je was op het eiland. Als je vingers weer warm beginnen te worden, voelen ze aan alsof er een enorme mierenhoop in zit. Dus je smeert ze helemaal in met een soort van handlotion en wacht tot de jeuk weggaat, en je weet dat het niks uitmaakt hoeveel lotion uit de winkel of gewoon oud schapevet je op je handen smeert, tegen eind februari zitten er nog zoveel kloven in je handen dat ze openbarsten en bloeden op het moment dat je een stevige vuist maakt. En soms, ook al ben je weer warm geworden en misschien al naar bed gegaan, maken je handen je midden in de nacht wakker, snikkend van de herinnering aan die pijn. Denk je dat ik een grapje maak? Je mag lachen als je wilt, maar ik niet, helemaal niet. Je kunt ze bijna horen, als kleine kinderen die hun mama's kwijt zijn. Het komt van diep binnenin, en je ligt daar en luistert ernaar, terwijl je al die tijd weet dat je toch weer naar buiten zal gaan, niets kan het tegenhouden, en het maakt allemaal deel uit van vrouwenwerk waar geen man òf van weet òf van wil weten.

En terwijl je dat allemaal door moest maken, handen gevoelloos, vingers paars, schouders pijnlijk, het snot dat van je neuspunt druipt en als een teek vastvriest aan je bovenlip, staat of zit ze vaker wel dan niet daar voor haar slaapkamerraam naar je te kijken. Haar voorhoofd gegroefd en haar lippen naar beneden getrokken, terwijl ze haar handen over elkaar heen wreef – helemaal gespannen was ze dan, alsof het een soort van ingewikkelde operatie in een ziekenhuis was in plaats van alleen maar het ophangen van lakens om te laten drogen in de winterwind. Je kon zien dat ze probeerde zichzelf in te houden, haar grote klep deze keer dicht te houden, maar na een tijdje was ze daar dan niet meer toe in staat en ze gooide het raam open en leunde naar buiten zodat de koude oostenwind haar haar naar achteren woei en ze krijste dan naar beneden: 'Zes knijpers! Denk eraan zes knijpers te gebruiken! Laat de wind mijn goede lakens niet naar de hoek van de tuin blazen! Pas op! En denk erom dat je het doet, want ik kijk en ik tel!'

Tegen de tijd dat het maart was, droomde ik ervan de hakbijl te pakken die ik en de lulhannes altijd gebruikten om aanmaakhout te kappen voor de keukenkachel (dat wil zeggen, tot hij doodging, daarna had ik het helemaal alleen voor het zeggen, was ik blij) en dat schreeuwlelijkerige kreng een goede lel precies tussen de ogen te geven. Soms kon ik het mezelf zelfs zien doen, zo gek maakte ze me, maar ik denk dat ik altijd heb geweten dat een deel van haar dat gillen naar me net zo erg haatte als ik het luisteren ernaar.

Dat was de eerste manier waarop ze een kreng was – niet in staat er iets aan te doen. Het was eigenlijk erger voor haar dan voor mij, vooral toen ze haar erge beroertes had gehad. Toen was er heel wat minder was op te hangen, maar ze was nog net zo gestoord over dat onderwerp als ze was geweest voordat de meeste kamers in het huis afgesloten werden en de meeste logeerbedden waren afgehaald, en de lakens in plastic waren gevouwen en opgeborgen in de linnenkast.

Wat het voor haar in 1985 of daaromtrent zo moeilijk maakte, was dat haar tijd van mensen betrappen voorbij was – ze was van mij afhankelijk om ergens te komen. Als ik er niet was om haar uit bed te tillen en haar in haar rolstoel te zetten, bleef ze in bed. Ze zette behoorlijk aan, weet je – ging van zo'n kleine zestig kilo in het begin van de jaren zestig naar vijfentachtig, en het meeste van haar aanwinst was van dat gelige, blubberige vet dat je op sommige oude mensen ziet. Het hing af van haar armen en benen en kont als brooddeeg aan een stok. Sommige mensen worden in hun herfstdagen net zo dun als gedroogd vlees, maar niet Vera Donovan. Dokter Freneau zei dat het kwam omdat haar nieren niet naar behoren werkten. Ik denk het, maar ik had zat dagen dat ik dacht dat ze alleen maar aankwam om mij te pesten.

Maar het gewicht was niet alles; ze was ook halfblind. Dat kwam door de beroertes. Dat beetje zicht dat ze nog had schommelde. Sommige dagen kon ze een beetje zien met haar linkeroog en verrekte goed met haar rechter, maar de meeste tijd zei ze dat het leek alsof ze door een zwaar grijs gordijn keek. Ik denk dat je kunt begrijpen waarom het haar gek maakte, zij die zo iemand was die altijd een oogje op alles wilde houden. Een paar keer huilde ze er zelfs om, en je zal willen geloven dat er veel voor nodig is om zo'n taaie als zij aan het huilen te krijgen... en zelfs nadat de jaren haar op de knieën hadden gekregen, was ze nog steeds een taaie.

Wat, Frank?

Seniel?

Ik weet het niet zeker, en dat is de waarheid. Ik denk het niet. En als ze dat was, was ze het zeker niet op de gewone manier zoals oude mensen seniel zijn. Ik zeg het niet alleen maar omdat, als blijkt dat ze het wel was, de notaris die belast is met de uitvoering van haar testament er wellicht zijn neus in zal snuiten. Wat mij betreft mag hij zijn reet ermee afvegen, het enige wat ik wil is dat ik wegkom uit die klotetroep waar ze me in gebracht heeft. Maar ik moet blijven zeggen dat ze waarschijnlijk niet vollédig zonder bewoners zat daarboven, zelfs niet aan het eind. Misschien een paar lege kamers, maar niet helemaal zonder.

De voornaamste reden dat ik dat zeg, is dat ze dagen had dat ze net zo bijdehand was als altijd. Dat waren gewoonlijk dezelfde dagen dat ze iets kon zien, en meehielp als je haar rechtop in bed zette, of misschien zelfs die twee stappen deed van het bed naar de rolstoel in plaats van zich te laten rondzeulen als een baal graan. Ik zette haar dan in de rolstoel zodat ik haar bed kon verschonen en ze wilde erin zitten omdat ze naar het raam kon gaan – dat raam dat uitzag over de tuin opzij en de hele haven erachter. Ze zei me een keer dat ze voorgoed uit haar bol zou gaan als ze de hele dag en de hele nacht in bed zou moeten liggen, met alleen maar het plafond en de muren om naar te kijken, en ik geloofde haar.

Ze had haar dagen dat ze in de war was, ja – dagen dat ze niet wist wie ik was, en zelfs nauwelijks wie zíj was. Op die dagen was ze net een boot die was losgeraakt van zijn ankers, behalve dan dat de oceaan waarin ze hulpeloos voortdobberde, de tijd was –

ze had de neiging om 's ochtends te denken dat het 1947 was en 's middags 1974. Maar ze had ook goeie dagen. Er kwamen er minder naarmate de tijd voortschreed en ze bleef die kleine beroertes houden – attaques noemen de oudere mensen die – maar ze had ze. Maar haar goeie dagen waren vaak mijn slechte, omdat ze dan helemaal terugviel in haar oude krengerigheid als ik haar de kans gaf.

Ze werd dan vals. Dat was de tweede manier waarop ze een kreng was. Die vrouw kon zo vals zijn als de kolere als ze dat wilde. Ook al was ze de meeste tijd beperkt tot een bed, en droeg ze luiers en rubber onderbroeken, ze kon een echte stinkerd zijn. De troep die ze maakte op schoonmaakdagen is een even goed voorbeeld van wat ik bedoel als wat ook. Ze maakte die niet èlke week, maar, lieve Heer, ik zal je zeggen dat ze die op donderdags te vaak maakte om gewoon toevallig te zijn.

Donderdag was schoonmaakdag bij de Donovans. Het is een enorm huis – je krijgt er pas echt een idee van als je binnen rondwandelt – maar het meeste ervan is afgesloten. De dagen dat er zo'n stuk of zes meisjes rondliepen met hun haar in doeken, hier poetsend en daar ramen lappend en ergens anders spinnewebben uit de hoeken van het plafond ragend, zijn twintig jaar of meer in het verleden. Soms liep ik door die sombere kamers en keek naar het meubilair, ingepakt in stoflakens, en dacht eraan hoe het huis er vroeger uit had gezien in de jaren vijftig toen ze hun zomerpartijen hielden – ze hadden altijd verschillend gekleurde Japanse lampions op het grasveld, die herinner ik me nog goed! – en ik krijg de raarste rillingen. Ten slotte verdwijnen de heldere kleuren altijd uit het leven, heb je dat weleens opgemerkt? Ten slotte zien de dingen er altijd grijs uit, als een jurk die te vaak is gewassen.

De afgelopen vier jaar was het open gedeelte van het huis de keuken, de grote salon, de eetkamer, de serre die uitkijkt op het zwembad en de patio, en vier slaapkamers boven – die van haar, die van mij en de twee logeerkamers. 's Winters werden de logeerkamers niet erg warm gestookt, maar ze werden keurig bijgehouden voor het geval haar kinderen wèl kwamen om een tijdje te logeren.

Zelfs in die laatste paar jaren had ik altijd twee meisjes uit de stad die me op schoonmaakdagen hielpen. Er is altijd een behoorlijk levendig verloop daar geweest, maar sinds 1990 of daaromtrent waren het Shawna Wyndham en Franks zuster, Susy. Ik zou het niet zonder ze gekund hebben, maar nog steeds doe ik een boel zelf en tegen de tijd dat de meisjes donderdagmiddag om vier uur naar huis gaan, ben ik zo ongeveer dood op mijn voeten. Maar er is altijd nog een hoop te doen – het laatste wasgoed strijken, het uitschrijven van de boodschappenlijst voor vrijdag en het avondeten voor Hare Kale Neterigheid natuurlijk. Geen rust voor de verdorvenen, zoals ze zeggen.

Behalve dat vóór àl die dingen, of je het nou leuk vond of niet, nog iets van haar krengerigheid opgeruimd moest worden.

De meeste tijd was ze regelmatig met haar natuurlijke behoeftes. Elke drie uur schoof ik de steek onder haar en zij deed dan een plasje voor me. En op de meeste dagen lag er in die van twaalf uur ook een hoop naast de plas.

Dat wil zeggen, behalve op donderdag.

Niet èlke donderdag, maar op de donderdagen dat ze helder was, kon ik vaker wel dan niet op moeilijkheden rekenen... en op een pijnlijke rug die me tot middernacht wakker zou houden. Zelfs Anacin-3 hielp er op het laatst niet meer tegen. Ik ben het grootste deel van mijn leven zo gezond als een vis geweest, en ik ben nog stééds zo gezond als een vis, maar vijfenzestig is vijfenzestig. Je kunt de dingen niet meer van je afschudden zoals je dat vroeger kon.

Op donderdag, in plaats van een steek halfvol plas 's ochtends om zes uur, kreeg ik net een druppie. Hetzelfde om negen uur. En om twaalf uur, in plaats van een plas en een hoop, had je alle kans dat er helemaal niets kwam. Dan wist ik dat me mìsschien wat stond te wachten. De enige keren dat ik absoluut wìst dat me wat stond te wachten, waren die keren dat ik woensdagmiddag ook geen hoop uit haar had gekregen.

Ik zie dat je probeert niet te lachen, Andy, maar dat is prima – laat maar komen als het moet. Toen was het geen zaak om te lachen, maar nu is het voorbij en wat jij denkt is niets dan de waarheid. Het smerige ouwe wijf had een stront-spaarrekening en het was net alsof ze het sommige weken op de bank zette om de rente te vangen... alleen was ik degene die alle opnames kreeg. Ik kreeg ze of ik ze nou wilde of niet.

Het grootste deel van mijn donderdagmiddagen was ik bezig met de trap op te rennen en te proberen haar net op tijd voor te zijn, en soms lukte het me zelfs. Maar hoe de staat van haar ógen ook mocht zijn, er was niets mis met haar óren, en ze wist dat ik nooit een van de meisjes uit de stad het Aubusson-kleed in de salon liet zuigen. En wanneer ze de stofzuiger daar hoorde starten, startte zij haar vermoeide ouwe onzinfabriek op en die strontrekening van haar begon dividend uit te keren.

Toen bedacht ik een manier om haar voor te zijn. Ik gilde naar een van de meisjes dat ik van plan was vervolgens de salon te stofzuigen. Ik gilde dat zelfs als ze allebei naast me in de eetkamer waren. Ik zette dan inderdaad de stofzuiger aan, maar in plaats van hem te gebruiken, liep ik naar onder aan de trap en bleef daar staan met een voet op de onderste tree en mijn hand op de knop van de trapstijl, als een van die hardlopers die allemaal gehurkt zitten te wachten tot de starter zijn pistool afschiet en ze laat gaan.

Een of twee keer ging ik te snel naar boven. Dat was niet goed. Ik was als een hardloper die gediskwalificeerd wordt omdat hij vóór het startschot vertrekt. Je moest daar boven zijn als ze haar motor al te snel had lopen om hem nog uit te zetten, maar voor ze werkelijk haar koppeling op liet komen en een lading loste in die grote, oude incontinentie-onderbroek die ze droeg. Ik werd er behoorlijk goed in. Dat zouden jullie ook zijn, als je wist dat je vijfentachtig kilo oude vrouw moest rondzeulen als je het verkeerd timede. Het was alsof je probeerde om te gaan met een handgranaat die was geladen met stront in plaats van met sterke explosieven.

Ik kwam dan boven en zij lag in dat ziekenhuisbed van haar, gezicht helemaal rood, haar mond helemaal vertrokken, haar ellebogen in het matras gedrukt en haar handen gebald tot vuisten en ze ging dan van: 'Unnh! Unnnnnhhhh! UNNNNNNNNNHHHH!' Ik zal je zeggen – het enige wat ze nodig had, was een stelletje vliegenvangers aan het plafond en een Sears-catalogus op schoot om het plaatje compleet te maken.

Foei, Nancy, hou op met op je wangen bijten – je kunt het er maar beter uitgooien en de schande dragen dan het binnen te houden en de pijn te dragen, zoals ze zeggen. Bovendien, het hééft zijn grappige kant, dat is àltijd zo met stront. Vraag elk kind maar. Ik kan er zelfs al iets grappigs in ontdekken, nu het voorbij is en dat is al iets, vind je niet? Hoe groot de narigheid ook is waar ik in zit, de tijd die ik te maken had met Vera Donovans Stront Donderdagen is voorbij.

Ze hoorde me dan binnenkomen, en kwaad! Ze was dan net zo kwaad als een beer die wordt gesnapt met een poot in een honingboom. 'Wat doe jíj hierboven?' vroeg ze me dan met die hooghartige manier van praten die ze gebruikte als je haar betrapte wanneer zij er een kleretroep van maakte, alsof ze nog steeds op Vassar zat of op Holy Oaks, of op welke ook van de Zeven Zusters waar haar ouders haar naartoe hadden gestuurd. 'Dit is schóónmaakdag, Dolores! Ga verder met je werk! Ik heb je niet gebeld en ik heb je niet nodig!'

Ze maakte me niks niet bang. 'Ik denk dat je me wèl nodig hebt,' zei ik dan. 'Dit is nou niet bepaald Chanel Number Five wat ik uit je kont ruik, wel?'

Soms probeerde ze zelfs op mijn handen te slaan als ik het laken en de deken terugtrok. Ze keek me woest aan alsof ze van plan was me in steen te veranderen als ik er niet mee ophield en ze had haar onderlip helemaal vooruitgestoken als een klein kind dat niet naar school wil. Maar ik liet me door die maniertjes van haar niet tegenhouden. Niet Dolores, dochter van Patricia Claiborne. Ik had het laken in ongeveer drie seconden naar beneden en het kostte me nooit meer dan nog eens vijf seconden om haar broek uit te krijgen en het plakband van die luiers die ze droeg te rukken, of ze nou op mijn handen sloeg of niet. De meeste keren hield ze er trouwens na een paar pogingen mee op, omdat ze betrapt was en we het allebei wisten. Haar uitrusting was zo oud dat als ze hem eenmaal aan de gang had, de dingen gewoon hun beloop moesten hebben. Ik schoof dan zo keurig als wat de steek onder haar, en als ik vertrok om beneden echt de salon te gaan stofzuigen, vloekte ze meestal als een dragonder – klonk dàn helemaal niet als een Vassar-meisje, laat me je dat wel vertellen! Omdat zij wist dat ze die keer het spel verloren had, begrijp je, en er was niets dat Vera erger haatte dan dat. Zelfs in haar dementie haatte ze het om te verliezen.

Dat bleef een behoorlijk lange tijd zo doorgaan, en ik begon al te denken dat ik de oorlog had gewonnen in plaats van een paar veldslagen. Ik had beter moeten weten.

Er kwam een schoonmaakdag – dit was ongeveer anderhalf jaar geleden – toen ik helemaal geprepareerd was en klaarstond om mijn race naar boven te beginnen en haar weer te grijpen. Ik was het zelfs leuk gaan vinden, een beetje. Het maakte veel goed van een heleboel keren in het verleden dat ik het van haar verloor. En ik nam aan dat ze die keer, als ze de kans kreeg, werkelijk een strontorkaan in gedachten had. Alle tekenen waren er, en dan nog wat. In de eerste plaats had ze niet alleen een heldere dàg, ze was de hele wéék al helder – ze had me zelfs die maandag gevraagd de plank over de stoelleuningen te leggen zodat ze een paar spelletjes Big Clock-patience kon spelen, precies zoals vroeger. En wat haar darmen betrof, ze had een verrekte droge tijd; ze had sinds het weekeinde niets in de collecteschaal gedeponeerd. Ik stelde me voor dat zij die betreffende donderdag van plan was mij naast haar spaarrekening haar godvergeten kerstgratificatie uit te keren.

Toen ik die schoonmaakdag om twaalf uur de steek onder haar vandaan haalde, en zag dat hij gortdroog was, zeg ik tegen haar: 'Denk je niet dat je iets zou kunnen als je wat harder probeerde, Vera?'

'O, Dolores,' antwoordt ze, terwijl ze naar me opkijkt met haar doorzichtige blauwe ogen, even onschuldig als het kindeke Jezus. 'Ik heb al zo hard geprobeerd als ik kon – ik probeerde het zo hard dat het pijn deed. Ik denk dat ik gewoon verstopt ben.'

Ik gaf haar onmiddellijk gelijk. 'Ik denk het ook, en, schat, als het niet snel overgaat, zal ik je gewoon een hele doos Ex-Lax moeten voeren om je ontlasting op te blazen.'

'O, ik denk dat het te zijner tijd zelf wel oplost,' zei ze en schenkt me een van haar glimlachjes. Ze had toen natuurlijk geen enkele tand meer en ze kon haar ondergebit niet in hebben, tenzij ze rechtop in haar stoel zat, voor het geval ze moest hoesten en ze het dan in haar keel zou krijgen en erin stikte. Toen ze glimlachte, zag haar gezicht eruit als een oude boomstronk met een rotte knoest erin. 'Je kent me, Dolores – ik geloof erin de natuur haar beloop te laten.'

'Ik ken je zeker,' mompelde ik zo'n beetje toen ik me omdraaide.

'Wat zei je, schat?' vraagt ze, zo zoet dat je gedacht zou hebben dat suiker niet meer in haar mond kon smelten.

'Ik zei dat ik gewoon niet hier kan blijven staan wachten om je voor te zijn,' zei ik. 'Ik heb het huishouden te doen. Het is schoonmaakdag, weet je.'

'O, wèrkelijk?' zegt ze terug, net alsof ze niet had geweten welke dag het was vanaf het eerste moment dat ze die ochtend wakker werd. 'Ga dan maar door, Dolores. Als ik de behoefte voel om mijn darmen in beweging te brengen, roep ik je.'

Reken maar, dacht ik, ongeveer vijf minuten nadat het gebeurt. Maar ik zei het niet; ik ging gewoon weer naar beneden.

Ik pakte de stofzuiger uit de keukenkast, bracht hem naar de salon, en stak de stekker in het stopcontact. Maar ik zette hem niet meteen aan; eerst ging ik een paar minuten afstoffen. Ik was in die tijd al zover dat ik op mijn instincten kon vertrouwen, en ik wachtte tot iets binnen in me vertelde dat de tijd daar was.

Toen dat iets sprak en zei dat het zo ver was, schreeuwde ik naar Susy en Shawna dat ik de salon ging zuigen. Ik gilde hard genoeg, dat ik denk dat de helft van de mensen in het dorp me hoorde, gelijk met de Koningin-Moeder boven. Ik zette de Kirby aan, liep toen naar onder aan de trap. Die dag wachtte ik niet lang; dertig of veertig seconden was alles. Ik rekende dat ze aan een draad móest hangen. Dus ik naar boven, twee treden tegelijk en wat denk je?

Niets!

Geen... ene... moer.

Behalve.

Behalve de manier waarop ze naar me kéék. Net zo rustig en lief als je maar wilt.

'Was je iets vergeten, Dolores?' koert ze.

'Zekers,' zeg ik, 'ik vergat vijf jaar geleden dit baantje op te geven. Laten we er gewoon mee ophouden, Vera.'

'Wáármee ophouden, schat?' vraagt ze, terwijl ze min of meer met haar wimpers fladdert, alsof ze niet het minste idee had waar ik het over kon hebben.

'Laten we met dit spelletje ophouden, dat bedoel ik. Vertel me gewoon rechtuit – heb je de steek nodig of niet?'

'Nee,' zegt ze met haar beste, meest volstrekt eerlijke stem. 'Ik heb het je gezègd!' En glimlachte alleen maar tegen me. Ze zei geen woord, maar dat hoefde niet. Haar gezicht sprak boekdelen. Ik heb je, Dolores, zei het. Ik heb je goed te pakken.

Maar het was nog niet voorbij. Ik wìst dat ze een darmorkaan in haar ingewanden had en dat de pleuris uit zou breken als ze een goed begin had voor ik de steek onder haar kon krijgen. Dus ik ging naar beneden en bleef bij die stofzuiger staan en ik wachtte vijf minuten en toen rende ik wéér naar boven. Alleen glimlachte ze die keer niet tegen me toen ik binnenkwam. Die keer lag ze op haar zij, vast in slaap... of dat dacht ik. Dacht ik echt. Ze hield me goed en degelijk voor de gek, en je weet wat ze zeggen – Hou me één keer voor de gek, dan moet je je schamen, Hou je me twee keer voor de gek, dan moet ìk me schamen.

Toen ik de tweede keer naar beneden ging, zoog ik de salon ècht. Toen dat gebeurd was, zette ik de Kirby weg en ging terug om haar te controleren. Ze zat rechtop in bed, klaarwakker, het dek afgegooid, haar rubber onderbroek naar beneden geschoven tot op haar grote, oude, kwabbige knieën en haar luier los. Of ze troep had gemaakt? Goeie god! Het bed zat onder de stront, zij zat onder de stront, er zat stront op het kleed, op de rolstoel, op de muren. Er zat zelfs stront op de gordijnen. Het zag eruit alsof ze een handvol gepakt had en ermee had gesméten, zoals kinderen met modder naar elkaar gooien als ze zwemmen in een moddervijver.

Wat was ik kwaad! Kwaad genoeg om te spúgen!

'O, Vera! O, jij vuil SEKREET!' gilde ik tegen haar. Ik heb haar nooit vermoord, Andy, maar als ik het van plan was, zou ik het die dag hebben gedaan, toen ik die troep zag en die kamer rook. Ik wilde haar inderdaad vermoorden, dáár hoef ik niet over te liegen. En ze keek gewoon naar me met die verknoeide uitdrukking die ze kreeg als haar geest grappen met haar uithaalde... maar ik kon de duivel zien dansen in haar ogen, en ik wist heel goed aan wie die toer toen geleverd was. Hou me twee keer voor de gek, dan moet ik me schamen.

'Wie is dat?' vroeg ze. 'Brenda, ben jij dat, schat? Zijn de koeien weer los?'

'Je weet dat er hier sinds 1955 in een omtrek van vijf kilometer geen koe is geweest, en je weet verdomde goed wie ik ben!'

schreeuwde ik. Ik liep met grote stappen door de kamer, en dat was een vergissing want een van mijn slippers kwam in een drol terecht en ik ging verdomme bijna plat op mijn rug. Als dat was gebeurd, denk ik dat ik haar misschien echt had vermoord; ik zou niet in staat zijn geweest mezelf tegen te houden. Op dat moment stond ik klaar om vuur te zaaien en zwavel te oogsten.

'Weet ik níeíet,' zegt ze, terwijl ze probeerde te klinken als het arme, meelijwekkende vrouwtje dat ze op een boel dagen echt was. 'Weet ik níet! Ik kan niet zíen, en mijn maag is zo van streek. Ik denk dat ik kierewiet word. Ben jij het, Dolores?'

'Jij weet godverdommes goed dat ik het ben, ouwe taart!' zei ik, maar de waarheid is dat ik nog steeds op de toppen van mijn longen schreeuwde. 'Ik kan je wel vermóórden!'

Ik stel me zo voor dat tegen die tijd Susy Proulx en Shawna Wyndham onder aan de trap stonden, en alles hoorden, en ik stel me voor dat je al met ze hebt gesproken en ik al voor de helft hang. Je hoeft me niks te vertellen, Andy; je gezicht is ontzettend open.

Vera zag dat ze me helemaal niet voor de gek kon houden, in ieder geval niet meer, dus ze gaf het op te proberen me te doen geloven dat ze weer een van haar slechte dagen had gekregen en werd kwaad uit zelfverdediging. Ik denk dat ik haar misschien ook een beetje bang heb gemaakt. Als ik erop terugkijk, maakte ik mezèlf bang – maar, Andy, als je die kamer had gezien! Het zag eruit als etenstijd in de hel.

'Ik denk dat je het nog doet ook,' gilde ze terug. 'Op een goeie dag doe je het ècht, lelijke, kwaadaardige, ouwe helleveeg. Je vermoordt me net zoals je je man hebt vermoord!'

'Nee, dame,' zei ik. 'Niet precies. Als ik klaar ben met het opruimen van jóuw rotzooi, zal ik niet de moeite nemen het op een ongeluk te doen lijken – ik duw je gewoon het raam uit en dan is er één stinkend kreng minder op de wereld.'

Ik greep haar rond het middel en tilde haar op alsof ik Superwoman was. Die avond voelde ik het in mijn rug, dat kan ik je wel zeggen, en de volgende ochtend kon ik nauwelijks lopen, ik had zo'n pijn. Ik ging naar die bottenkraker in Machias en die deed er iets mee waardoor ik me wat beter voelde, maar sinds die dag is het nooit meer echt goed gekomen. Maar op dat moment voelde ik niks. Ik trok haar uit dat bed van haar alsof ik een kwaad klein meisje was en zij m'n Lappenpop Annie op wie ik me zou uitleven. Ze begon helemaal te trillen, en gewoon het weten dat ze echt bang wàs hielp me mezelf weer in bedwang te krijgen, maar ik zou een smerige leugenaar zijn als ik niet zei dat ik blij was dat ze bang was.

'Oooooh!' gilde ze. 'Oooooh, niet doeoeoen! Breng me niet naar het raam! Gooi me niet naar buiten, heb niet het lef! Zet me neer! Je doet me pijn, Dolores! OOOOOH ZET ME NEEEEEEER!'

'O, hou op met je gemekker,' zeg ik en laat haar in haar rolstoel vallen, hard genoeg om haar tanden te laten klapperen... dat wil zeggen, als ze tanden had gehad om te klapperen. 'Kijk eens naar die rotzooi die je hebt gemaakt. En probeer me ook niet te vertellen dat je het niet kan zien, omdat ik weet dat je het wel kan. Kijk dan!'

'Het spijt me, Dolores,' zegt ze. Ze begon te grienen, maar ik zag dat gemene lichtje helemaal door haar ogen dansen. Ik zag het op de manier zoals je soms vissen in helder water ziet als je op je knieën in een boot gaat zitten en over de rand kijkt. 'Het spijt me. Ik wilde geen troep maken, ik wilde juist helpen.' Dat zei ze àltijd als ze in bed scheet en er dan een tijdje in ronddraaide... hoewel het die dag de eerste keer was dat ze besloot er ook mee te gaan vingerverven. Ik wilde juist helpen, Dolores – Jezus krimmeneel.

'Blijf zitten en hou je mond,' zei ik. 'Als je echt geen snelle rit naar dat raam wil en een nog snellere naar beneden naar de rotstuin, kun je het beste doen wat ik zeg.' En die meisjes onder aan de trap, ik twijfel er helemaal niet aan, luisterden naar elk woord dat we zeiden. Maar op dat moment was ik te godvergeten kwaad om daaraan te denken.

Ze was zinnig genoeg om haar mond te houden, zoals ik haar had gezegd, maar ze zag er tevreden uit en waarom ook niet? Ze had gedaan wat ze van plan was geweest – deze keer had zij de slag gewonnen, en ze maakte het zo doorzichtig als vensterglas dat de oorlog nog niet voorbij was – nog op geen stukken na. Ik ging aan het werk, schoonmaken en de kamer weer op orde brengen. Het duurde bijna twee uur en tegen de tijd dat ik klaar was, zong mijn rug het 'Ave Maria'.

Ik vertelde jullie over de lakens, hoe dat was, en ik kon aan jullie gezichten zien dat jullie me begrepen. Het is moeilijker die troep die ze maakte te begrijpen. Ik bedoel, van stront kijk ik niet scheel. Mijn hele leven heb ik stront opgeruimd en het zien heeft me nóóit scheel doen kijken. Hij ruikt niet als een bloementuin, natuurlijk, en je moet er voorzichtig mee zijn omdat hij ziektes draagt net als snot en spuug en vers bloed, maar je kunt hem afwassen, weet je. Iedereen die ooit een baby heeft gehad weet dat je stront af kunt wassen. Dus dat was het niet wat het zo erg maakte.

Ik denk dat het was omdat zij er zo vàls over deed. Zo slúw. Ze wachtte haar tijd af en toen ze een kans kreeg, maakte ze de ergste troep die ze kon en ze deed het gewoon zo snèl als ze kon, omdat ze wist dat ik haar niet veel tijd zou geven. Ze deed dat gemene gedoe met opzet, begrijpen jullie waar ik op doel? Voorzover haar mistige hersens het haar toelieten, *plande ze het*, en dat bedrukte me en verduisterde mijn blik terwijl ik voor haar aan het schoonmaken was. Terwijl ik het bed afhaalde; terwijl ik de ondergescheten hoes van de matras en de ondergescheten lakens en ondergescheten kussenslopen naar de waskoker bracht; terwijl ik de vloer schrobde, en de muren en de vensterruiten; terwijl ik de gordijnen afhaalde en nieuwe ophing; terwijl ik het bed weer opmaakte; terwijl ik op mijn tanden beet en probeerde mijn rug in het gareel te houden; terwijl ik haar schoonmaakte en een nieuwe nachtpon aantrok en haar toen uit de stoel terug in bed zeulde (en zij helemaal niet meehielp, gewoon in mijn armen bleef hangen als een dood gewicht, hoewel ik verdomde goed weet dat het een van die dagen was dat ze wel had kùnnen helpen als ze gewild had); terwijl ik de vloer waste; terwijl ik haar godverdommese rolstoel schoonwaste en toen echt moest schrobben omdat het spul was opgedroogd – terwijl ik dat allemaal deed, voelde ik me bedrukt en was mijn blik verduisterd. Zij wist het ook.

Ze wist het en het maakte haar gelukkig.

Toen ik die avond thuiskwam, nam ik wat Anacin-3 voor mijn pijnlijke rug en ging toen naar bed en ik rolde me op tot een bal, ook al deed het mijn rug nog meer pijn, en ik huilde en huilde en huilde. Het leek alsof ik niet kon ophouden. Nooit – in ieder geval niet sinds dat oude gedoe met Joe – heb ik me zo verslagen en hopeloos gevoeld. Of zo klote óud.

Dat was haar tweede manier om een kreng te zijn – door vals te zijn.

Zeg je, Frank? Of ze het weer deed?

Jij bent verrekte maf. Ze deed het de volgende week weer, en de week daarna. Het was beide keren niet zo erg als dat eerste avontuur, voor een deel omdat ze niet in staat was zo'n dividend op te sparen, maar vooral omdat ik er op voorbereid was. Maar de tweede keer ging ik, nadat het was gebeurd, weer huilend naar bed, en terwijl ik daar in bed lag en die ellende diep onder in mijn rug voelde, besloot ik ontslag te nemen. Ik wist niet wat er met haar zou gebeuren of wie er voor haar zou zorgen, maar op dat moment kon het me geen mallemoer schelen. Wat mij betrof kon ze doodhongeren daar in haar eigen ondergescheten bed.

Ik huilde nog steeds toen ik in slaap viel, omdat ik me door het idee van ontslag nemen – dat zij het van mij had gewonnen – beroerder voelde dan ooit, maar toen ik wakker werd, voelde ik me goed. Ik denk dat het waar is dat je geest niet slaapt, ook al denk je dat hij dat wel doet. Hij blijft gewoon denken en soms werkt hij heel wat beter dan als de persoon die er de baas over is erbij is om hem naar zijn mallemoer te draaien met al het gewone gekakel dat er nou eenmaal in iemands hoofd bestaat – werk dat je moet doen, wat je voor de lunch moet hebben, wat er op de tv te zien is, dat soort dingen. Het moet waar zijn, omdat de réden dat ik me zo goed voelde, was omdat ik wakker werd met de wetenschap hoe ze me te grazen had. De enige reden dat ik het niet eerder had gezien, kwam omdat ik de neiging had haar te onderschatten – zekers, zelfs ik, en ik wist hoe sluw ze van tijd tot tijd kon zijn. En toen ik de truc eenmaal doorhad, wist ik wat ik eraan moest doen.

Het deed me pijn te weten dat ik een van de donderdagmeisjes het Aubusson-kleed moest toevertrouwen – en het idee dat Shawna Wyndham het zou stofzuigen, gaf me wat mijn grootvader altijd de kouwe rillingen noemde. Je weet hoe slonzig ze is, Andy – alle Wyndhams zijn slonzig, natuurlijk, maar zij heeft de anderen met zeven straatlengtes achter zich gelaten. Het is net alsof ze bulten uit haar lijf laat groeien om dingen om te stoten als ze erlangs loopt. Het is niet haar fout, het is iets in het bloed, maar ik kon de gedachte niet verdragen dat Shawna door de salon draafde, met al Vera's kermisglas en Tiffany dat gewoon smeekte om omgestoten te worden.

Toch moest ik íets doen – hou me twee keer voor de gek, dan moet ik me schamen – en gelukkig had ik Susy om op terug te vallen. Ze was geen ballerina, maar het jaar daarna heeft zij het Aubusson gezogen en ze heeft nooit iets gebroken. Ze is een goed meisje, Frank, en ik kan je niet vertellen hoe blij ik was dat ik die huwelijksaankondiging van haar kreeg, ook al kwam die knul ergens anders vandaan. Hoe gaat het met hen? Wat hoor je?

Nou, da's mooi. Móói. Ik ben blij voor haar. Ik denk niet dat ze er al een op stapel heeft, wel? Tegenwoordig lijkt het wel alsof de mensen wachten tot ze bijna gereed zijn voor het ouwe mensenhuis voor ze –

Já, Andy, ik dóe het! Ik wil alleen dat je je blijft herinneren dat het mijn léven is waar ik het hier over heb – mijn godvergeten léven! Dus waarom zak je niet verder onderuit in die grote oude stoel van je en doe je benen omhoog en ontspan je je? Als je op die manier blijft douwen, bezorg je jezelf nog een breuk.

Afijn, Frank, doe haar de groeten van me, en vertel haar dat ze zo ongeveer Dolores Claibornes leven heeft gered in de zomer van '91. Je kunt haar het volledige verhaal vertellen over de strontstormen op donderdag en hoe ik ze stopte. Ik heb hun nooit precies verteld wat er aan de hand was, het enige wat ze zeker wisten, was dat ik aan het knokken was met Hare Koninklijke Hoogheid. Ik begrijp nu dat ik me scháámde hun te vertellen wat er aan de hand was. Ik denk dat ik het net zomin leuk vind om te verliezen als Vera.

Het was het geluid van de stofzuiger, begrijp je. Dàt besefte ik toen ik die ochtend wakker werd. Ik vertelde je dat er niets mis was met haar óren, en het was het geluid van de stofzuiger dat haar vertelde of ik werkelijk de salon deed of onder aan de trap stond, in mijn startpositie. Als een stofzuiger op één plek blijft staan, maakt hij maar één geluid, weet je. Gewoon *zoooeeee*, zoiets. Maar als je een kleed aan het zuigen bent, maakt hij twee geluiden, en die gaan op en neer in golven, *woep*, dat is als je hem van je afduwt. En *zoep*, dat is wanneer je hem terughaalt voor een volgende duw. *woep-zoep, woep-zoep, woep-zoep*.

Hou op met in je haar te krabben, jullie allebei, en kijk naar de grijns van Nancy. Het enige dat iemand maar hoeft te doen om te weten wie van jullie een keer een stofzuiger in zijn handen heeft gehad, is naar jullie gezichten te kijken. Als je echt het gevoel hebt dat het zo belangrijk is, Andy, probeer het dan zelf eens. Je hoort het meteen, hoewel ik me kan voorstellen dat Maria zo ongeveer ter plekke dood neervalt als ze de woonkamer binnenkwam en jou het kleed zag stofzuigen.

Wat ik me die ochtend realiseerde, was dat ze ermee was opgehouden gewoon te luisteren tot wanneer de stofzuiger werd aangezet, omdat ze besefte dat het daar niet meer om ging. Ze luisterde om te horen of het geluid op en neer ging zoals het hoort als een stofzuiger werkelijk bezig is. Ze wilde haar smerige truc pas uithalen als ze dat *WOEP-ZOEP*-geluid hoorde.

Ik stond te popelen om mijn nieuwe idee uit te proberen, maar dat kon niet meteen, omdat ze net op dat moment in een van haar slechte perioden terechtkwam, en voor een behoorlijk lange tijd deed ze haar zaakjes gewoon in de steek of pieste wat in haar luiers als ze niet anders kon. En ik begon bang te worden dat dit de keer zou worden dat ze er niet meer uitkwam. Ik weet dat het gek klinkt, aangezien ze zoveel makkelijker was om mee om te gaan als ze verward in haar denken was, maar als je zo'n goed idee krijgt, wil je dat toch min of meer uitproberen. En je weet, ik voelde íets voor dat kreng, buiten dat ik haar wilde wurgen. Na haar meer dan veertig jaar te hebben gekend, zou het godvergeten vreemd zijn geweest als ik dat niet deed. Ze breide een keer een sprei voor me, weet je – dit was lang voordat ze echt slecht werd, maar die ligt nog steeds op mijn bed en geeft wat warmte op die februarinachten als de wind gemeen opspeelt.

Toen, ongeveer een maand of anderhalve maand nadat ik wakker werd met mijn idee, begon ze weer terug te komen. Ze keek naar *Jeopardy* op de kleine tv in de slaapkamer en foeterde op de kandidaten als ze niet wisten wie president was geweest tijdens de Spaans-Amerikaanse oorlog of wie Melanie speelde in *Gejaagd door de Wind*. Ze begon met al dat ouwe gekakel over hoe haar kinderen haar misschien voor Labor Day zouden komen bezoeken. En natuurlijk, ze dramde om in haar stoel gezet te worden zodat ze mij de lakens kon zien ophangen en er zeker van kon zijn dat ik zes knijpers gebruikte en niet maar vier.

Toen kwam er een donderdag dat ik om twaalf uur de steek onder haar vandaan haalde, zo droog als wat en zo leeg als de beloftes van een autoverkoper. Ik kan je niet vertellen hoe blij ik was om die lege steek te zien. Daar gaan we dan, jij sluwe ouwe vos, dacht ik. Nu zullen we het eens zien. Ik ging naar beneden en riep Susy Proulx in de salon.

'Ik wil dat jíj vandaag hier zuigt, Susy,' zei ik tegen haar.

'Goed, mevrouw Claiborne,' zei ze. Zo noemden ze me allebei, Andy – zoals de meeste mensen op het eiland me noemen, wat dat betreft. Ik heb er nooit een punt van gemaakt in de kerk of ergens anders, maar zo is het. Het lijkt wel alsof zij denken dat ik op een bepaald moment in mijn bonte verleden getrouwd ben geweest met een vent die Claiborne heette... of misschien wil ik gewoon geloven dat de meesten van hen zich Joe niet herinneren, hoewel ik denk dat er zat zijn die dat wel doen. Het maakt uiteindelijk niet al te veel uit, hoe je het ook bekijkt; ik denk dat ik het recht heb te geloven wat ik wil geloven. Ik was per slot degene die met die hufter getrouwd was.

'Ik vind het goed,' gaat ze door, 'maar waarom fluistert u?'

'Laat maar zitten,' zei ik, 'hou je eigen stem gewoon gedempt. En breek hier niets, Susan Emma Proulx – heb niet het lef.'

Nou, haar blos was net zo rood als de wagen van de vrijwillige brandweer, het was eigenlijk nogal komisch. 'Hoe wist u dat mijn tweede naam Emma is?'

'Gaat je geen fluitekruid aan,' zeg ik. 'Ik breng al een eeuwigheid op Little Tall door, en er komt geen eind aan al die dingen die ik weet en de mensen over wie ik ze weet. Jij bent gewoon voorzichtig met je ellebogen tussen al het meubilair en de kermisglas-vazen van Mevrouw God, vooral als je achteruitloopt, en dan hoef je je nergens zorgen over te maken.'

'Ik zal extra voorzichtig zijn,' zei ze.

Ik zette de Kirby voor haar aan, en toen stapte ik de gang in, vouwde mijn handen rond mijn mond en schreeuwde: 'Susy! Shawna! Ik ga nu de salon stofzuigen!'

Susy stond daar natuurlijk gewoon en ik kan je wel zeggen dat het hele gezìcht van dat meisje een groot vraagteken was. Ik fladderde zo'n beetje met mijn handen naar haar, om haar te laten weten dat ze met haar werk door moest gaan en zich niet aan mij moest storen. Wat ze deed.

Op mijn tenen liep ik naar onder aan de trap en ging op mijn oude plek staan. Ik weet dat het idioot is, maar ik was niet meer zo opgewonden geweest sinds mijn twaalfde, toen mijn vader me voor het eerst mee op jacht nam. Het was ook hetzelfde soort gevoel, met je hart dat snel en min of meer gelijkmatig in je borst en nek klopt. Die vrouw had tientallen waardevolle antieke spullen en ook al dat dure glas in de salon, maar ik besteedde geen enkele gedachte aan Susy Proulx die daar draaiend en zwierend als een derwisj rondging. Kun je dat geloven?

Ik bleef zo lang ik kon waar ik stond, ongeveer anderhalve minuut, denk ik. Toen schoot ik naar boven. En toen ik haar kamer binnenkwam, lag ze daar, haar gezicht rood, ogen helemaal samengeknepen tot spleetjes, vuisten gebald, en ze ging van: *'Unhh! Unhhhh! UNHHHHH!'* Maar haar ogen schoten open toen ze de slaapkamerdeur open hoorde knallen. O, ik wou dat ik toen een camera had gehad – het was onbetaalbaar.

'Dolores, jij gaat onmiddellijk de kamer uit!' piepte ze zo'n beetje. 'Ik probeer te slapen, en dat kan ik niet als jij hier om de twintig minuten binnen komt stormen als een stier met een stijve!'

'Nou,' zei ik, 'ik ga wel, maar ik denk dat ik eerst deze billensteek onder je schuif. Aan de geur zou ik zeggen dat een beetje schrik zo ongeveer alles was wat je nodig had om je constipatieprobleem op te lossen.'

Ze sloeg naar mijn handen en vervloekte me – ze kon behoorlijk hard vloeken als ze dat wilde, en ze wilde dat elke keer dat iemand haar dwarszat – maar ik besteedde er niet veel aandacht aan. De steek onder haar krijgen was een fluitje van niks en, zoals ze zeggen, alles kwam op z'n pootjes terecht. Toen het voorbij was, keek ik naar haar en zij keek naar mij en geen van ons hoefde iets te zeggen. Ons kende ons, weet je.

Daar, lelijke ouwe kut, zei ik met mijn gezicht. Ik heb je weer ingehaald, en wat vind je daarvan?

Niet veel, Dolores, zei ze met dat van haar, maar dat is prima; dat je me alleen maar hebt ingehaald, wil niet zeggen dat je hebt gewònnen.

Maar dat was wel zo – die keer wel. Er kwamen nog wel een paar momenten met wat troep, maar nooit meer zoiets als die keer waar ik jullie over heb verteld, toen er zelfs stront op de gordijnen zat. Dat was echt haar laatste hoera. Daarna werden de keren dat haar geest helder was steeds minder, en als die kwamen, waren ze kort. Het bespaarde mij een pijnlijke rug, maar het maakte me ook verdrietig. Ze was een lastpak, maar een waar ik aan gewend was geraakt, als je begrijpt wat ik bedoel.

Zou ik nog een glas water kunnen krijgen, Frank?

Dank je. Praten is een dorstige bezigheid. En als je besluit die fles van Meneer Jim Beam uit je bureau te halen voor wat frisse lucht, Andy, zal ik het nooit verder vertellen.

Nee? Nou, dat is zo ongeveer wat ik van jouw soort mensen wel verwachtte.

Goed – waar was ik?

O, ik weet het weer. Hoe ze was. Nou, de derde manier waarop ze een kreng was, was de ergste. Ze was een kreng, omdat zij een trieste ouwe tante was die niets anders te doen had dan te sterven in een slaapkamer boven, op een eiland ver weg van de plaatsen en mensen die ze het grootste deel van haar leven had gekend. Dat was al erg genoeg, en terwijl ze daar mee bezig was, verloor ze haar verstand... en een deel van haar wist dat de rest van haar als een ondergraven rivieroever was die op het punt stond in de stroom weg te glijden.

Ze was eenzaam, begrijp je, en dat begreep ik niet – in de eerste plaats heb ik nooit begrepen waarom ze haar hele leven in de steek liet om naar het eiland te komen. In ieder geval niet voor gisteren. Maar ze was ook bang, en dat kon ik heel goed begrijpen. Desondanks had ze een verschrikkelijke, angstige soort van kracht, als een stervende koningin die zelfs op het laatst haar kroon niet los wil laten; het is alsof God Zelf hem vinger voor vinger los moet wrikken.

Ze had haar goede en haar slechte dagen – dat heb ik jullie verteld. Wat ik haar buien noem, gebeurde altijd ertussenin, als ze overging van een paar dagen van helderheid naar een week of twee van mistigheid, of van een week of twee van mistigheid naar weer een tijd van helderheid. Als ze aan het veranderen was, leek het alsof ze nergens was... en een deel van haar wist dat ook. Dat was de tijd dat ze dan haar hallucinaties had.

Als het hallucinaties wáren. Ik ben er niet meer zo zeker van als vroeger. Misschien vertel ik jullie dat deel en misschien ook niet –

ik moet gewoon zien hoe ik me voel als de tijd daar is.

Ik denk dat ze niet allemaal op zondagmiddagen kwamen of midden in de nacht; ik denk dat het gewoon komt dat ik me die het beste herinner omdat het huis dan zo stil was en het me dan zo bang maakte als ze begon te gillen. Het was alsof iemand een emmer ijskoud water over je heen gooit op een warme zomerdag; er was nooit een tijd dat ik niet dacht dat mijn hart stil zou staan als ze begon te gillen, en er was nooit een tijd dat ik niet dacht dat ik haar stervend aan zou treffen, als ik haar kamer binnenkwam. Maar de dingen waar zij bang voor was, sloegen nooit ergens op. Ik bedoel, ik wist dat ze bang was en ik had een behoorlijk goed idee waar ze bang vóór was, maar nooit waaròm.

'De draden!' gilde ze soms als ik binnenkwam. Ze zat dan helemaal in elkaar gedoken in bed, haar handen samengeknepen tussen haar tieten, haar lelijke, oude mond vertrokken en trillend; ze was dan zo bleek als een geest, en de tranen liepen langs de rimpels onder haar ogen. 'De dráden, Dolores, stop de dráden!' En dan wees ze altijd naar dezelfde plek... de hoekplint aan de overkant.

Daar was niets, natuurlijk, behalve voor háár. Ze zag al die draden uit de muur komen en over de vloer naar het bed scharrelen – dat is in ieder geval wat ik dènk dat ze zag. Wat ik dan deed, was naar beneden rennen en een van de vleesmessen uit het keukenrek pakken, en daarmee terugkomen. Ik knielde dan neer in de hoek – of dichter bij het bed als ze volgens haar al een behoorlijke eind gevorderd waren – en deed alsof ik ze afhakte. Ik deed het door het mes heel zachtjes tegen de grond te drukken zodat ik het goede oude essehout niet zou beschadigen, tot ze ophield met jammeren.

Dan ging ik naar haar toe en veegde de tranen van haar gezicht met mijn schort of met een van de Kleenexen die ze altijd onder haar kussen gepr0pt hield, en kuste haar dan een paar keer en zeg: 'Zie je, schat – ze zijn weg. Ik heb elke beroerde draad doorgehakt. Kijk zelf maar.'

Ze keek dan (hoewel ze, die keren waarover ik jullie vertel, echt niks kon zien) en huilde dan nog wat, vaker wel dan niet, en dan sloeg ze haar armen om me heen en zei: 'Dank je, Dolores. Ik dacht dat ze me deze keer echt te pakken zouden krijgen.'

Of soms noemde ze me Brenda wanneer ze me bedankte – dat was de huishoudster die de Donovans in hun huis in Baltimore hadden gehad. Andere keren noemde ze me Clarice, dat was haar zuster en die was in 1958 overleden.

Op sommige dagen kwam ik naar boven naar haar kamer en zij lag dan half uit het bed te gillen dat er een slang in haar kussen zat. Andere keren zat ze rechtop met de lakens over haar hoofd, en schreeuwde dat de ramen als een vergrootglas op de zon werkten en dat die haar zou verbranden. Soms bezwoer ze me dat ze haar haar al kon voelen knetteren. Maakte niet uit of het buiten nou regende of mistiger was dan in een dronkemanskop, ze was er absoluut zeker van dat de zon haar levend zou verbranden, dus trok ik alle rolgordijnen naar beneden en hield haar vast tot ze ophield met jammeren. Soms hield ik haar langer vast, omdat ik haar, zelfs nadat ze stil was geworden, kon voelen trillen als een jong hondje dat was gepest door gemene kinderen. Ze vroeg me dan telkens weer om haar huid te bekijken en haar te vertellen of er ergens blaren getrokken waren. Ik vertelde haar dan steeds weer dat het niet zo was, en na een tijdje ging ze soms slapen. Andere keren deed ze het niet – dan viel ze gewoon in een lethargie en mompelde tegen mensen die er niet waren. Soms sprak ze Frans en dan bedoel ik niet dat *parlie-voe* eiland Frans. Zij en haar echtgenoot waren dol op Parijs en gingen daar, bij elke gelegenheid die ze hadden, naartoe, soms met de kinderen en soms alleen. Soms praatte ze erover als ze zich opgewekt voelde – de cafés, de nachtclubs, de galeries en de boten op de Seine – en ik vond het heerlijk om te luisteren. Ze had iets met woorden, Vera, en als ze echt over iets praatte, kon je het bijna zien.

Maar het ergste – waar ze het meest van alles bang voor was – waren alleen maar stofpluizen. Je weet wat ik bedoel: van die stofballetjes die zich onder het bed verzamelen, achter deuren en in hoeken. Lijken een beetje op de pluizen van paardebloemen, die. Ik wist dat die het waren, zelfs al kon ze het niet zeggen, en de meeste keren kon ik haar weer kalm krijgen, maar waarom ze zo bang was voor een zootje geestdrollen – wat ze echt dacht dat het waren – dat weet ik niet, hoewel ik een keer een idee kreeg. Lach niet, maar ik kreeg het in een droom.

Gelukkig kwam dat gedoe met de stofpluizen niet zo vaak voor als de zon die haar huid verbrandde of de draden in de hoek, maar als het dat wàs, wist ik dat ik een slechte tijd tegemoet ging. Ik wist dat het stofpluizen waren, zelfs al was het midden in de nacht en ik was op mijn kamer, diep in slaap met de deur dicht als zij begon te gillen. Als ze het op haar heupen kreeg over de andere dingen...

Wat, liefje?

O, deed ik dat?

Nee, je hoeft je schattige recordertje niet dichterbij te schuiven; als je wilt dat ik harder spreek, doe ik het. Ik ben in het algemeen het luidruchtigste kreng dat je ooit tegen het lijf kunt lopen – Joe zei altijd dat hij wou dat hij watjes in zijn oren had alle keren dat ik thuis was. Maar zoals ze over de stofpluizen was, daar werd ik helemaal eng van, en als ik mijn stem liet zakken, denk ik, dat het nog steeds zo is. Zelfs nu ze dood is, heb ik dat nog. Soms vitte ik er tegen haar over. 'Waarom hou je je bezig met dat soort malligheid, Vera?' zei ik dan. Maar het was geen malligheid. In ieder geval niet voor Vera. Meer dan eens heb ik gedacht dat ik wist waardoor ze er uiteindelijk tussenuit kneep – ze is zichzelf doodgeschrokken door die klotestofpluizen. En dat is ook niet zo ver bezijden de waarheid, nu ik erover nadenk.

Wat ik wilde zeggen, was dat als ze het op haar heupen kreeg over de andere dingen – de slang in de kussensloop, de zon, de draden – gilde ze. Als het de stofpluizen waren, kríjste ze het uit. De meeste keren zaten er ook geen woorden in. Ze bleef gewoon zo lang en hard krijsen dat je ijsblokjes in je hart kreeg.

Ik rende naar binnen en ze rukte dan aan haar haar of ze was haar gezicht aan het openkrabben met haar nagels en zag eruit als een heks. Haar ogen waren zo groot dat ze bijna op zachtgekookte eieren leken, en altijd staarden die naar een hoek.

Soms kon ze nog zeggen 'Stofpluizen, Dolores! O, mijn god, stofpluizen!' Andere keren kon ze alleen maar jammeren en kokhalzen. Ze sloeg haar handen een paar momenten voor haar ogen, maar dan haalde ze die weer weg. Het leek wel alsof ze het niet kon verdragen te kijken, maar het ook niet kon verdragen níet te kijken. En dan begon ze weer aan haar gezicht met haar nagels. Ik hield ze zo kort mogelijk geknipt, maar vaak bloedde ze toch nog en elke keer dat het gebeurde vroeg ik me af hoe haar hart die pure verschrikking kon verdragen, zo oud en dik als ze was.

Een keer viel ze pardoes uit bed en bleef daar gewoon liggen met een been onder haar gedraaid. Ik schrok me het leplazarus. Ik rende naar binnen en daar lag ze op de vloer met haar vuisten op de planken te slaan als een kind met een woedeuitbarsting en ze gilde hard genoeg om het dak van het huis te blazen. Dat was de enige keer in al die jaren dat ik voor haar werkte, dat ik midden in de nacht dokter Freneau heb gebeld. Hij kwam uit Jonesport in de speedboat van Collie Violette. Ik belde hem omdat ik dacht dat haar been was gebroken, móest wel, zoals het onder haar gebogen lag, en dat ze bijna zeker dood zou gaan aan shock. Maar het was niet zo – ik weet niet wáárom het niet zo was, maar Freneau zei dat het alleen maar verstuikt was – en de volgende dag gleed ze weer een van haar heldere periodes binnen en kon ze zich er niets meer van herinneren. Een paar keer, toen ze de wereld min of meer scherp had, vroeg ik haar naar de stofpluizen en ze keek me aan alsof ik gek was. Had totaal geen idee waar ik het over had.

Nadat het een paar keer was gebeurd, wist ik wat ik moest doen. Zodra ik haar op die manier hoorde krijsen, was ik uit mijn bed en mijn deur door – mijn slaapkamer is maar twee deuren van die van haar vandaan, weet je, met de linnenkast ertussenin. Al na haar eerste geraaskal over de stofpluizen, had ik een bezem op de gang gezet met een blik over het eind van de steel. Ik rende dan haar kamer binnen, zwaaiend met de bezem alsof ik probeerde een godvergeten posttrein tot stoppen te dwingen, en gilde het uit (het was de enige manier waarop ik mezelf verstaanbaar kon maken).

'*Ik pak ze, Vera!*' schreeuwde ik dan. '*Ik pak ze! Hou nog even vol, goddomme!*'

En ik veegde elke hoek waar ze maar naar staarde, en dan deed ik de andere d'r bovenop. Soms kalmeerde ze daarna, maar vaker begon ze te schreeuwen dat er nog meer onder het bed zaten. Dus ging ik neer op mijn handen en knieën en deed alsof ik eronder ook veegde. Een keer viel de stomme, doodsbange, meelijwekkende ouwe sul bijna uit het bed boven op me, terwijl ze voorover probeerde te leunen om zelf te kijken. Ze zou me wellicht als een vlieg geplet hebben. Dàt zou me een komedie zijn geworden! Had ik eenmaal elke plek geveegd die haar bang had gemaakt, dan liet ik haar mijn lege blik zien en zei: 'Alsjeblieft, schat – zie je? Ik heb die luldingen allemaal.'

Eerst keek ze dan op het blik en dan keek ze naar me op, helemaal trillend, haar ogen zo verdronken in haar eigen tranen dat ze zwommen als stenen die je van boven af in een stroom ziet, en fluisterde: 'O, Dolores. Ze zijn zo ákelig! Zo lélijk! Breng ze weg. Breng ze alsjeblieft weg!'

Ik zette dan de bezem en het lege blik terug buiten mijn deur, gereed voor de volgende keer, en ging weer naar binnen om haar zo goed mogelijk te kalmeren. Ook om mezelf te kalmeren. En als je denkt dat ik niet een beetje gekalmeerd moest worden, probeer jíj dan maar eens midden in de nacht in je eentje wakker te worden in zo'n groot oud museum als dat, met de wind die buiten giert en een oude, gekke vrouw die binnen giert. Mijn hart ging te keer als een locomotief en ik kon nauwelijks ademhalen... maar ik kon haar niet laten merken hoe ik me voelde, want anders zou ze me niet meer serieus hebben genomen, en waar waren we dan terechtgekomen?

Wat ik meestal deed na die aanvallen, was haar haar borstelen – dat leek haar het snelst te kalmeren. Eerst kreunde en jammerde ze en soms stak ze haar armen uit en sloeg die om me heen, terwijl ze haar gezicht tegen mijn buik drukte. Ik herinner me hoe warm haar wangen en voorhoofd altijd waren nadat ze een van haar stofpluis-deliriums had gehad en hoe ze m'n nachtpon soms helemaal doorweekte met haar tranen. Arme, ouwe vrouw! Ik denk niet dat iemand van ons hier weet hoe het is om zo oud te zijn en om duivels achter je aan te hebben die je niet kunt verklaren, zelfs niet aan jezelf.

Soms na nog minder dan een half uur had de borstel het gewenste effect. Ze bleef langs me heen naar de hoek kijken en om de zoveel keer stokte haar adem in haar keel en jammerde ze. Of ze veegde met haar hand in het donker onder het bed en trok hem min of meer met een ruk terug, alsof ze verwachtte dat daaronder iets zat dat probeerde haar te bijten. Een paar keer dacht ìk zelfs dat ik daaronder iets zag bewegen, en ik moest mijn mond dichtknijpen om het zelf niet uit te gillen. Natuurlijk zag ik alleen maar de bewegende schaduw van haar hand, ìk weet dat, maar het geeft wel aan in wat voor toestand zij me bracht, nietwaar? Zekers, zelfs ik, en gewoonlijk ben ik net zo nuchter als dat ik luid-ruchtig ben.

Die keren dat niets anders hielp, kroop ik bij haar in bed. Haar armen gleden dan om me heen en hielden me aan mijn zijden vast en zij legde de zijkant van haar hoofd op wat er over is gebleven van mijn boezem en ik legde míjn armen om háár heen en hield haar gewoon vast tot ze in slaap sukkelde. Dan kroop ik uit bed, heel langzaam en voorzichtig, zodat ik haar niet wakker maakte, en ging terug naar mijn eigen kamer. En een paar keer deed ik zelfs dat niet. Die keren – dat was altijd als ze me midden in de nacht wakker maakte met haar gejank – viel ik samen met haar in slaap.

Het was een van die nachten dat ik droomde over de stofpluizen. Alleen in de droom was ik het niet. Ik was háár, gekluisterd aan dat ziekenhuisbed, zo dik dat ik me nauwelijks zonder hulp om kon draaien, en terwijl mijn doos diep binnenin hevig brandde van de blaasontsteking die nooit echt weg zou gaan omdat ze daar beneden altijd vochtig was en ze geen echte weerstand had tegen wat dan ook. Je zou kunnen stellen dat de welkom-mat uitlag voor elke bacterie of elk virus dat langskwam, en hij lag altijd de goede kant op gericht.

Ik keek naar de hoek aan de overkant, en wat ik zag was dat ding dat eruitzag als een hoofd van stof. Zijn ogen waren helemaal om-hoog gedraaid en zijn mond stond open, en was vol lange, voor-uitstekende stoftanden. Het begon naar het bed toe te rollen, maar langzaam, en toen het weer omrolde naar de kant van het gezicht, keken de ogen me recht aan en ik zag dat het Michael Do-novan was, Vera's echtgenoot. Maar de tweede keer dat het ge-zicht weer omrolde, was het míjn echtgenoot. Het was Joe St. George met een gemene grijns op zijn gezicht en een heleboel lan-ge stoftanden die allemaal hapten. De derde keer dat het omrolde was het niemand die ik kende, maar het lééfde, het had hònger, en het was van plan helemaal naar me toe te komen rollen om míj op te eten.

Ik maakte mezelf met zo'n godsgruwelijke ruk wakker dat ik zelf bijna uit bed viel. Het was vroeg in de ochtend, en de eerste zon lag in een baan over de vloer. Vera sliep nog. Ze had op mijn arm liggen kwijlen, maar in het begin had ik zelfs niet de kracht om hem af te vegen. Ik bleef daar gewoon trillend liggen, helemaal bezweet, en ik probeerde mezelf te laten geloven dat ik echt wakker was en dat alles in orde was – zoals je doet, weet je, na een echt erge nachtmerrie. En een ogenblik bleef ik dat stofhoofd zien met zijn grote lege ogen en lange stoffige tanden op de vloer naast het bed. Zo erg was die droom. Toen was het weg, de vloer en de hoeken van de kamer waren net zo schoon en leeg als altijd. Maar sinds die tijd heb ik me altijd afgevraagd of zij me misschien niet die droom had gestúúrd, of ik niet een beetje had gezien van wat zíj zag die keren dat zij gilde. Misschien had ik iets van haar angst opgepikt en me die eigen gemaakt. Denk je dat dat soort dingen ooit gebeuren in het echte leven, of alleen maar in die goedkope kranten die ze verkopen in de supermarkt? Ik weet het niet... maar ik weet dat ik me het leplazarus schrok van die droom.

Nou, laat maar. Volstaat te zeggen dat haar derde manier om een kreng te zijn, was op zondagmiddagen en midden in de nacht als een krankzinnige te gillen. Maar desondanks was het heel, heel triest. Al haar krengigheid was in de grond triest, hoewel dat me er soms niet van weerhield haar hoofd rond te willen draaien als een klos op een spinnewiel, en ik denk dat iedereen op Jeanne klote d'Arc na hetzelfde gevoeld zou hebben. Ik denk dat toen Susy en Shawna me die dag hoorden schreeuwen dat ik haar wilde vermoorden... of als andere mensen me hoorden... of ons lelijke dingen tegen elkaar hoorden schreeuwen... nou, ze moeten gedacht hebben dat ik mijn rok zou oppakken en zou gaan tapdansen op haar graf als ze eindelijk de pijp uit zou gaan. En ik stel me zo voor dat je een paar van hun vandaag en gisteren al hebt gesproken, niet, Andy? Je hoeft geen antwoord te geven; alle antwoorden die ik nodig heb, staan daar op je gezicht. Het is net een prikbord. Bovendien weet ik hoe mensen graag praten. Ze praatten over mij en Vera, en er was ook een pakhuis vol verhalen over mij en Joe – sommige voor hij doodging en zelfs nog meer daarna. Hier in deze uithoek is plotseling doodgaan zo ongeveer het interessantste wat iemand kan doen, heb je dat wel eens gemerkt? Dus nu zijn we bij Joe.

Ik heb dit gedeelte gevreesd, en ik denk niet dat het zin heeft daarover te liegen. Ik heb je al verteld dat ik hem heb vermoord, dus dat hebben we gehad, maar het moeilijke deel ligt nog voor ons: hoe... en waarom... en wanneer het moest gebeuren.

Ik heb vandaag veel over Joe nagedacht, Andy – meer over hem dan over Vera, om eerlijk te zijn. Om te beginnen bleef ik proberen me te herinneren waarom ik in de eerste plaats met hem getrouwd ben, en eerst kon ik het niet. Na een tijdje raakte ik erdoor in een soort van paniek, zoals Vera als ze het idee had dat er een slang in haar kussensloop zat. Toen realiseerde ik me wat het probleem was – ik zocht naar het beetje liefde erin, alsof ik een van die dwaze meisjes was die Vera altijd in juni aannam en dan ontsloeg voor de zomer half voorbij was omdat ze zich niet aan haar regels konden houden. Ik zocht naar het beetje liefde erin en dat was maar bar weinig, zelfs destijds in 1945, toen ik achttien was en hij negentien en de wereld nieuw was.

Weet je wat het enige was wat in me opkwam terwijl ik vandaag daarbuiten op de trap zat, en mijn toges eraf vroor en ik me probeerde te herinneren over dat beetje liefde? Hij had een mooi voorhoofd. Ik zat vlak bij hem in de studiezaal toen we samen op de middelbare school zaten – dat was tijdens de Tweede Wereldoorlog – en ik herinner me zijn voorhoofd, hoe glad dat eruitzag, zonder een enkele pukkel. Hij had een paar pukkels op zijn wangen en kin, en hij had nogal eens zwarte punten opzij van zijn neus, maar zijn voorhoofd zag er zo glad uit als room. Ik herinner me dat ik het wilde aanraken... dat ik erover dróómde het aan te raken, om de waarheid te zeggen, dat ik wilde zien of het net zo glad was als het eruitzag. En toen hij me meevroeg naar het schoolbal, zei ik ja, en ik kreeg mijn kans zijn voorhoofd aan te raken, en het was overal net zo glad als het eruitzag, met zijn haar daarvandaan naar achteren in die mooie, gladde golven. Ik die in het donker zijn haar en zijn gladde voorhoofd streelde terwijl binnen in de danszaal van The Samoset Inn de band 'Moonlight Cocktail' speelde... Na een paar uur zitten huiveren op die verrekte gammele trap, kwam dàt tenminste bij me terug, dus je ziet dat er toch nog ergens íets was. Natuurlijk, voor er al te veel weken voorbij waren, raakte ik al heel wat meer aan dan alleen zijn voorhoofd, en daar maakte ik mijn vergissing.

Goed, laten we één ding duidelijk stellen – ik probeer niet te zeggen dat ik de beste jaren van mijn leven heb doorgebracht met die ouwe zuipschuit alleen maar omdat ik, toen ik in de hoogste klas zat, het leuk vond om in de studiezaal naar zijn voorhoofd te kijken, met het licht er schuin overheen. Verrek, nee. Maar ik probeer jullie wèl te vertellen dat wat liefde betreft dat alles was wat ik me vandaag wist te herinneren, en daardoor voel ik me niet zo best. Daar op de trap zitten vandaag bij de East Head, en nadenken over vroeger... dat was verrekte hard werken. Het was de eerste keer dat ik inzag dat ik mezelf misschien goedkoop verkocht had, en misschien heb ik het gedaan omdat ik dacht dat goedkoop het enige was dat mensen als ik voor zichzelf konden verwachten. Ik wéét dat het de eerste keer was dat ik dorst te denken dat ik het verdiende dat er meer van me gehouden werd dan Joe St. George voor iemand op kon brengen (behalve misschien voor zichzelf). Misschien denken jullie dat zo'n stoer pratend oud kreng als ik niet in liefde gelooft, maar de waarheid is dat het zo ongeveer het enige is waar ik wèl in geloof.

Maar het had weinig te maken met waarom ik met hem trouwde – dat moet ik je rechtuit zeggen. Ik had zes weken kleine meid in mijn buik toen ik hem vertelde ja, ik wil tot de dood ons scheidt. En dat was de mooiste reden.... triest maar waar. De rest waren allemaal van die gewone stompzinnige redenen, en een ding heb ik in mijn leven geleerd: stompzinnige redenen geven stompzinnige huwelijken.

Ik was het zat met mijn moeder te bekvechten.

Ik was het zat uitgescholden te worden door mijn vader.

Al mijn vriendinnen deden het, ze kregen hun eigen huis, en ik wilde net zo volwassen zijn als zij; ik was het zat om een onnozel klein meisje te zijn.

Hij zei dat hij me wilde en ik geloofde hem.

Hij zei dat hij van me hield en ik geloofde dat ook... en toen hij het had gezegd en me vroeg of ik hetzelfde voor hem voelde, leek het me niet meer dan beleefd om te zeggen dat het zo was.

Ik was bang voor wat er met me zou gebeuren als ik het niet deed – waar ik naartoe zou moeten, wat ik zou moeten doen, wie er voor mijn baby zou zorgen terwijl ik daarmee bezig was.

Het zal er allemaal behoorlijk onnozel uitzien als je het ooit opschrijft, Nancy, maar het onnozelste is dat ik tien vrouwen ken met wie ik als meisje op school zat en die om dezelfde redenen getrouwd zijn, en de meesten van hen zijn nog steeds getrouwd, en veel van hen houden alleen maar vol, in de hoop die ouwe van ze te overleven zodat ze hem kunnen begraven en voor altijd zijn bierscheten uit de lakens kunnen schudden.

Tegen 1952 of zo was ik zijn voorhoofd al wel behoorlijk vergeten en tegen 1956 had ik ook weinig meer aan de rest van hem, en ik denk dat ik hem begon te haten tegen de tijd dat Kennedy het overnam van Eisenhower, maar de gedachte om hem te vermoorden had ik pas later. Ik dacht dat ik bij hem bleef omdat mijn kinderen een vader nodig hadden, als dat een reden was. Is dat niet om je te bescheuren? Maar het is de waarheid. Ik zweer het. En ik zweer nog iets anders: mocht God me een tweede kans geven, dan zou ik hem weer vermoorden, zelfs al betekende het vagevuur en eeuwige verdoemenis... wat waarschijnlijk zo is.

Ik denk dat iedereen op Little Tall die er al wat langer zit, weet dat ik hem heb vermoord, en de meesten van hen denken waarschijnlijk te weten waarom – omdat hij zijn handen nogal eens gebruikte op mij. Maar het waren niet zijn handen op míj die hem duur kwamen te staan, en de simpele waarheid is dat, wat de mensen op het eiland toen ook gedacht mogen hebben, hij me in die laatste drie jaar van ons huwelijk geen enkele hengst heeft verkocht. Van díe dwaasheid heb ik hem eind 1960 of begin 1961 afgeholpen.

Tot die tijd sloeg hij me behoorlijk vaak, ja. Ik kan het niet ontkennen. En ik liet het gebeuren – dat kan ik ook niet ontkennen. De eerste keer was in de tweede nacht van ons huwelijk. We waren voor het weekeind naar Boston gegaan – dat was onze huwelijksreis – en logeerden in het Parker House. Gingen de hele tijd nauwelijks naar buiten. We waren gewoon een stelletje angsthazen, weet je, bang dat we zouden verdwalen. Joe zei dat hij dood mocht vallen als hij de vijfentwintig dollar, die mijn ouders ons hadden gegeven voor het geval dat, zou uitgeven aan een taxi alleen maar omdat hij de weg terug naar het hotel niet zou kunnen vinden. Godsamme, wat was die man stom! Natuurlijk ik was het ook... Maar Joe had iets wat ik niet had (en daar ben ik ook blij om) en dat was dat eeuwig wantrouwige karakter van hem. Hij had het idee dat de hele mensheid erop uit was om hem smerig te behandelen, dat had Joe; en ik heb zat keren gedacht dat wanneer hij dronken werd het misschien kwam omdat het de enige manier was waarop hij kon gaan slapen zonder dat hij één oog openhield. Nou, dit raakt kant noch wal. Wat ik jullie wilde gaan vertellen, was dat we die zaterdagavond naar beneden naar de eetzaal gingen, lekker aten en toen weer terug naar boven naar onze kamer liepen. Joe helde aanzienlijk naar stuurboord tijdens de wandeling door de gang, herinner ik me – hij had vier of vijf biertjes tijdens het eten gehad, samen met de negen of tien die hij in de loop van de middag had genomen. Toen we eenmaal in de kamer waren, bleef hij daar zo lang naar me staan kijken dat ik hem vroeg of hij soms een marsmannetje zag.

'Nee,' zegt hij, 'maar beneden in het restaurant heb ik een man gezien die jou in je kruis keek, Dolores. Zijn ogen stonden zowat op steeltjes. En je wìst dat hij keek, nietwaar?'

Ik vertelde hem bijna dat Gary Cooper met Rita Hayworth in een hoek had kunnen zitten en ik zou het niet hebben geweten, en dacht toen: Wat kan het me schelen? Het hielp helemaal niks om met Joe te argumenteren als hij had gedronken; ik ben niet helemaal met mijn ogen dicht dat huwelijk ingestapt, en ik ga niet proberen jullie anders te vertellen.

'Als daar een man was die in mijn kruis keek, waarom ben je dan niet naar hem toe gegaan en heb hem gezegd dat hij zijn ogen dicht moest doen, Joe?' vroeg ik. Het was maar een grap – misschien probeerde ik hem af te leiden, ik herinner het me echt niet – maar hij zag het niet als grap. Dat herinner ik me wèl. Joe was geen man die tegen een grapje kon; ik zou eigenlijk moeten zeggen dat hij bijna helemaal geen gevoel voor humor had. Dat was iets wat ik níet wist toen ik met hem erin stapte; toentertijd dacht ik dat gevoel voor humor net zoiets was als een neus, of een paar oren – dat het een beter werkte dan het ander, maar dat iedereen dat had.

Hij greep me en legde me over zijn knie, en gaf me een pak rammel met zijn schoen. 'Voor de rest van je leven zal niemand enig idee hebben wat voor kleur ondergoed je aan hebt, behalve ik, Dolores,' zei hij. 'Hoor je dat? Niemand behalve ik.'

Ik dacht feitelijk dat het een soort van liefdesspel was, hij deed alsof hij jaloers was om me te vleien – zo'n achterlijke trut was ìk. Het was inderdaad jaloezie, maar liefde had er niets mee te maken. Het was meer zoals een hond een poot over zijn bot legt en gromt als je te dicht in de buurt komt. Toen wist ik dat niet, dus ik liet het gebeuren. Later liet ik het gebeuren omdat ik dacht dat een man die zijn vrouw van tijd tot tijd slaat, deel uitmaakte van het getrouwd zijn – geen leuk deel, maar dan, wc's schoonmaken is ook geen leuk deel van getrouwd zijn, en de meeste vrouwen hebben hun portie wel gehad als de trouwjurk en sluier eenmaal op zolder zijn weggeborgen. Is het niet zo, Nancy?

Mijn eigen pa gebruikte zijn handen op mijn mam van tijd tot tijd, en ik neem aan dat ik daar het idee vandaan heb dat het in orde was – gewoon iets wat je je laat gebeuren. Ik hield zielsveel van mijn pa, en hij en zij hielden zielsveel van elkaar, maar hij kon een hardhandig mannetje worden als er ook maar een scheet verkeerd viel.

Ik herinner me één keer, ik moet geweest zijn, o, zo'n jaar of negen oud, toen pa thuiskwam van het hooien van Georges' Richard veld bij West End, en ma had zijn eten niet klaar. Ik kan me niet meer herinneren waarom ze dat niet had, maar ik herinner me heel goed wat er gebeurde toen hij binnenkwam. Hij droeg alleen zijn werkbroek (hij had zijn werklaarzen en sokken buiten op de veranda uitgetrokken omdat ze onder het kaf zaten) en zijn gezicht en schouders waren vuurrood verbrand. Zijn haar plakte tegen zijn slapen en er zat een stukje hooi tegen zijn voorhoofd gekleefd precies in het midden van de lijnen die over zijn voorhoofd liepen. Hij zag er warm en vermoeid uit en op het punt van ontploffen.

Hij liep de keuken in en op de tafel stond alleen maar een glazen vaas met bloemen erin. Hij draait zich om naar ma en zegt: 'waar is mijn avondeten, sukkel?' Ze opende haar mond, maar voor ze iets kon zeggen, legde hij zijn hand over haar gezicht en duwde haar in de hoek tegen de grond. Ik stond in de deuropening van de keuken en zag het allemaal. Hij kwam naar mij toe gelopen met zijn hoofd naar beneden en zijn haar min of meer in zijn ogen hangend – telkens als ik een man zo naar huis zie lopen, vermoeid door zijn dag werken en zijn broodtrommeltje in zijn hand, doet het me aan mijn vader denken – en ik was een beetje bang. Ik wilde niet in de weg staan omdat ik het gevoel had dat hij mij ook tegen de grond zou duwen, maar mijn benen waren te zwaar om te bewegen. Maar hij deed het niet. Hij pakte me gewoon op met zijn grote, warme handen en zette me opzij en ging naar buiten, het achtererf op. Hij ging op het hakblok zitten met zijn handen in zijn schoot en zijn hoofd voorover alsof hij ernaar keek. Eerst had hij de kippen doen wegschrikken, maar na een tijdje kwamen ze terug en begonnen rond zijn schoenen te pikken. Ik dacht dat hij met zijn voet uit zou halen, en de veren zou doen opvliegen, maar dat deed hij ook niet.

Na een tijdje keek ik om naar mijn moeder. Ze zat nog steeds in de hoek. Ze had een theedoek over haar gezicht gedaan en huilde eronder. Haar armen waren over haar boezem gekruist. Dat herinner ik me nog het beste van alles, hoewel ik niet weet waarom – hoe haar armen zo over haar boezem gekruist waren. Ik liep naar haar toe, sloeg mijn armen om haar heen en zij vlijde haar armen om mijn middel en drukte mij ook tegen zich aan. Toen haalde ze de theedoek van haar gezicht en gebruikte hem om haar ogen af te vegen en zei me naar buiten te gaan en vader te vragen of hij een glas koude limonade wilde of een flesje bier.

'Denk eraan dat je hem zegt dat er maar twee flesjes bier zijn,' zei ze. 'Als hij meer wil, kan hij beter naar de winkel gaan of er helemaal niet aan beginnen.'

Ik ging naar buiten en vertelde het hem en hij zei dat hij geen bier wilde, maar dat een glas limonade hem wel goed zou doen. Ik rende om het te halen. Ma was bezig met zijn eten. Haar gezicht was nog steeds een beetje opgezet door het huilen, maar ze neuriede een liedje, en die nacht lieten ze de bedveren kraken zoals ze de meeste nachten deden. Nooit werd er nog iets over gezegd of mee gedaan. Dat soort dingen werd toen thuiscorrecties genoemd, het was een deel van de taak van de man, en als ik er later nog over nadacht, dacht ik alleen maar dat mijn ma zoiets wel nodig gehad zou hebben omdat pa anders nooit zoiets zou hebben gedaan.

Er waren nog een paar andere keren dat ik hem haar zag corrigeren, maar die keer herinner ik me het best. Ik zag hem haar nooit met zijn vuisten slaan, zoals Joe mij soms sloeg, maar een keer zag ik hem haar tegen het been meppen met een nat stuk canvas zeildoek, en dat moet pijn hebben gedaan als de kolere. Ik weet dat het rode striemen achterliet die de hele middag niet weggingen.

Niemand noemt het tegenwoordig nog thuiscorrectie – de uitdrukking is gewoon uit de conversatie verdwenen, voorzover ik weet, en dat is maar goed ook – maar ik groeide op met het idee dat wanneer vrouwen en kinderen van het rechte pad afstappen, het de taak van de man is ze er weer op terug te drijven. Ik probeer jullie niet te vertellen dat ik, alleen maar omdat ik ermee opgroeide, dacht dat het juist was – zo makkelijk wil ik me er niet van afmaken. Ik wist dat als een man zijn handen op een vrouw gebruikte, het weinig te maken had met correctie... maar terzelfder tijd liet ik Joe bij mij lange tijd zijn gang gaan. Ik denk dat ik gewoon te moe was van het huishouden, het schoonmaken voor de zomergasten, mijn gezin opvoeden, en proberen Joe's gedonder met de buren op te ruimen, om er veel over na te denken.

Getrouwd zijn met Joe... ach, stik. Wat is èlk huwelijk eigenlijk? Ik denk dat ze allemaal verschillend zijn, maar geen een is zoals het er vanbuiten uitziet, dat kan ik je wel vertellen. Wat mensen zien van een huwelijk en wat er eigenlijk daarbinnen gaande is, zijn dingen die nauwelijks op elkaar lijken. Soms is dat vreselijk en soms is het grappig, maar gewoonlijk is het net als al het andere in het leven – beide dingen tegelijkertijd.

Wat mensen dènken, is dat Joe een alcoholist was die me altijd sloeg – en waarschijnlijk ook de kinderen – als hij dronken was. Ze denken dat hij het uiteindelijk een keer te vaak heeft gedaan en dat ik daarom zijn kaarsje heb uitgeblazen. Het is waar dat Joe dronk en dat hij soms naar de A.A.-bijeenkomsten ging in Jonesport, maar hij was net zomin een alcoholist als ik. Elke vier of vijf maanden ging hij aan de keil, voornamelijk met schorem als Rick Thibodeau of Stevie Brooks – die mannen waren ècht alcoholisten – maar dan hield hij het verder bij een enkel drankje als hij 's avonds thuiskwam. Niet meer dan dat, want als hij een fles had, vond hij het prettig om er lang mee te doen. De echte alco's die ik in mijn leven heb gekend, waren geen van allen erin geïnteresseerd lang te doen met wèlke fles dan ook – geen Jim Beam, geen Old Duke, zelfs derail niet, dat is antivries dat door een katoenen zeef wordt gehaald. Een echte dronkelap is alleen maar geïnteresseerd in twee dingen: de fles in zijn hand soldaat maken en die nog in de lucht hangt, te pakken zien te krijgen.

Nee, hij was geen alcoholist, maar hij vond het niet erg als mensen dachten dat hij er een was gewéést. Het hielp hem werk te krijgen, vooral in de zomer. Ik denk dat de manier waarop mensen denken over de Anonieme Alcoholisten door de jaren heen veranderd is – ik weet dat ze er heel wat meer over praten dan vroeger – maar een ding dat niet is veranderd, is de wijze waarop mensen proberen iemand te helpen die beweert dat hij er al mee bezig is zichzelf te helpen. Joe bracht een heel jaar niet drinkend door – of in ieder geval sprak hij er niet over als hij het wel deed – en ze hadden een feestje voor hem daar in Jonesport. Gaven hem een taart en een penning, dat deden ze. Dus als hij op een klus afging die een van de zomergasten gedaan wilde hebben, was het eerste dat hij hun vertelde dat hij een herstellende alcoholist was. 'Als u me daarom niet wil nemen, even goeie vrienden,' zei hij dan, 'maar ik moet het nu eenmaal zeggen. Ik ga nu al langer dan een jaar naar die A.A.-bijeenkomsten en zij zeggen ons dat we niet nuchter kunnen blijven als we niet eerlijk zijn.'

En dan haalde hij zijn gouden één-jaar-penning te voorschijn en liet die aan hun zien, terwijl hij al die tijd keek alsof hij in een eeuwigheid niets anders dan droog brood te eten had gehad. Ik gok dat een paar van hen gewoon bijna huilden toen Joe hun vertelde over hoe hij er elke dag aan bezig was, en het kalm aan deed en het losliet en het, God, elke keer weer uit zijn hoofd wist te zetten als hij de aandrang voelde om te drinken... wat volgens hem elk kwartier gebeurde. Gewoonlijk struikelden ze over elkaar heen om hem aan te nemen en met vijftig cent of zelfs een dollar meer per uur dan zij van plan waren geweest te betalen, geloof het of niet. Je zou denken dat de grap na Labor Day niet meer zou werken, maar die werkte verbazingwekkend goed, zelfs hier op het eiland waar de mensen hem elke dag zagen en beter hadden moeten weten.

De waarheid is dat de meeste keren dat Joe me sloeg, hij broodje nuchter was. Als hij bezopen was, zag hij me nauwelijks staan, hoe je het ook bekijkt. Dan, in '60 of '61, komt hij op een avond thuis nadat hij Charlie Dispenzieri had geholpen zijn boot uit het water te krijgen, en toen hij zich bukte om een Coke uit de koelkast te pakken, zag ik dat zijn broek van achter helemaal opengescheurd was. Ik lachte. Ik kon er niets aan doen. Hij zei niets, maar toen ik naar het fornuis liep om naar de kool te kijken – die avond aten we warm, ik herinner het me als de dag van gisteren –

pakte hij een eind essehout uit de houtkist en sloeg me ermee tegen de onderkant van mijn rug. O, dat doet pijn. Je weet wat ik
bedoel als iemand je ooit tegen je nieren heeft geslagen. Ze voelen
dan klein en heet aan, en zo zwáár, alsof ze losbreken van waar ze
ook maar door worden vastgehouden en ze zinken gewoon, als
hagel in een emmer.

Ik hobbelde net tot aan de tafel en ging op een van de stoelen zitten. Ik zou op de grond zijn gevallen als die stoel verder weg was
geweest. Ik bleef daar gewoon zitten wachten tot de pijn voorbij
was. Ik huilde niet echt, want ik wilde de kinderen niet laten
schrikken, maar toch rolden de tranen over mijn wangen. Ik kon
ze niet tegenhouden. Het waren tranen van pijn, het soort dat je
tegenover niets en niemand kunt binnenhouden.

'Lach me nooit meer uit, kreng,' zegt Joe. Hij slingerde het eind
kachelhout waarmee hij me had geslagen terug in de houtkist en
ging toen zitten om de *American* te lezen. 'Je had beter moeten
weten dan tien jaar geleden.'

Het duurde twintig minuten voor ik van die stoel kon komen. Ik
moest Selena roepen om het gas onder de groente en het vlees lager te draaien, ook al was het fornuis maar vier stappen van waar
ik zat vandaan.

'Waarom deed jij het niet, mam?' vroeg ze me. 'Ik zat met Joey
naar tekenfilms te kijken.'

'Ik rust uit,' zei ik tegen haar.

'Zo is het,' zei Joe vanachter zijn krant vandaan. 'Ze kletste zoveel dat ze uitgeput raakte.' En hij lachte. Dat deed het; die ene
lach was alles wat er nodig was. Op dat moment besloot ik dat hij
me nooit meer zou slaan, tenzij hij er een hoge prijs voor wilde betalen.

We aten gewoon zoals anders en daarna keken we tv zoals anders,
ik en de grote kinderen op de sofa en Little Pete op zijn vaders
schoot in de grote gemakkelijke stoel. Daar dommelde Pete in, net
zoals hij bijna altijd deed, rond half acht, en Joe droeg hem naar
bed. Ik stuurde Joe Junior een uur later en Selena ging om negen
uur. Meestal ging ik rond tien uur naar bed en Joe bleef dan opzitten tot misschien middernacht, een beetje dommelen, een beetje
tv kijken, stukjes in de krant lezen die hij de eerste keer had over-
geslagen en in zijn neus peuteren. Dus je ziet het, Frank, jij bent

zo slecht nog niet; sommige mensen leren de gewoonte nooit af, zelfs niet als ze volwassen worden.

Die avond ging ik niet naar bed op de tijd die ik gewoonlijk ging. In plaats daarvan bleef ik met Joe opzitten. Mijn rug voelde een beetje beter. In ieder geval goed genoeg om te doen wat ik moest doen. Misschien was ik er zenuwachtig door, maar als het zo was, kan ik het me niet herinneren. Ik zat voornamelijk te wachten tot hij wegdommelde en ten slotte gebeurde dat.

Ik stond op, liep naar de keuken, en pakte de kleine roomkan van de tafel. Ik was er niet speciaal naar op zoek, hij stond er gewoon omdat het die avond Joe Juniors beurt was om de tafel af te ruimen en hij was vergeten hem in de koelkast te zetten. Joe Junior vergat altijd wel iets – om de roomkan weg te zetten, om het glazen deksel op de botervloot te doen, het pak brood dicht te vouwen zodat de eerste snee de volgende ochtend niet helemaal hard zou zijn – en als ik hem nu op het tv-nieuws zie, en hij houdt een speech of geeft een interview, ben ik meestal geneigd daaraan te denken… en ik vraag me af wat de Democraten ervan zouden vinden als zij wisten dat het hun afgevaardigde in de senaat van Maine State nooit was gelukt om de keukentafel helemaal af te ruimen toen hij elf was. Maar ik ben trots op hem en heb niet het lef ooit iets anders te denken. Ik ben trots op hem, zelfs al is hij een godvergeten Democraat.

Afijn, het was hem inderdaad gelukt die avond het juiste ding te vergeten; het was klein, maar het was zwaar, en het voelde net prima aan in mijn hand. Ik liep naar de houtkist en pakte de korte bijl die we op de plank er net boven hadden liggen. Toen liep ik terug naar de woonkamer waar hij zat te dutten. Ik had mijn rechterhand om de kan gevouwen en ik bracht hem gewoon met een zwaai naar beneden en sloeg hem tegen de zijkant van zijn gezicht. De kan brak in zo'n duizend stukjes.

Hij zat behoorlijk snel rechtop toen ik dat had gedaan, Andy. En je had hem moeten horen. Luid? Jezus Maria moeder van God! Klonk als een stier die met z'n tamp in het tuinhek vastzat. Zijn ogen schoten wijdopen en hij sloeg zijn hand tegen zijn oor dat al bloedde. Er zaten spettertjes geklonterde room op zijn wang en in dat struikgewas opzij van zijn gezicht dat hij bakkebaard noemde.

'Weet je wat, Joe,' zeg ik. 'Ik voel me niet moe meer.'

Ik hoorde Selena uit bed springen, maar ik dorst niet om te kijken. Ik zou behoorlijk in de nesten hebben gezeten als ik dat had gedaan – als hij wilde, kon hij razendsnel zijn. Ik hield de hakbijl in mijn linkerhand langs mijn zij bijna afgedekt door mijn schort. En toen Joe uit zijn stoel overeind begon te komen, haalde ik hem te voorschijn en liet hem aan hem zien. 'Als je deze niet in je hoofd wilt, Joe, kun je beter maar weer gaan zitten,' zei ik.

Een ogenblik dacht ik dat hij toch overeind zou komen. Als hij dat had gedaan, zou het meteen zijn einde zijn geweest, want ik meende het serieus. Hij had dat ook gezien en verstijfde met zijn achterste ongeveer tien centimeter van de zitting vandaan.

'Mamma?' riep Selena uit de deuropening van haar kamer.

'Ga terug naar bed, lieveling,' zeg ik, geen enkel moment mijn ogen van Joe afnemend. 'Je vader en ik hebben een gesprekje hier.'

'Is alles in orde?'

'Zekers,' zeg ik. 'Is toch zo, Joe?'

'Uh-huh,' zegt hij. 'Zo zeker als wat.'

Ik hoorde haar een paar stappen terug doen, maar een tijdje – tien, misschien vijftien seconden – hoorde ik de deur van haar kamer niet dichtgaan en ik wist dat ze daar stond en naar ons keek. Joe bleef precies waar hij was, met één hand op de leuning van zijn stoel en zijn achterste opgetild boven de zitting. Toen hoorden we haar deur dichtgaan en dat scheen Joe te doen beseffen hoe dwaas hij er uit moest zien, half in zijn stoel en half eruit, met zijn andere hand over zijn oor geslagen en spettertjes room die langs de zijkant van zijn gezicht dropen.

Hij ging weer helemaal zitten en haalde zijn hand weg. Zowel die als zijn oor zat onder het bloed, maar zijn hand zwol niet op en zijn oor wel. 'O, kreng, die krijg je nog eens betaald,' zegt hij.

'O ja?' zei ik tegen hem. 'Nou, knoop dit dan maar goed in je oren, Joe St. George: wat je me betaald zet, krijg jij dubbel en dwars terug.'

Hij grijnsde naar me alsof hij niet kon geloven wat hij hoorde. 'Goed, ik denk dat ik je dan gewoon moet vermoorden, is het niet?'

Bijna nog voor de woorden uit zijn mond waren, gaf ik hem de bijl. Ik was niet van plan geweest het te doen, maar zodra ik hem die zag vasthouden, wist ik dat het het enige was wat ik hàd kunnen doen.

'Ga je gang,' zeg ik, 'zorg er alleen voor dat de eerste klap raak is zodat ik niet hoef te lijden.'

Hij keek van mij naar de bijl en toen weer terug naar mij. De uitdrukking van verbazing op zijn gezicht zou komisch zijn geweest als de situatie niet zo ernstig was.

'Dan, als het eenmaal voorbij is, kun je beter dat eten weer opwarmen en jezelf nog eens opscheppen,' zei ik tegen hem. 'Eet je maar te barsten, want je gaat de gevangenis in en ik heb niet gehoord dat ze in de gevangenis iets goeds of eetbaars klaarmaken. Ik denk dat je eerst naar Belfast gaat. En ik wed dat ze zo'n oranje pak precies in je maat hebben.'

'Hou je kop, kut,' zegt hij.

Maar dat deed ik niet. 'Daarna ga je hoogstwaarschijnlijk naar Shawshank, en ik wéét dat ze daar je eten niet warm naar je tafel brengen. Ze laten je ook niet vrijdagsavonds vrij om te gaan pokeren met je kroegmakkers. Het enige wat ik je vraag is dat je het snel doet en de kinderen niet de troep laat zien als het eenmaal gebeurd is.'

Toen sloot ik mijn ogen. Ik was er behoorlijk zeker van dat hij het niet zou doen, maar behoorlijk zeker zet weinig zoden aan de dijk als het jouw leven is dat op het spel staat. Dat is één ding dat ik die avond ontdekte. Ik stond daar met mijn ogen dicht, zag alleen maar duisternis, en vroeg me af hoe het zou voelen als die bijl door mijn neus en lippen en tanden kliefde. Ik herinner me dat ik eraan dacht dat ik hoogstwaarschijnlijk de houtsplinters op het scherp zou proeven voor ik stierf, en ik herinner me dat ik blij was dat ik hem nog maar twee of drie dagen ervoor op de wetsteen had gezet. Als hij me zou vermoorden, wilde ik niet dat het met een botte bijl gebeurde.

Leek alsof ik ongeveer tien jaar daar zo stond. Toen zei hij, ietwat nors en kwaaiig: 'Ben je nog van plan om naar bed te gaan of blijf je daar gewoon staan als Helen Keller die een natte droom heeft?'

Ik deed mijn ogen open en zag dat hij de bijl onder zijn stoel had gelegd – ik zag nog net het eind van de steel onder de franjes uitsteken. Zijn krant lag als een soort van tent boven op zijn voeten.

Hij bukte zich, raapte hem op en schudde hem open – terwijl hij probeerde zich te gedragen alsof het niet was gebeurd, niks van dit alles – maar er liep bloed van zijn oor langs zijn wang, en zijn handen trilden net voldoende om de krantepagina's een beetje te doen ritselen. Ook had hij zijn vingerafdrukken in rood achtergelaten op de voor- en achterpagina, en ik besloot dat verrekte ding te verbranden voor hij naar bed ging zodat de kinderen het niet zouden zien en zich zouden afvragen wat er was gebeurd.

'Mijn nachtpon heb ik snel genoeg aan, maar eerst gaan we iets afspreken, Joe.'

Hij kijkt op en zegt, met een heel strakke mond: 'Je wordt toch niet al te brutaal, Dolores. Dat zou een grote, gróte vergissing zijn. Je treitert me niet.'

'Ik treiter niet,' zeg ik. 'Jouw dagen van mij slaan zijn voorbij, dat is alles wat ik wil zeggen. Als je het ooit nog eens doet, gaat een van ons het ziekenhuis in. Of het lijkenhuis.'

Hij keek me een heel lange tijd aan, Andy, en ik keek terug. De bijl was uit zijn hand en lag onder de stoel, maar dat maakte niet uit. Ik wist dat als ik mijn ogen neersloeg voor hij het deed, de stoten in mijn nek en de stompen in mijn rug nooit zouden ophouden. Maar uiteindelijk keek hij weer neer op zijn krant en mompelde zo'n beetje: 'Doe wat nuttigs, vrouw. Breng me een handdoek voor mijn hoofd, als je niks anders weet te doen. Mijn hele hemd komt onder het godvergeten bloed te zitten.'

Dat was de laatste keer dat hij me ooit sloeg. In wezen was hij een lafbek, begrijp je, hoewel ik het woord nooit hardop tegen hem gezegd heb – toen niet en nooit niet. Dat doen is zo ongeveer het gevaarlijkste wat iemand kan doen, denk ik, omdat een lafaard banger is voor ontdekking dan voor wat ook, zelfs doodgaan.

Natuurlijk wist ik dat hij laf was. In de eerste plaats zou ik niet hebben gedurfd hem met die roomkan tegen zijn gezicht te slaan als ik niet het gevoel had gehad dat ik een behoorlijke kans maakte als overwinnaar uit de bus te komen. Bovendien realiseerde ik me iets toen ik op die stoel zat nadat hij me had geslagen en wachtte tot de pijn in mijn nieren ophield: als ik toen niet tegen hem in verzet zou komen, zou ik waarschijnlijk nóóit tegen hem in verzet komen. Daarom deed ik het.

Weet je, met de roomkan op Joe afstappen, was eigenlijk het

makkelijkste deel. Voor ik dat kon, moest ik voor eens en voor altijd afrekenen met de herinnering aan mijn vader die mijn moeder tegen de grond duwde, en haar tegen de benen sloeg met dat natte stuk zeildoek. Met die herinneringen afrekenen was moeilijk, omdat ik zielsveel van allebei hield, maar ten slotte lukte het me... waarschijnlijk omdat ik het móest. En ik ben dankbaar dat ik het deed, al was het alleen maar dat Selena zich nooit zal hoeven herinneren hoe haar moeder in de hoek zit te brullen met een theedoek over haar gezicht. Mijn moeder accepteerde het toen haar echtgenoot het deed, maar ik ga geen oordeel uitspreken over wie van beiden ook. Misschien moest ze het accepteren, en misschien moest hij het doen, omdat hij anders gekleineerd zou worden door de mannen met wie hij elke dag moest leven en werken. De tijden waren toen anders – de meeste mensen beseffen niet hóe anders – maar dat betekende nog niet dat ik het van Joe moest accepteren alleen maar omdat ik in de eerste plaats al zo'n dom wicht was geweest om met hem te trouwen. Als een man zijn vrouw slaat met zijn vuisten of met een stuk hout uit de houtkist, heeft dat niets met thuiscorrectie te maken, en uiteindelijk besloot ik dat ik het niet zou nemen van mannen als Joe St. George, of van welke man dan ook.

Dus hij heeft me nooit meer geslagen. Er waren momenten dat hij een hand omhoogbracht om het te doen, maar dan bedacht hij zich. Soms als die hand omhoog was, en hij wílde slaan maar dòrst het niet echt, zag ik in zijn ogen dat hij terugdacht aan de roomkan... misschien ook aan de bijl. En dan deed hij alsof hij alleen maar die hand omhoog had gebracht omdat hij jeuk op zijn hoofd had, of omdat zijn voorhoofd afgeveegd moest worden. Dat was een les die hij de eerste keer had geleerd, of misschien wel de enige les.

Er kwam nog iets anders voort uit die avond dat hij me met het eind hout sloeg en ik hem met de roomkan. Ik breng het niet graag ter sprake – ik ben een van die ouderwetse mensen die geloven dat wat achter de slaapkamerdeur gebeurt daar ook moet blijven – maar ik denk dat ik het beter wel kan doen, omdat het waarschijnlijk deel uitmaakt van waarom dingen gelopen zijn zoals ze gelopen zijn.

Hoewel we de twee jaar daarna – en misschien is het dichter in de buurt van drie jaar geweest, ik kan het me niet echt herinneren – nog getrouwd waren en samenleefden onder hetzelfde dak, probeerde hij daarna nog maar een paar keer zijn recht te halen. Hij...

Wat, Andy?

Natúúrlijk bedoel ik dat hij impotent was! Waar zou ik het anders over hebben, zijn recht om mijn ondergoed te dragen als hij de aandrang ertoe voelde? Ik heb hem nooit geweigerd; hij hield er gewoon mee op het te kunnen. Hij was niet wat je zou noemen een man van elke nacht, zelfs niet toen in het begin, en hij was ook niet iemand om er lang over te doen – het was altijd behoorlijk meer van rampetampe tame en dank je dame. Als ik niet een snel opgewonden soort vrouw was geweest, zou er ik helemaal nooit plezier aan hebben beleefd. Maar toch bleef hij voldoende geïnteresseerd om een of twee keer per week boven op me te klimmen... dat wil zeggen, tot ik hem sloeg met de roomkan.

Voor een deel kwam het waarschijnlijk door de drank – hij dronk veel meer in die laatste jaren – maar ik denk niet dat het dat alléén maar was. Ik herinner me dat hij op een avond van me af rolde na ongeveer twintig minuten zinloos gepuf en gehijg, en dat dingetje van hem hing daar nog steeds zo slap als een vermicelli. Ik weet niet hoe lang dit na de avond waarover ik jullie net heb verteld geweest moet zijn, maar ik weet dat het erna was omdat ik me herinner dat ik daar lag terwijl mijn nieren klopten en ik eraan dacht dat ik straks op zou staan en wat aspirines zou nemen om ze te kalmeren.

'Daar,' zei hij, bijna huilend. 'Ik hoop dat je tevreden bent, Dolores. Ja?'

Ik zei niks. Soms is alles wat een vrouw tegen een man zegt verkeerd.

'Já?' zegt hij. 'Bèn je tevreden, Dolores?'

Ik zei nog steeds niks, lag daar gewoon en keek omhoog naar het plafond en luisterde naar de wind buiten. Die avond kwam hij uit het oosten en ik kon de oceaan erin horen. Dat is een geluid dat ik altijd heerlijk heb gevonden. Het kalmeert me.

Hij rolde zich om en ik rook zijn bieradem in mijn gezicht, scherp en zuur. 'Vroeger hielp het licht uitdoen,' zegt hij, 'maar nu niet meer. Ik kan je lelijke gezicht zelfs in het donker zien.' Hij stak zijn hand uit, greep mijn tiet en schudde er zo'n beetje mee. 'En dit,' zegt hij. 'Helemaal slap en zo plat als een pannekoek. Je kut is zelfs nog erger. Jezus, je bent nog niet eens vijfendertig en jou neuken is zoiets als een modderpoel neuken.'

Ik dacht eraan te zeggen 'Als het een modderpoel wàs, Joe, had je hem er slap in kunnen steken. Zou dàt je opgelucht hebben?' maar ik hield mijn mond. Patricia Claiborne heeft geen idioten grootgebracht, dat vertelde ik jullie.

Er volgde nog wat stilte, en ik stond op het punt te besluiten dat hij genoeg lelijke dingen had gezegd om uiteindelijk in slaap te kunnen vallen, en ik dacht erover uit bed te glijden om mijn aspirines te pakken, toen hij weer sprak... en ik ben er behoorlijk zeker van, dat hij die keer húilde.

'Ik wou dat ik je gezicht nooit had gezien,' zegt hij en dan zegt hij: 'Waarom gebruikte je die klotebijl niet gewoon om hem af te hakken, Dolores? Het zou op hetzelfde neer zijn gekomen.'

Dus je begrijpt dat ik niet de enige was die dacht dat geslagen worden met de roomkan – en te horen krijgen dat de dingen anders zouden worden in huis – misschien iets te maken had met zijn probleem. Maar nog steeds zei ik niets, wachtte gewoon om te zien of hij zou gaan slapen of zijn handen weer op mij zou gebruiken. Hij lag daar naakt, en ik wist op welke plek ik het allereerst af zou gaan als hij het probeerde. Al heel snel hoorde ik hem snurken. Ik weet niet of dat de allerlaatste keer was dat hij probeerde bij mij een man te zijn, maar als dat niet zo was, was het in de buurt.

Geen van zijn vrienden kreeg ook maar een fractie van deze gebeurtenissen te horen natuurlijk – van zijn lang zal z'n leven niet zou hij zijn vrienden vertellen dat zijn vrouw hem met een roomkan het leplazarus had gemept en dat zijn pielemuis zijn kopje niet meer op wilde steken, wel? Hij niet. Dus als de anderen aan het opsnijden waren over hoe zij hun vrouwen aanpakten, sneed hij samen met ze op en zei hoe hij mij een veeg had gegeven omdat ik brutaal was geweest, of misschien een jurk had gekocht in Jonesport zonder hem eerst te vragen of het goed was geld uit de koektrommel te pakken.

Hoe ik het weet? Nou, omdat er tijden zijn dat ik mijn oren openzet in plaats van mijn mond. Ik weet dat het moeilijk is dat te geloven, als je zo vanavond naar me zit te luisteren, maar het is waar.

Ik herinner me een keer dat ik part-time voor de Marshalls werkte – weet je nog, Andy, John Marshall, die het altijd had over een brug naar het vasteland bouwen? – en de deurbel ging. Ik was helemaal alleen in het huis, en ik haastte me om de deur open te doen, gleed uit over een kleedje en viel hard tegen de hoek van de schoorsteenmantel aan. Ik kreeg een fantastisch grote blauwe plek op mijn arm, net boven de elleboog.

Ongeveer drie dagen later, net toen die blauwe plek van donkerbruin naar een soort van geelgroen verkleurde zoals dat gaat, liep ik in het dorp Yvette Anderson tegen het lijf. Zij kwam de supermarkt uit en ik ging naar binnen. Ze keek naar de blauwe plek op mijn arm en toen ze tegen me sprak, dróóp haar stem gewoon van het medeleven. Alleen een vrouw die net iets heeft gezien dat haar gelukkiger maakt dan een varken in de stront kan op die manier druipen. 'Zijn mannen niet vréselijk, Dolores?' zegt ze.

'Nou, soms wel en soms niet,' zeg ik terug. Ik had geen idee waar ze het over had – waar ik vooral mee bezig was, was wat van die karbonades te pakken te krijgen die in de aanbieding waren voor ze allemaal weg zouden zijn.

Ze klopt me een soort van vriendelijk op de arm – die niet gekwetst was – en zegt: 'Wees sterk nu. Alles komt goed. Ik heb het meegemaakt en ik weet het. Ik zal voor je bidden. Dolores.' Ze zei dat laatste alsof ze me net had verteld dat ze me een miljoen dollar zou geven en vervolgde toen haar weg de straat uit. Ik ging de winkel binnen, nog steeds verwonderd. Ik zou hebben gedacht dat ze haar verstand was kwijtgeraakt, als niet iedereen die ooit een paar woorden met Yvette heeft gewisseld, wist dat ze niet al te verrekte veel daarvan heeft om kwijt te raken.

Ik was half klaar met mijn inkopen toen het opeens tot me doordrong. Ik stond daar te kijken naar Skippy Porter die mijn karbonades aan het afwegen was, mijn winkelmandje over mijn arm en mijn hoofd naar achteren geworpen, en lachte van diep uit mijn ingewanden, zoals je dat doet wanneer je weet dat je het moet laten gebeuren. Skippy keek naar mij om en zegt: 'Gaat het wel, mevrouw St. George?'

'Prima,' zeg ik. 'Ik dacht net aan iets grappigs.' En daar ging ik weer.

'Dat geloof ik graag,' zegt Skippy en toen wijdde hij zich weer aan zijn weegschaal. God zegene de Porters, Andy; zolang zij blijven is er in ieder geval één familie op het eiland die zich met zijn eigen zaken bemoeit. Ondertussen bleef ik maar lachen. Een paar andere mensen keken naar me alsof ik kierewiet was geworden, maar het kon me niet schelen. Soms is het leven zo godvergeten grappig dat je wel móet lachen.

Yvette is getrouwd met Tommy Anderson natuurlijk en Tommy was een van Joe's bier-en-poker makkers eind vijftig en begin jaren zestig. Een dag of twee nadat ik mijn arm bezeerde, was een stelletje van hun bij ons over de vloer om te proberen Joe's laatste aankoop, een oude Ford pick-up, aan de praat te krijgen. Het was mijn vrije dag en ik bracht ze buiten een kan ijsthee, voornamelijk in de hoop ze in ieder geval tot de zon onderging van het bier af te houden.

Tommy moet de blauwe plek hebben gezien toen ik de thee inschonk. Misschien vroeg hij Joe wat er was gebeurd nadat ik weg was, of misschien maakte hij er alleen maar een opmerking over. Hoe dan ook, Joe St. George was er de man niet naar om een gelegenheid voorbij te laten gaan – in ieder geval niet zo een. Terwijl ik er op mijn weg terug van de supermarkt naar huis over nadacht, was het enige waar ik nieuwsgierig naar was, wat Joe Tommy en de anderen had verteld dat ik had gedaan – vergeten zijn pantoffels onder de kachel te zetten zodat ze warm zouden zijn als hij ze aantrok misschien, of de bonen te gaar had gekookt op zaterdagavond. Wat het ook was, Tommy ging naar huis en vertelde Yvette dat Joe St. George het nodig had gevonden zijn vrouw wat thuiscorrectie te geven. En het enige wat ik had gedaan was tegen de schoorsteenmantel van de Marshalls te botsen terwijl ik me haastte om te zien wie er aan de deur was!

Dat bedoel ik als ik zeg dat er twee kanten aan een huwelijk zitten – de buitenkant en de binnenkant. De mensen van het eiland zagen mij en Joe net zoals ze de meeste andere paren van onze leeftijd zagen: niet te gelukkig, niet te verdrietig, voornamelijk gewoon voortsjokkend als twee paarden die een wagen trekken... misschien zien ze elkaar niet meer zo staan zoals ze elkaar vroeger zagen staan en misschien kunnen ze het niet meer zo goed met elkaar vinden als vroeger toen ze elkaar wèl zagen staan, maar ze zitten ingetuigd naast elkaar en lopen toch zo goed ze kunnen de weg af, zonder elkaar te bijten of met het bit te klooien of een van die andere dingen te doen waardoor de zweep gepakt moet worden.

Maar mensen zijn geen paarden, en een huwelijk lijkt niet erg op het trekken van een wagen, zelfs al weet ik dat het er aan de buitenkant soms zo uitziet. De mensen van het eiland wisten niet van de roomkan, of hoe Joe had gehuild in het donker en had gezegd dat hij wou dat hij nooit mijn lelijke gezicht had gezien. Dat was ook het ergste niet. Het ergste begon pas een jaar of zo nadat we ons gedoe in bed beëindigd hadden. Het is grappig, vind je niet, hoe mensen gewoon naar iets kunnen kijken en een volledig verkeerde conclusie kunnen trekken over waarom het gebeurde. Maar het is heel natuurlijk, zolang je er maar aan blijft denken dat de binnen- en buitenkant van een huwelijk gewoonlijk niet erg op elkaar lijken. Wat ik nu ga vertellen zat aan de binnenkant van dat van ons, en tot vandaag heb ik altijd gedacht dat het daar zou blijven.

Terugkijkend, denk ik dat het probleem werkelijk moet zijn begonnen in '62. Selena zat net op de middelbare school op het vasteland. Ze was echt een mooi meisje geworden en ik herinner me dat ze de zomer na haar eerste jaar beter met haar vader kon opschieten dan ze de afgelopen paar jaren had gedaan. Ik had hem zitten knijpen voor haar tienerjaren, voorzag een heleboel gekrakeel tussen die twee als zij opgroeide en steeds vaker zijn ideeën en wat hij zag als zijn rechten over haar in twijfel zou gaan trekken.

In plaats daarvan had je die korte periode van vrede en rust en goeie gevoelens tussen hen, waarin ze naar buiten ging en naar hem keek terwijl hij werkte aan die oude barrels van hem achter het huis, of naast hem ging zitten op de bank terwijl we 's avonds tv keken (ik kan je vertellen dat Little Pete díe regeling maar niks vond) en hem tijdens de reclame vragen stelde over hoe zijn dag was gegaan. Hij gaf haar dan antwoord met een rustige, bedachtzame stem die ik niet gewend was... maar me toch een beetje herinnerde. Ik herinnerde me die van de middelbare school, van toen ik hem pas leerde kennen en dat hij besloot dat hij me het hof wilde maken.

Op het moment dat dat gebeurde, trok ze wat van mij vandaan. O, ze bleef de klusjes doen waar ik haar aan zette, en soms praatte ze over haar dag op school... maar alleen als ik er moeite voor deed en het uit haar trok. Er was een kilte die er eerder niet was geweest, en pas later begon ik te begrijpen hoe alles in elkaar paste en hoe alles terugging naar de avond dat ze uit haar kamer was gekomen en ons daar had gezien. Vader met zijn hand tegen zijn oor en bloed dat tussen zijn vingers door liep, haar moeder die hem in de gaten hield met een bijl.

Hij was er nooit de man naar om bepaalde gelegenheden voorbij te laten gaan, dat vertelde ik jullie, en dit was gewoon net zoiets. Hij had Tommy Anderson één soort verhaal verteld, en wat hij zijn dochter vertelde kwam uit een ander vaatje, maar uit dezelfde koker. Ik denk niet dat hij eerst iets anders in gedachten had dan wrok. Hij wist hoeveel ik van Selena hield en hij moet hebben gedacht dat als hij haar vertelde hoe gemeen en kwaadaardig ik was – misschien zelfs hoe geváárlijk – dat een mooi stukje wraak zou zijn. Hij probeerde haar tegen me op te zetten, en hoewel hij daar nooit echt in geslaagd is, lukte het hem dichter bij haar te komen dan hij was geweest sinds zij een klein meisje was. Waarom niet? Ze was altijd al gevoelig van aard, Selena, en ik ben nog nooit tegen een man opgelopen die zo goed was in het arme-ikke als Joe.

Hij kwam in haar leven, en toen hij er eenmaal in zat, moet hij uiteindelijk gewoon gemerkt hebben hoe knap ze aan het worden was, en besloot dat hij iets meer van haar wilde dan alleen maar dat ze naar hem luisterde als hij praatte of hem het volgende stuk gereedschap aangaf als hij met zijn hoofd onder de motorkap van de een of andere oude roestbak zat. En al de tijd dat dit aan de gang was en de veranderingen plaatsvonden, rende ik rond, werkte in ongeveer vier verschillende baantjes en probeerde voldoende de rekeningen voor te blijven om elke week wat weg te stoppen voor de scholen van de kinderen. Ik zag nooit iets tot het bijna te laat was.

Ze was een levendig, gezellig meisje, mijn Selena, en ze wilde altijd graag iemand een plezier doen. Als je wilde dat zij iets voor je haalde, liep ze niet, ze rende. Naarmate ze ouder werd, zette zij het eten op tafel als ik buiten de deur werkte en ik hoefde het haar nooit te vragen. In het begin liet ze wel eens wat aanbranden en Joe zeurde dan tegen haar of lachte haar uit – meer dan eens ging ze door hem huilend naar haar kamer – maar hij hield ermee op rond de tijd waar ik jullie over vertel. Destijds, in de lente en zomer van 1962, deed hij alsof elke pastei die ze maakte pure ambrozijn was, zelfs als de korst op cement leek, en hij jubelde over haar gehaktbrood alsof het Franse cuisine was. Ze was gelukkig onder zijn loftuitingen – natuurlijk was ze dat, iedereen zou dat zijn geweest – maar ze werd er niet verwaand door. Zo'n meisje was ze niet. Maar om je iets te zeggen, toen Selena uiteindelijk het huis uitging, was zij op haar slechtste dagen een betere kok dan ik ooit op mijn beste was geweest.

Wat helpen in huis betrof, had een moeder nooit een betere dochter kunnen hebben... vooral niet een moeder die haar meeste tijd kwijtraakte aan het opruimen van de troep van andere mensen. Selena vergat nooit ervoor te zorgen dat Joe Junior en Little Pete hun schoollunches bij zich hadden als zij 's ochtends de deur uitgingen, en aan het begin van elk jaar kaftte zij hun boeken voor hen. Joe Junior zou díe klus in ieder geval zelf hebben kunnen doen, maar ze gaf hem nooit de kans.

Ze was een van de beste leerlingen van haar eerste jaar, maar ze verloor nooit haar belangstelling voor wat er thuis om haar heen gebeurde, zoals sommige uitgekookte kinderen hebben op die leeftijd. De meeste kinderen van dertien of veertien besluiten dat iedereen boven de dertig een ouwe lul is, en zijn meestal de deur al weer uit ongeveer twee minuten nadat die oude lullen er door naar binnen komen. Maar Selena niet. Ze maakte koffie voor ze, of hielp met de vaat of wat ook, ging dan in de stoel zitten bij het houtkacheltje en luisterde naar waar de volwassenen ook maar over praatten. Of ik het nu was met twee of drie vriendinnen of Joe met drie of vier vrienden van hem, ze luisterde. Ze zou zelfs gebleven zijn als hij en zijn vrienden pokerden, als ik het goed had gevonden. Maar dat vond ik niet goed, omdat zij zo vuilbekten. Dat kind knabbelde de conversatie weg zoals een muis een kaaskorst, en wat ze niet kon eten, sloeg ze op.

Toen veranderde ze. Ik weet niet precies wanneer die verandering begon, maar ik zag die voor het eerst niet lang nadat ze aan haar tweede jaar was begonnen. Tegen het eind van september, zou ik zeggen.

Het eerste dat me opviel was dat ze niet naar huis kwam met de vroege pont zoals ze het jaar ervoor aan het eind van de meeste schooldagen had gedaan, hoewel dat voor haar echt goed uitgepakt had – ze was in staat haar huiswerk af te maken in haar kamer voor de jongens verschenen, dan wat schoonmaakwerk te doen of aan het eten te beginnen. In plaats van die van twee uur, nam ze de veerboot die om kwart voor vijf van het vasteland vertrok.

Toen ik haar ernaar vroeg, zei ze dat ze gewoon had besloten dat ze het prettig vond haar huiswerk na school in de studiezaal te doen, dat was alles, en ze schonk me een rare zijdelingse blik die me zei dat ze er verder niet over wilde praten. Ik dacht schaamte in die blik te zien, en misschien ook een leugen. Die dingen baarden me zorgen, maar ik besloot er niet verder op door te gaan tenzij ik zeker wist dat er iets aan de hand was. Het was moeilijk met haar te praten, weet je. Ik voelde de afstand die er tussen ons was gekomen, en ik had een behoorlijk goed idee waar het allemaal naar terugvoerde: Joe half uit zijn stoel, bloedend, en ik tegenover hem met de bijl. En voor het eerst besefte ik dat hij waarschijnlijk met haar daarover had gesproken, en over andere dingen. Om er zijn eigen draai aan te geven, zogezegd.

Ik dacht dat als ik te veel opmerkingen tegen Selena maakte over waarom ze zo lang op school bleef, mijn probleem met haar misschien erger zou worden. Alles wat ik bedacht om haar meer vragen te stellen, klonk uiteindelijk als *Wat voer je in je schild, Selena*, en als het voor mij al zo klonk, een vrouw van vijfendertig, hoe zou het dan klinken voor een meisje van nog geen vijftien? Het is zo moeilijk om met kinderen van die leeftijd te praten, je moet op je tenen om ze heen wandelen, net zoals je zou doen bij een fles nitroglycerine die op de vloer staat.

Nou, ze hebben iets dat ouderavond heet, niet lang nadat de school begint, en ik deed speciaal moeite daar naartoe te gaan. Ik ging niet zo voorzichtig te werk met Selena's klasselerares als ik met Selena zelf had gedaan; ik stapte gewoon recht op haar af en vroeg haar of ze enige speciale reden wist waarom Selena dit jaar bleef tot de late pont. De klasselerares zei dat ze het niet wist, maar ze veronderstelde dat het alleen maar was zodat Selena haar huiswerk kon maken. Nou, dacht ik maar zei het niet, het afgelopen jaar maakte ze haar huiswerk prima aan het bureautje op haar kamer, dus wat is er anders? Ik had het misschien gezegd, als ik had gedacht dat die lerares antwoorden voor me had, maar het was behoorlijk duidelijk dat het niet zo was. Verrek, ze was waarschijnlijk zelf al de deur uit op het moment dat de laatste bel van de dag klonk.

Aan de andere leraren had ik ook niets. Ik luisterde naar ze terwijl ze Selena de hemel in prezen, wat voor mij helemaal niet zo moeilijk was om te doen, en ging toen weer terug naar huis, terwijl ik voelde dat ik niet meer opgeschoten was dan toen ik van huis ging.

Ik kreeg een plaats bij het raam in de cabine van de pont en keek naar een jongen en een meisje, niet veel ouder dan Selena, die buiten bij de reling stonden, terwijl ze elkaars hand vasthielden en naar de maan keken die opkwam boven de zee. Hij draaide zich naar haar om en zei iets waardoor ze tegen hem moest lachen. Je bent stom als je zo'n kans laat liggen, jochie, dacht ik, maar hij liet hem niet liggen – hij boog zich gewoon naar haar toe, pakte haar andere hand en kuste haar zo lief als je je maar kunt wensen. Godsamme, wat ben je toch een idioot, zei ik tegen mezelf terwijl ik naar hen keek. Of dat of je bent te oud om je te herinneren hoe het is om vijftien te zijn en de hele dag en het grootste deel van de nacht het gevoel te hebben hoe elke zenuw in je lijf vuur spuwt als een Romeinse kaars. Selena heeft een jongen ontmoet, dat is alles. Ze heeft een jongen ontmoet en waarschijnlijk studeren ze samen in die zaal na school. Met meer oog voor elkaar dan voor hun boeken, hoogstwaarschijnlijk. Ik was behoorlijk opgelucht, dat kan ik je wel vertellen.

Ik dacht hier de volgende paar dagen over na – wat betreft lakens wassen en hemden strijken en kleden stofzuigen, heb je altijd een heleboel tijd om na te denken – en hoe meer ik erover nadacht, hoe minder opgelucht ik was. Om te beginnen had ze niet over een jongen gesproken, en het lag niet in Selena's aard om niets te zeggen over dingen die er in haar leven gebeurden. Ze was niet meer zo open en vriendelijk tegen me als ervoor, nee, maar het was ook niet zo dat er een muur van stilte tussen ons bestond. Bovendien had ik altijd gedacht dat als Selena verliefd werd, ze waarschijnlijk een advertentie in de krant zou zetten.

Waar het om ging – wat me beàngstigde – was de manier waarop haar ogen naar me keken. Ik heb altijd gemerkt dat als een meisje stapel is op een jongen, haar ogen de neiging hebben zo helder te worden dat het lijkt alsof iemand daarachter een zaklantaarn heeft aangestoken. Toen ik zocht naar dat licht in Selena's ogen, was het er niet... maar dat was niet het ergste. Het licht dat er eerder in had gezeten was er ook uit verdwenen – dàt was het ergste. Haar in de ogen kijken was kijken in de ramen van een huis waar de mensen zijn vertrokken zonder eraan te denken de blinden neer te laten.

Toen ik dat zag, gingen míjn ogen eindelijk open en ik begon allerlei dingen op te merken die ik eerder had moeten zien – die ik eerder zóu hebben gezien, denk ik, als ik niet zo hard had gewerkt en als ik er niet zo van overtuigd was dat Selena razend op me was omdat ik haar vader die keer pijn had gedaan.

Het eerste wat ik zag was dat ik het niet meer alleen was – ze trok ook van Joe weg. Ze ging niet meer naar buiten om met hem te praten als hij bezig was aan een van zijn oude roestbakken of aan de buitenboordmotor van iemand, en ze was ermee opgehouden 's avonds naast hem te gaan zitten op de bank om tv te kijken. Als ze in de woonkamer bleef, zat ze in de schommelstoel verderop bij de haard met een breiwerkje op schoot. Maar de meeste avonden bleef ze niet. Ze ging dan naar haar kamer en deed de deur op slot. Joe scheen het niet erg te vinden, of het zelfs maar op te merken. Hij ging gewoon terug naar zijn luie stoel en hield Little Pete op schoot tot het voor Pete tijd was om naar bed te gaan.

Haar haar was nog zoiets – ze waste het niet meer elke dag zoals vroeger. Soms zag het er bijna vet genoeg uit om er eieren in te bakken, en dat was niets voor Selena. Haar gelaatskleur was altijd zo mooi geweest – die heerlijke romige perzikhuid heeft ze waarschijnlijk van Joe's kant van de familieboom – maar die pukkels sprongen in haar gezicht op als paardebloemen op de dorpsmeent na Memorial Day. Haar kleur was verdwenen, en haar eetlust ook.

Nog steeds ging ze om de zoveel tijd naar haar twee beste vriendinnen, Tanya Caron en Laurie Langill, maar lang niet meer zoveel als toen ze in de brugklas zat. Daardoor realiseerde ik me dat Tanya en Laurie sinds de school was begonnen niet meer bij ons thuis waren geweest... en misschien ook niet tijdens de laatste maand van de vakantie. Dat maakte me bang, Andy, en daardoor boog ik me er iets verder overheen om een wat betere kijk op mijn lieve dochter te krijgen. Wat ik zag maakte me zelfs nog banger. De manier bijvoorbeeld waarop ze andere kleren was gaan dragen. Niet gewoon de ene trui voor een andere, of een rok voor een jurk; ze had haar hele stíjl van kleden veranderd, en alle veranderingen waren slecht. Om te beginnen kon je haar figuur niet meer zien. In plaats van rokken of jurken naar school te dragen, droeg ze meestal slobberige overgooiers en die waren allemaal te groot voor haar. Die maakten haar dik en dat was ze niet.

Thuis droeg ze altijd grote, uitgezakte truien die tot halverwege haar knieën kwamen en ik zag haar nooit zonder haar spijkerbroek en werklaarzen. Telkens als ze uitging, bond ze het een of andere lelijke vod van een sjaal om haar hoofd, iets dat zo groot was dat het over haar voorhoofd hing en haar ogen eruit deed zien als twee beesten die uit een grot loerden. Ze zag eruit als een straatjongen, maar ik dacht dat ze dat achter zich had gelaten toen ze twaalf gedag zei. En een avond, toen ik vergat te kloppen op haar deur voor ik haar kamer binnenstapte, brak ze bijna een been om haar jurk van de kastdeur te halen, en ze droeg een slipje, het was niet zo dat ze in haar klote blote reet stond of niets.

Maar het ergste was dat ze niet zo veel meer zei. Niet alleen tegen mij niet – gezien de relatie die we hadden, kon ik dat begrijpen. Maar ze was er min of meer mee opgehouden tegen íedereen te praten. Ze zat dan aan de eettafel met haar hoofd naar beneden en de lange pony-slierten die ze had laten groeien hingen in haar ogen, en wanneer ik probeerde een conversatie met haar te beginnen, haar vragen hoe haar dag was geweest op school en dat soort dingen, kreeg ik alleen maar 'goehhd' en 'zawwel' terug in plaats van de hele verhandelingen die ze altijd hield. Joe Junior probeerde het ook en hij liep tegen dezelfde stenen muur aan. Een enkele keer keek hij mij aan, ietwat verwonderd. Ik haalde alleen maar mijn schouders op. En zodra we klaar met eten waren en de borden waren afgewassen, was het òf de deur uit òf naar haar kamer.

En, God helpe me, het eerste waar ik aan dacht nadat ik had besloten dat het geen jongen was, was marihuana... en kijk niet zo naar me, Andy, alsof ik niet weet waarover ik praat. In die tijd noemden ze het reefer of stickie in plaats van wiet, maar het was hetzelfde spul en er waren zat mensen op het eiland die bereid waren ermee rond te lopen als de prijs van de kreeft naar beneden ging... en zelfs als dat niet zo was. Een heleboel wiet kwam toen binnen via de kusteilanden, net zoals nu, en iets bleef er hangen. Er was geen cocaïne, wat een zegen was, maar als je wiet wilde roken, kon je altijd wel wat vinden. Net die zomer was Marky Benoit gearresteerd door de kustwacht – ze vonden vier balen van het spul in het ruim van de *Maggie's Delight*. Waarschijnlijk kwam ik daardoor op het idee, maar zelfs nu, na al die jaren, vraag ik me af hoe het me ooit is gelukt om iets wat eigenlijk zo simpel was, zo ingewikkeld te maken. Daar had je het echte probleem, dat daar elke avond tegenover me aan tafel zat, gewoonlijk toe aan een bad en een scheerbeurt, en daar had je míj terwijl ik naar hem – Joe St. George, de grootste klusser van het eiland, maar zonder een echt vak – zat te kijken en me afvroeg of mijn lieve meisje misschien 's middags achter het handenarbeidlokaal van school pretsigaretten zat te roken. En ik ben degene die graag zegt dat haar moeder geen idioten heeft grootgebracht. Godsamme!

Ik begon eraan te denken haar kamer binnen te stappen en door haar kasten en bureauladen te gaan, maar ik was nog niet op het idee gekomen, of ik walgde al van mezelf. Ik mag veel dingen zijn, Andy, maar ik hoop dat ik nooit een stiekemerd ben geweest. Toch deed het idee alleen al me inzien dat ik veel te veel tijd kwijt was geraakt met het rondscharrelen langs de randen van wat er ook aan de hand was, terwijl ik maar hoopte dat het probleem zichzelf zou oplossen of dat Selena uit eigen beweging naar me toe zou komen.

Er kwam een dag – niet lang voor Halloween, omdat Little Pete een papieren heks had neergezet in het raam bij de voordeur, herinner ik me – dat ik na de lunch naar het huis van de Strayhorns zou gaan. Ik en Lisa McCandless zouden die mooie Perzische tapijten beneden keren – je moet dat elke zes maanden doen zodat ze niet vaal worden, of dat ze gelijkmatig vaal worden, of zoiets verrekts. Ik trok mijn jas aan en knoopte hem dicht en was halverwege de deur toen ik dacht: wat ben je aan het doen met deze zware herfstjas aan, jij dwaas mens? Het is op z'n minst achttien graden buiten, echt Indian Summer-weer. En toen kwam die andere stem, die antwoordde: maar op het kanaal is het geen achttien graden, daar is het waarschijnlijk eerder tien. En vochtig ook. En zo wist ik dat ik die middag zelfs niet in de buurt van het huis van de Strayhorns zou komen. In plaats daarvan zou ik de veerboot naar Jonesport nemen en het met mijn dochter uitpraten. Ik belde Lisa, vertelde haar dat we de tapijten een andere dag zouden moeten doen, en vertrok naar de aanlegplaats van de pont. Ik was net op tijd om die van kwart over twee te halen. Als ik die gemist zou hebben, had ik háár misschien gemist, en wie weet hoe anders de dingen misschien dan verlopen waren?

Ik was als eerste van de veerboot af – ze waren nog steeds bezig het laatste meertouw over de laatste bolder aan het leggen toen ik op de kade stapte – en ik liep direct op de school aan. Onderweg daarheen kreeg ik het idee dat ik haar niet in de studiezaal zou vinden, wat zij of haar klasselerares ook mocht zeggen, en dat ze toch buiten zou zitten achter het handenarbeidlokaal, met de rest van het tuig... allemaal lachend, elkaar in de kont knijpend en misschien een fles goedkope wijn in een papieren zak doorgevend. Als je nooit in zo'n situatie bent geweest, weet je niet hoe het is en ik kan het je niet beschrijven. Het enige wat ik kan zeggen, is dat ik bezig was uit te vinden dat je je op geen enkele manier kunt voorbereiden op een gebroken hart. Je moet gewoon door blijven marcheren en verrekte erg hopen dat het niet gebeurt.

Maar toen ik de deur van de studiezaal openmaakte en naar binnen gluurde, wàs ze daar; ze zat aan een bureau bij de ramen met haar hoofd over haar algebraboek gebogen. In het begin zag ze me niet en ik bleef daar gewoon naar haar staan kijken. Ze was niet in slecht gezelschap terechtgekomen, zoals ik had gevreesd, maar toch brak mijn hart een beetje, Andy, omdat het eruitzag alsof ze in helemaal geen gezelschap terecht was gekomen, en misschien is dat nog wel erger. Misschien zag haar klasselerares niets verkeerds in een meisje dat helemaal in haar eentje na school in die grote zaal zit te studeren, misschien vond ze het wel bewonderenswaardig. Maar ik zag er niets bewonderenswaardigs in, en ook niets gezonds. Er waren zelfs geen nablijvers om haar gezelschap te houden, omdat ze op Jonesport-Beals High de slechteriken in de bibliotheek houden.

Ze had bij haar vriendinnen moeten zijn, misschien luisterend naar platen of jammerend over de een of andere jongen, en in plaats daarvan zat ze daar in een stoffige baan namiddagzonlicht, zat ze in de geur van krijt en vloerwas en dat smerige rode strooisel dat ze daar neergooien als alle kinderen naar huis zijn gegaan, zat ze met haar hoofd zo dicht over haar boek gebogen, dat je gedacht zou hebben dat alle geheimen van leven en dood daarin stonden.

'Hallo, Selena,' zeg ik. Ze kromp ineen als een konijn en sloeg de helft van haar boeken van het bureau toen ze zich omdraaide om te zien wie hallo tegen haar zei. Haar ogen waren zo groot dat ze eruitzagen alsof ze de hele bovenhelft van haar gezicht vulden en wat ik zag van haar wangen en voorhoofd was zo bleek als karnemelk in een witte beker. Dat wil zeggen, behalve de plekken waar de nieuwe pukkels zaten. Díe staken vuurrood af, als brandplekken.

Toen zag ze dat ik het was. De schrik verdween, maar er kwam geen glimlach voor in de plaats. Het was alsof er een rolgordijn voor haar gezicht was neergetrokken... of alsof ze vanbinnen een kasteel was en net de ophaalbrug omhoog had gehaald. Ja, zoiets. Begrijpen jullie wat ik probeer te zeggen?

'Mamma,' zegt ze. 'Wat doe jíj hier?'

Ik dacht eraan te zeggen: 'Ik ben gekomen om je op de veerboot mee naar huis te nemen en wat antwoorden uit je te krijgen, schat van me,' maar iets vertelde me dat dat verkeerd zou zijn geweest in die zaal – die lege zaal waar ik het ding dat er mis aan haar was net zo duidelijk kon ruiken als ik het krijt en het rode strooisel kon ruiken. Ik kon het ruiken, en ik was van plan uit te vinden wat dat was. Aan haar te zien, had ik al veel te lang gewacht. Ik dacht niet langer dat het dope was, maar wat het ook was, het had honger. En het at haar levend op.

Ik vertelde haar dat ik had besloten het werk die middag het werk te laten en hierheen te komen om wat etalages te kijken, maar dat ik niets had kunnen vinden wat ik mooi vond. 'Dus ik dacht dat jij en ik misschien samen de veerboot terug zouden kunnen nemen,' zei ik. 'Vind je het erg, Selena?'

Eindelijk glimlachte ze. Ik had duizend dollar willen betalen voor die glimlach, dat kan ik je wel zeggen... een glimlach die er alleen voor mij was. 'O, nee, mamma,' zei ze. 'Het is leuk om gezelschap te hebben.'

Dus we liepen samen de heuvel af, terug naar de aanlegplaats van de veerboot, en toen ik haar naar een paar van haar vakken vroeg, vertelde ze me meer dan ze in weken had gedaan. Na die eerste blik die ze me toe had geworpen – als een in het nauw gedreven konijn dat naar een kater keek – scheen ze meer haar oude zelf dan ze in maanden was geweest en ik begon hoop te krijgen. Nou, Nancy hier weet misschien niet hoe leeg die van kwart voor vijf naar Little Tall en de Buiten-Eilanden is, maar ik denk dat jij en Frank dat wel weten, Andy. De meeste arbeiders die niet op het vasteland wonen, gaan met de half zes naar huis, en wat er met de kwart voor vijf meegaat is voornamelijk pakpost, expeditiegoederen, winkelspullen en kruidenierswaren voor de supermarkt. Dus hoewel het een prachtige herfstmiddag was, helemaal niet zo koud en vochtig als ik had gedacht, hadden we het achterdek bijna helemaal voor ons alleen.

We bleven daar een tijdje staan kijken naar het kielzog dat terugspoelde naar het vasteland. De zon was tegen die tijd naar het westen gedraaid en trok een spoor over het water en het kielzog verbrokkelde het zonlicht en deed het eruitzien als stukjes goud. Toen ik een klein meisje was, vertelde mijn vader me altijd dat het goud wàs, en dat soms de zeemerminnen naar boven kwamen en het pakten. Hij zei dat ze die gebroken stukjes licht van de namiddagzon gebruikten als dakbedekking voor hun toverkastelen onder water. Als ik dat verbrokkelde, gouden spoor op het water zag, keek ik altijd uit naar zeemerminnen en tot ik bijna de leeftijd van Selena had, twijfelde ik er nooit aan dat dat soort dingen bestond, omdat mijn vader me dat had verteld.

Het water die dag had de diepe tint blauw die je alleen schijnt te zien op kalme dagen in oktober, en het geluid van de dieselmotoren werkte kalmerend. Selena maakte de doek los die ze om haar hoofd droeg, bracht haar armen in de lucht en lachte. 'Is dat niet mooi, mam?' vroeg ze me.

'Ja,' zei ik, 'dat is zo. En jij was ook altijd mooi, Selena. Waarom ben je dat niet meer?'

Ze keek me aan, en het leek alsof ze twee gezichten droeg. Het buitenste was verward en lachte nog steeds zo'n beetje... maar eronder lag een behoedzame, wantrouwig soort van blik. Wat ik in dat onderliggende gezicht zag was alles wat Joe haar die lente en zomer had verteld voor ze zich ook van hem begon te verwijderen. Ik heb geen vrienden, is wat dat onderliggende gezicht tegen me zei. Zeker jou niet, en hem ook niet. En hoe langer we naar elkaar keken, hoe meer dat gezicht naar de oppervlakte kwam.

Ze hield op met lachen en wendde zich van me af om over het water uit te kijken. Dat gaf me een naar gevoel, Andy, maar ik kon me er net zomin door laten tegenhouden als dat ik later Vera ongestraft haar krengerigheid kon laten plegen, hoe triest het allemaal in de grond ook was. Het feit is, soms móeten we wreed zijn om aardig te zijn – zoals een dokter die een kind een injectie geeft, ook al weet hij dat het kind zal huilen en het niet zal begrijpen. Ik keek in mezelf en zag dat ik zó wreed kon zijn als ik moest. Dat beangstigde me toen, en het beangstigt me nog steeds een beetje. Het is beangstigend te weten dat je net zo hard kan zijn als nodig is, en dat je vooraf nooit aarzelt, of achteraf terugkijkt en in twijfel trekt wat je hebt gedaan.

'Ik weet niet wat je bedoelt, mam,' zegt ze, maar ze keek me met een behoedzame blik aan.

'Je bent veranderd,' zei ik. 'Je uiterlijk, de manier waarop je je kleedt, de manier waarop je je gedraagt. Al die dingen vertellen me dat je op de een of andere manier in de narigheid zit.'

'Er is niets aan de hand,' zei ze, maar terwijl ze het zei liep ze achteruit, van me vandaan. Ik greep haar handen beet voordat ze zover weg was dat ik haar niet meer kon pakken.

'Jawel,' zei ik, 'en geen van ons tweeën stapt van deze pont af voor jij me vertelt wat het is.'

'Níets!' gilde ze. Ze probeerde haar handen los te rukken, maar ik wilde niet loslaten. 'Er is niets aan de hand, laat me nu gaan! Laat me gáán!'

'Nog niet,' zeg ik. 'In wat voor narigheden je ook zit, Selena, dat zal mijn liefde voor jou niet veranderen, maar ik kan pas beginnen met je te helpen als je me vertelt wat het ìs.'

Toen hield ze op met worstelen en keek me alleen maar aan. En ik zag een derde gezicht onder de eerste twee – een sluw, ellendig gezicht dat ik niet erg leuk vond. Buiten haar teint, aardt Selena het meest naar mijn kant van de familie, maar op dat moment leek ze op Joe.

'Vertel me eerst iets,' zegt ze.

'Doe ik als ik kan,' zeg ik terug.

'Waarom heb je hem geslagen?' vraagt ze. 'Waarom heb je hem die keer geslagen?'

Ik opende mijn mond om te vragen 'Wèlke keer?' – voornamelijk om een paar seconden te krijgen zodat ik na kon denken – maar heel plotseling wist ik iets, Andy. Vraag me niet hoe – het kan een ingeving zijn geweest, of wat ze vrouwelijke intuïtie noemen, of misschien kreeg ik echt op de een of andere manier contact en las de gedachten van mijn dochter – maar ik deed het. Ik wist dat als ik ook maar een seconde aarzelde, ik haar kwijt zou raken. Misschien alleen maar voor die dag, maar veel waarschijnlijker voorgoed. Het was iets dat ik gewoon wìst, en ik aarzelde geen seconde.

'Omdat hij me eerder die avond met een stuk hout tegen mijn rug heeft geslagen,' zei ik. 'Verpletterde zo'n beetje mijn nieren. Ik denk dat ik gewoon besloot dat ik niet meer op zo'n manier behandeld zou worden. Nooit meer.'

Ze knipperde met haar ogen zoals je doet als iemand een snelle beweging met zijn hand naar je gezicht maakt en haar mond viel open in een grote, verraste O.

'Hij vertelde je niet dat het daarom was, hè?'

Ze schudde haar hoofd.

'Wat zei híj? Zijn drinken?'

'Dat en zijn pokeren,' zei ze met een stem bijna te zacht om te horen. 'Hij zei dat jij niet wilde dat hij of iemand anders plezier had. Daarom wilde je niet dat hij pokerde en wilde je me vorig jaar niet naar Tanya's slaappartijtje laten gaan. Hij zei dat jij wilt dat iedereen acht dagen per week werkt zoals jij. En toen hij tegen jou in verzet kwam, sloeg jij hem op zijn hoofd met de roomkan en je zei toen dat je zijn hoofd eraf zou hakken als hij probeerde er iets aan te doen. Dat je het zou doen als hij sliep.'

Ik zou gelachen hebben, Andy, als het niet zo vreselijk was geweest.

'Geloofde je hem?'

'Ik weet het niet,' zei ze. 'Als ik aan die bijl dacht werd ik zo bang dat ik niet wist wat ik moest geloven.'

Dat ging als een dolk door mijn hart, maar ik liet het niet merken. 'Selena,' zeg ik, 'wat hij je vertelde, was een leugen.'

'*Laat me gewoon met rust!*' zei ze, terwijl ze zich van me terugtrok. De uitdrukking van een in het nauw gedreven konijn kwam weer op haar gezicht en ik besefte dat ze iets niet alleen maar verborgen hield omdat ze zich schaamde of zorgen maakte – ze was doodsbang. '*Ik knap het zelf op! Ik heb je hulp niet nodig, dus laat me met rust!*'

'Je kùnt het niet zelf opknappen, Selena,' zeg ik. Ik zei het op de zachte, kalmerende toon die je gebruikt tegen een paard of lam dat verstrikt is geraakt in het prikkeldraad van een omheining. 'Als je het kon, zou je het al gedaan hebben. Luister nu naar me – het spijt me dat je me moest zien met die bijl in mijn hand; alles wat je die avond zag en hoorde, spijt me. Als ik had geweten dat het je zo bang en ongelukkig zou maken, zou ik hem niet met gelijke munt hebben terugbetaald, ongeacht hoe erg hij me ook uitdaagde.'

'Kun je er niet gewoon mee ophouden?' vroeg ze en toen eindelijk trok ze haar handen uit die van mij en legde die over haar oren. 'Ik wil niets meer horen. Ik wìl niets meer horen.'

'Ik kan het niet stoppen omdat het voorbij is, het is gebeurd en niet meer te veranderen,' zeg ik, 'maar dit wel. Dus laat me helpen, hartelief. Alsjeblieft.' Ik probeerde een arm om haar heen te slaan en haar naar me toe te trekken.

'*Niet doen! Sla me niet! Raak me* nooit *aan, smerig kreng!*' schreeuwt ze en duwde zichzelf naar achteren. Ze struikelde tegen de reling en ik was er zeker van dat zij er gewoon overheen in de plas zou kukelen. Mijn hart stopte, maar goddank mijn handen niet. Ik stak mijn arm uit, kreeg haar bij de voorkant van haar jas te pakken en sleepte haar terug naar me toe. Ik gleed uit in iets nats en viel bijna. Maar ik hervond mijn evenwicht, en toen ik opkeek, haalde ze uit en sloeg me in mijn gezicht.

Het maakte me niets uit, ik greep haar gewoon weer vast en trok haar tegen me aan. Als je er op zo'n moment bij een kind van Selena's leeftijd mee ophoudt, denk ik dat veel wat je had met dat kind voorgoed voorbij is. Bovendien deed die klap geen ziertje pijn. Ik was gewoon bang haar kwijt te raken – en ook niet alleen uit mijn hart. Die ene seconde was ik er zeker van dat zij over de reling zou gaan met haar hoofd naar beneden en haar voeten naar boven. Ik was er zo zeker van dat ik het kon zien. Het is een wonder dat mijn haar op dat moment niet helemaal grijs is geworden. Toen huilde ze en zei me dat het haar speet, dat ze nooit de bedoeling had gehad me te slaan, dat ze nóóit de bedoeling had gehad dat te doen, en ik vertelde haar dat ik dat wel wist. 'Rustig nou maar,' zeg ik en wat ze terugzei deed me bijna volledig bevriezen. 'Je had me eroverheen moeten laten gaan, mammie,' zei ze. 'Je had me moeten laten gaan.'

Ik hield haar op armslengte afstand – op dat moment waren we allebei aan het huilen – en ik zeg: 'Níets kan me zoiets laten doen, schat.'

Ze schudde haar hoofd heen en weer. 'Ik kan het niet langer verdragen, mammie... Ik kan het niet. Ik voel me zo smerig en in de war, en ik kan niet gelukkig zijn hoe erg ik het ook probeer.'

'Wat is het?' zeg ik, en begin weer helemaal bang te worden. 'Wat is het, Selena?'

'Als ik het je vertel,' zegt ze, 'zul je me waarschijnlijk zelf over de reling duwen.'

'Je weet wel beter,' zeg ik. 'En ik zal je nog iets zeggen, hartelief – je zet geen stap weer op vaste bodem tot je met me rond bent. Als het nodig is om voor de rest van het jaar heen en weer te gaan op deze veerboot, dan zullen we dat doen... hoewel ik denk dat we allebei voor eind november stijf bevroren zullen zijn, als we niet al dood zijn door dat lijkegif van wat ze uitserveren in dat schijterige snackbarretje.'

Ik dacht dat het haar misschien aan het lachen zou maken, maar dat deed het niet. In plaats daarvan boog ze haar hoofd zodat ze naar het dek keek en zei iets, heel zacht. Met het geluid van de wind en de motoren kon ik niet goed horen wat het was.

'Wat zei je, schatje?'

Ze zei het weer en die tweede keer hoorde ik het, hoewel ze niet veel luider sprak. Heel plotseling begreep ik alles en vanaf dat moment waren Joe St. Georges dagen geteld.

'Ik wilde nooit iets doen. Hij dwong me.' Dat zei ze.

Een minuut kon ik daar alleen maar staan en toen ik ten slotte mijn handen naar haar uitstak, deinsde ze achteruit. Haar gezicht was zo wit als een laken. Toen maakte de boot – het was de oude *Island Princess* – een slinger. De wereld was voor mij al glibberig geworden en ik denk dat ik op mijn magere, ouwe reet gevallen zou zijn als Selena me niet om mijn middel had vastgegrepen. Het volgende moment hield ik haar vast en zij huilde tegen mijn hals.

'Kom mee,' zeg ik. 'Kom mee, laten we daar gaan zitten. We hebben meer gestamp van de ene kant naar de andere van deze boot gehad dan we kunnen verdragen, vind je niet?'

We liepen naar de bank bij de kajuitstrap op het achterdek met de armen om elkaar heen, voortschuifelend als een stel kreupelen. Ik weet niet of Selena zich een kreupele voelde of niet, maar ik beslist wel. Ik drupte alleen maar een beetje uit mijn ogen, maar Selena huilde zo hard dat het klonk alsof haar ingewanden los zouden scheuren van hun bedding als ze niet heel snel ophield. Maar ik was blij haar zo te horen huilen. Pas toen ik haar hoorde snikken en de tranen uit haar ogen zag rollen, besefte ik hoeveel van haar gevóel er ook was verdwenen, net als het licht in haar ogen en het figuur onder haar kleren. Ik zou haar allemachtig veel liever hebben horen lachen dan ik haar hoorde huilen, maar alles wat ik kon krijgen, was meegenomen.

We gingen op de bank zitten en ik liet haar nog een tijdje huilen. Toen het eindelijk iets minder begon te worden, gaf ik haar de zakdoek uit mijn tasje. In het begin gebruikte ze die niet eens. Ze keek me alleen maar aan, haar wangen helemaal nat en met diepe bruine holten onder haar ogen en ze zegt: 'Je haat me niet, mammie? Dat doe je echt niet?'

'Nee,' zeg ik. 'Nu niet, nooit niet. Ik beloof het je met mijn hand op mijn hart. Maar ik wil dit duidelijk hebben. Ik wil dat je me het hele gedoe vertelt, van voor naar achteren. Ik zie op je gezicht dat jij denkt dat je het niet kunt, maar ik weet dat je het wel kunt. En denk hieraan – je zult het nooit meer hoeven vertellen, zelfs niet aan je eigen echtgenoot, als je niet wilt. Het is net zoiets als het uittrekken van een splinter. Dàt beloof ik je ook met mijn hand op mijn hart. Begrijp je?'

'Ja, mammie, maar hij zei dat als ik het ooit vertelde... jij wordt soms zo kwaad, zei hij... zoals de avond dat je hem sloeg met de roomkan... hij zei dat als ik ooit het gevoel had het te vertellen ik maar beter aan de bijl kon denken... en...'

'Nee, dat is niet de manier,' zeg ik. 'Je moet bij het begin beginnen en er dan helemaal doorheen. Maar ik wil zeker weten dat ik vanaf het begin een ding duidelijk heb. Je vader heeft aan je gezeten, hè?'

Ze liet alleen maar haar hoofd hangen en zei niets. Het was het enige antwoord dat ìk nodig had, maar ik denk dat zíj het nodig had om het zichzelf hardop te horen zeggen.

Ik legde mijn vinger onder haar kin en tilde haar hoofd op tot we elkaar recht in de ogen keken. 'Is dat zo?'

'Ja,' zei ze en barstte weer in snikken uit. Maar deze keer duurde het niet zo lang en was het niet zo hevig. Ik liet haar toch een tijdje doorgaan omdat het mij een tijdje kostte om te weten hoe ìk verder moest gaan. Ik kon niet vragen 'Wat heeft hij met je gedaan?' omdat de kansen behoorlijk groot waren dat ze het niet zeker wist. Een tijdje was het enige wat ik kon bedenken 'Heeft hij je geneukt?' maar ik dacht dat ze dat misschien ook niet zeker wist, zelfs al bracht ik het op die manier, zo grof. En het geluid ervan klonk zo verdomd lelijk in mijn hoofd.

Ten slotte zei ik: 'Heeft hij zijn penis in je gehad, Selena? Heeft hij hem in je kutje gehad?'

Ze schudde haar hoofd. 'Ik heb het hem niet toegestaan.' Ze slikte een snik weg. 'Nog niet, in ieder geval.'

Nou, we waren daarna in staat ons allebei een beetje te ontspannen – in ieder geval met elkaar. Wat ik van binnen voelde, was pure razernij. Het was net alsof ik een oog van binnen had, een waarvan ik voor die dag het bestaan niet kende en het enige wat ik ermee kon zien was Joe's lange paardegezicht, met zijn lippen altijd gebarsten en zijn kunstgebit altijd een soort van geel, en zijn wangen altijd vol kloven en het rood hoog op de jukbeenderen. Ik zag zijn gezicht nagenoeg altijd daarna, dat oog wilde niet sluiten zelfs niet als mijn andere twee dat deden en ik sliep, en ik begon te weten dat het niet dicht zóu gaan tot hij dood was. Het was net als verliefd zijn, alleen binnenstebuiten.

Ondertussen vertelde Selena haar verhaal, van begin tot eind. Ik luisterde en onderbrak haar zelfs niet één keer, en natuurlijk begon het met de avond dat ik Joe sloeg met de roomkan en Selena op tijd bij de deur komt om hem met zijn hand over zijn bloedende oor te zien en mij met de bijl in mijn hand tegenover hem alsof ik werkelijk van plan was zijn hoofd ermee af te hakken. Het enige wat ik wilde doen was hem doen òphouden, Andy, en ik riskeerde mijn leven om dat te doen, maar daarvan zag ze niks. Het enige wat ze zag, lag opgestapeld aan zijn kant van de plank. De weg naar de hel is geplaveid met goede bedoelingen, zeggen ze, en ik weet dat het waar is. Ik weet het uit bittere ervaring. Wat ik niet weet is waaròm – waarom leidt het proberen goed te doen zo vaak tot slecht. Dat is voor grotere hoofden dan het mijne, denk ik.

Ik ga hier niet het hele verhaal vertellen, niet uit respect voor Selena, maar omdat het te lang is en het te veel pijn doet, zelfs nu nog. Maar ik zal jullie het eerste wat ze zei vertellen. Ik zal het nooit vergeten, omdat ik weer werd getroffen door het verschil dat er bestaat tussen hoe dingen eruitzien en hoe ze werkelijk zijn... tussen de buitenkant en de binnenkant.

'Hij keek zo verdrietig,' zei ze. 'Er liep bloed tussen zijn vingers door en er stonden tranen in zijn ogen en hij zag er gewoon zo verdríetig uit. Ik haatte je meer door die blik dan door het bloed en de tranen, mammie, en ik besloot het goed met hem te maken. Voor ik naar bed ging, ging ik op mijn knieën en bad. "God," zei ik, "als je ervoor zorgt dat ze hem niet nog meer pijn doet, maak ik het goed met hem. Ik zweer dat ik het doe. In Jezusnaam, amen."'

Krijg je een idee hoe ik me voelde toen ik dat van mijn dochter hoorde, een jaar of langer nadat wat mij betrof de deur naar dat gedoe gesloten was? Ja, Andy? Frank? En jij, Nancy Bannister uit Kennebunk? Nee – ik zie dat jullie dat niet krijgen. Ik bid God dat jullie dat nooit zullen krijgen.

Ze begon aardig tegen hem te zijn – bracht hem speciale traktaties als hij in de schuur aan een sneeuwkat werkte of aan de buitenboordmotor van iemand, zat naast hem terwijl we 's avonds tv keken, ging bij hem zitten op de verandatrap als hij hout sneed, en luisterde naar de gebruikelijke teksten van Joe St. Georges politiek gelul – hoe Kennedy de joden en katholieken alles liet bestieren, hoe de communisten in het zuiden de nikkers in de scholen en lunchrooms probeerden te krijgen, en dat het land tamelijk snel verruïneerd zou zijn. Ze luisterde, ze lachte om zijn grappen, ze deed maïslies op zijn handen als er kloven in zaten, en hij was niet zo doof dat hij zijn kans niet hoorde aankloppen. Hij hield ermee op haar de bijzonderheden over politiek te geven en begon haar de bijzonderheden over mij te geven, hoe woedend ik kon zijn als ik geïrriteerd was en alles wat er fout zat in ons huwelijk. En volgens hem was ìk dat voornamelijk.

Het was achter in de lente van 1962 dat hij haar begon te betasten op een manier die iets verderging dan alleen maar vaderlijk. Maar dat was alles in het begin – kleine aaitjes over het been als ze samen op de bank zaten en ik uit de kamer was, klopjes op haar achterste als ze hem zijn bier buiten in de schuur bracht. Daar begon het allemaal mee en vandaar ging het verder. Tegen midden juli was arme Selena net zo bang voor hem geworden als ze al voor mij was. Tegen de tijd dat ik het eindelijk in mijn hoofd kreeg over te steken naar het vasteland om wat antwoorden uit haar te krijgen, had hij zo'n beetje alles gedaan wat een man met een vrouw kan doen, op neuken na... en hij maakte haar zo bang dat ze met hem ook een aantal dingen deed.

Ik denk dat hij haar geplukt zou hebben voor Labor Day als Joe Junior en Little Pete na school niet zo vaak voor de voeten hadden gelopen. Little Pete was er gewoon en liep in de weg, maar ik denk dat Joe Junior een aardig idee had wat er aan de hand was, en van plan was de boel te dwarsbomen. God zegene hem als dat zo is, dat is alles wat ik kan zeggen. Ik was zeker geen hulp, met twaalf uur en soms veertien uur werken per dag zoals ik toen deed. En al de tijd dat ik weg was, hing Joe om haar heen; hij raakte haar aan, vroeg om kussen, vroeg haar hem op 'speciale plaatsen' aan te raken (zo noemde hij ze) en zei haar dat hij er niets aan kon doen, dat hij het móest vragen – zij was aardig tegen hem, ik niet, een man had bepaalde behoeftes, en dat was het enige. Maar ze mocht het niet vertellen. Als ze het deed, zei hij, zou ik ze misschien allebei vermoorden. Hij bleef haar herinneren aan de roomkan en de bijl. Hij bleef haar zeggen wat voor koud, slechtgehumeurd kreng ik was en hoe hij er niets aan kon doen omdat een man bepaalde behoeftes had. Hij stampte die dingen in haar, Andy, tot ze halfgek van hem werd. Hij...

Wat, Frank?

Ja, hij werkte inderdaad, maar wat hij aan werk deed, verhinderde hem nauwelijks om achter zijn dochter aan te zitten. Een klusser in alle soort werk, noemde ik hem, en dat was precies wat hij was. Hij deed klusjes voor allerlei zomergasten en voor twee was hij huisbewaarder (ik hoop dat de mensen die hem dáárvoor inhuurden een goede inventarislijst van hun bezittingen bijhielden). Er waren vier of vijf verschillende vissers die hem part-time inhuurden als ze het druk hadden – Joe kon fuiken ophalen als de beste, als hij niet te katterig was – en natuurlijk had hij zijn kleine motoren erbij. Met andere woorden, hij werkte op de manier zoals veel mannen van het eiland werkten (hoewel niet zo hard als de meesten) – een pietsie hier en een pietsie daar. Zo'n man kan behoorlijk goed zijn eigen uren maken, en die zomer en het begin van de herfst, maakte Joe die van hem zo dat hij zo vaak als hij kon rond het huis hing als ik weg was. Om in de buurt van Selena te zijn.

Begrijpen jullie nu wat ik wil dat jullie begrijpen? Zien jullie dat hij net zo hard bezig was in haar géést te komen als dat hij in haar broekje probeerde te zitten? Ik denk dat het beeld van mij met die godverdommese bijl in mijn hand de meeste macht over haar had, dus dat gebruikte hij het meest. Toen hij zag dat hij het niet meer kon gebruiken om haar sympathie te winnen, gebruikte hij het om haar er bang mee te maken. Hij vertelde haar steeds maar weer dat ik haar het huis uit zou jagen als ik er ooit achter kwam wat zij aan het doen waren.

Wat zíj aan het doen waren! Godsamme!

Ze zei dat ze het niet wílde doen, en hij zei dat dat heel jammer was maar dat het te laat was om ermee op te houden. Hij vertelde haar dat ze hem zo had uitgedaagd dat hij half krankzinnig was geworden en zei dat door dat soort uitdagen de meeste verkrachtingen gebeuren, en goeie vrouwen (hij bedoelde humeurige, bijlzwaaiende krengen zoals ik, denk ik) wisten het. Joe bleef haar vertellen dat hij van zijn kant niets zou zeggen zolang zij van háár kant ook niets zei... 'Maar,' zei hij tegen haar, 'je moet begrijpen, kindje, dat als íets ervan uitkomt, àlles uitkomt.'

Ze wist niet wat hij bedoelde met àlles en ze begreep niet hoe ze hem, als ze hem 's middags een glas ijsthee bracht en hem vertelde over het nieuwe hondje van Laurie Langill, het idee had gegeven dat hij, elke keer dat hij maar wilde, zijn hand tussen haar benen kon steken en haar daar kon voelen, maar ze was ervan overtuigd dat ze íets moest hebben gedaan om hem zo slecht te doen handelen, en daar schaamde ze zich voor. Dat was het ergste ervan, denk ik – niet de angst, maar de schaamte.

Ze zei dat ze op een dag het plan had opgevat het hele verhaal aan mevrouw Sheets, de klasse-mentrix, te vertellen. Ze maakte zelfs een afspraak, maar buiten het kantoor zakte de moed haar in de schoenen toen een afspraak van een ander meisje wat langer uitliep. Dat was minder dan een maand ervoor geweest, net nadat de school weer was begonnen.

'Ik begon eraan te denken hoe het zou klinken,' zei ze tegen mij terwijl we daar op het achterdek op de bank naast de kajuitstrap zaten. Tegen die tijd waren we halverwege de oversteek en we konden de East Head zien, helemaal verlicht door de namiddagzon. Selena was eindelijk opgehouden met huilen. Zo nu en dan liet ze nog een grote, waterige snik horen en mijn zakdoek was helemaal doornat, maar voor het grootste deel had ze zich weer in bedwang en ik was verrekte trots op haar. Maar ze liet mijn hand niet los. Ze hield hem al die tijd dat we met elkaar praatten in een doodsgreep. De volgende dag had ik er blauwe plekken op. 'Ik dacht eraan hoe het zou zijn om te gaan zitten en te zeggen: "Mevrouw Sheets, mijn vader probeert u-weet-wel met me te doen." En ze is zo stompzinnig – en zo óud – dat ze waarschijnlijk zou zeggen: "Nee, ik-weet-het-níet, Selena. Waar heb je het over?" Alleen zou ze zeggen *OOOWVER*, zoals ze praat als ze uit de hoogte doet. En dat zou ik haar moeten vertellen dat mijn eigen vader probeerde me te naaien, en ze zou me niet geloven, omdat waar zij vandaan komt mensen dat soort dingen niet doen.'

'Ik denk dat het over de hele wereld gebeurt,' zei ik. 'Triest, maar waar. En ik denk dat een klasse-mentrix het ook wel weet, tenzij ze een volslagen idioot is. Is mevrouw Sheet volslagen idioot, Selena?'

'Nee,' zegt Selena. 'Ik denk het niet, mammie, maar...'

'Liefje, dacht je ècht dat jij het eerste meisje was bij wie dit ooit gebeurde?' vraag ik en weer zei ze iets dat ik niet kon horen doordat ze zo zacht praatte. Ik moest haar vragen het nog eens te zeggen.

'Ik wist niet of dat zo was,' zegt ze en omknelt me. Ik omknelde haar ook. 'Hoe dan ook,' ging ze ten slotte verder, 'terwijl ik daar zat, merkte ik dat ik het niet kon zeggen. Misschien dat ik, als ik gewoon meteen naar binnen had kunnen lopen, het had kunnen zeggen, maar niet toen ik eenmaal de tijd had om het in mijn gedachten rond te draaien en me af te vragen of papa gelijk had en jij zou denken dat ik een slecht meisje was...'

'Ik zou dat nooit gedacht hebben,' zeg ik en omhels haar nog eens. Ze gaf me een glimlach terug die mijn hart verwarmde. 'Ik weet dat nu,' zei ze, 'maar toen was ik er niet zo zeker van. En terwijl ik daar zat en door het glas keek hoe mevrouw Sheets bezig was met het meisje voor me, bedacht ik een goede reden om niet naar binnen te gaan.'

'O?' vroeg ik haar. 'Wat was die?'

'Nou,' zegt ze, 'het had niets met school te maken.'

Dat trof me als grappig en ik begon te giechelen. Al snel giechelde Selena met me mee, en het gegiechel werd steeds luider tot we daar op de bank zaten en elkaars handen vasthielden en lachten als een stelletje futen in de paartijd. We waren zo luidruchtig dat de man die beneden snacks en sigaretten verkoopt even zijn hoofd naar buiten stak om te kijken of het wel goed met ons ging.

Op de weg terug zei ze nog twee andere dingen – een met haar mond en een met haar ogen. Het ene dat ze hardop zei was dat ze erover had gedacht haar bullen te pakken en weg te lopen; dat leek in ieder geval een uitweg. Maar weglopen lost je problemen niet op als je erg genoeg gekwetst bent – waar je ook heen gaat, je neemt toch je hoofd en je hart met je mee – en wat ik in haar ogen zag, was dat de gedachte aan zelfmoord vaker dan alleen maar daarnet in haar hoofd was opgekomen.

Als ik daaraan dacht – het zien van de gedachten aan zelfmoord in de ogen van mijn dochter – dan zag ik Joe's gezicht met mijn innerlijke oog zelfs nog duidelijker. Ik zag hoe hij er uit moet hebben gezien, terwijl hij haar lastigviel en lastigviel, terwijl hij probeerde zijn hand onder haar rok te krijgen tot ze uit zelfverdediging alleen nog maar spijkerbroeken droeg, en hij niet kreeg wat hij wilde hebben (of niet àlles wat hij wilde hebben) puur door toeval – geluk voor haar, pech voor hem – en niet omdat hij het niet probeerde. Ik dacht eraan wat er had kunnen gebeuren als

Joe Junior niet een paar keer het spelen met Willy Bramhall had afgebroken en vroeg naar huis was gekomen, of als ik uiteindelijk niet mijn ogen voldoende open had gekregen om echt eens goed naar haar te kijken. Het meest van alles dacht ik eraan hoe hij haar had opgejaagd. Hij had het gedaan zoals een meedogenloze man met een rijzweep of een stok een paard voortjakkert, en niet een keer stopt, niet uit liefde en niet uit medelijden, tot het beest dood aan zijn voeten ligt... en hij er waarschijnlijk overheen gebogen staat met de stok in zijn handen en zich afvraagt hoe dàt in Jezusnaam had kunnen gebeuren. Daar had dat ik zijn voorhoofd wilde aanraken, wilde zien of het net zo glad aanvoelde als het eruitzag, me gebracht; hier had het allemaal toe geleid. Mijn ogen waren helemaal open, en ik zag dat ik leefde met een liefdeloze, onmeedogende man die geloofde dat alles wat hij met zijn arm kon bereiken en met zijn hand kon grijpen voor de heb was, zelfs zijn eigen dochter.

Zover was ik ongeveer gekomen met mijn gedachten toen de gedachte aan hem te vermoorden voor het eerst in mijn hoofd opkwam. Dat was niet wanneer ik besloot het te doen – godsamme, nee – maar ik zou een leugenaar zijn als ik zei dat de gedachte alleen maar een dagdroom was. Het was héél wat meer dan dat.

Selena moet iets daarvan in mijn ogen hebben gezien, omdat zij haar hand op mijn arm legde en zegt: 'Komen er moeilijkheden, mammie? Alsjeblieft, zeg van niet – hij zal weten dat ik het heb verteld en hij zal woedend zijn.'

Ik wilde haar geruststellen door haar te vertellen wat ze wilde horen, maar ik kon het niet. Er zóuden moeilijkheden komen – alleen hoeveel en hoe erg zou waarschijnlijk van Joe afhangen. Die avond dat ik hem had geslagen met de roomkan, had hij ingebonden, maar dat wilde niet zeggen dat hij dat weer zou doen.

'Ik weet niet wat er gaat gebeuren,' zei ik, 'maar ik zal je twee dingen vertellen, Selena: niets hiervan is jouw fout, en zijn dagen van jou aanhalen en kwellen zijn voorbij. Begrijp je dat?'

Haar ogen vulden zich weer met tranen en een viel er verder en rolde over haar wang naar beneden. 'Ik wil gewoon niet dat er moeilijkheden komen,' zei ze. Ze zweeg een ogenblik, terwijl haar mond zenuwachtig vertrok en toen barstte ze uit: 'O, ik háát dit! Waarom heb je hem ooit geslagen? Waarom moest hij ooit met mij beginnen? Waarom konden de dingen niet blijven zoals ze waren?'

Ik pakte haar hand. 'Dat doen dingen nooit, liefje – soms gaat er iets fout, en dat moet dan hersteld worden. Dat weet je toch?'

Ze knikte. Ik zag pijn in haar gezicht, maar geen twijfel. 'Ja,' zei ze. 'Ik denk het wel.'

Toen voeren we de haven binnen en er was geen tijd meer voor praten. Ik was blij zat; ik wilde niet dat ze me aankeek met die betraande ogen van haar, met de wens die, denk ik, elk kind heeft, dat alles weer goed komt, maar zonder pijn en zonder dat er iemand gekwetst wordt. Ze wilde dat ik beloftes deed die ik niet kon doen, omdat het beloftes waren waarvan ik niet wist of ik die kon houden. Ik was er niet zeker van of dat inwendige oog me die zou láten houden. We stapten van de veerboot zonder dat er nog een woord tussen ons gewisseld werd en dat kwam mij prima uit. Die avond, nadat Joe was thuisgekomen van het huis van de Carstairs waar hij een veranda achter het huis aan het bouwen was, stuurde ik alle drie de kinderen naar de supermarkt. Ik zag Selena de hele oprit af blikken achterom naar mij werpen, en haar gezicht was net zo bleek als een glas melk. Elke keer dat ze haar hoofd omdraaide, Andy, zag ik die dubbel-verdoemde bijl in haar ogen. Maar ik zag er ook iets anders in, en ik geloof dat dat andere opluchting was. Eindelijk houdt het op dat dingen gewoon maar blijven doorgaan en doorgaan zoals het is geweest, moet ze gedacht hebben; bang als ze was, denk ik dat een deel van haar dat gedacht móet hebben.

Joe zat bij de kachel de *American* te lezen, zoals hij elke avond deed. Ik stond bij de houtkist en keek naar hem; dat inwendige oog scheen zich verder te openen dan ooit. Moeje hem zien, dacht ik, zit daar als de Grote Hoge Flapdrol van de Bovenste Bilspleet. Zit daar alsof hij niet net als ieder ander zijn broek pijp voor pijp aan moet trekken. Zit daar alsof het de gewoonste zaak van de wereld is dat hij met zijn handen overal aan het lichaam van zijn dochter zit en dat iedere man die dat doet rustig na het gedaan te hebben kan gaan slapen. Ik probeerde te bedenken hoe we van het schoolbal in The Samoset Inn waren terechtgekomen waar we nu waren, hij zittend bij de kachel terwijl hij de krant las in zijn oude opgelapte spijkerbroek en smerige wollen borstrok en ik staand bij de houtkist met moordzucht in mijn hart, en het lukte me niet. Het was net als in een toverbos zijn waar je, als je over je schouder achteromkijkt, ziet dat het pad achter je is verdwenen.

Ondertussen zag dat inwendige oog steeds meer. Het zag de wirwar van littekens op zijn oor van toen ik hem had geslagen met de roomkan; het zag de kronkelige adertjes in zijn neus; het zag de manier waarop zijn onderlip naar voren stak zodat hij er bijna altijd uitzag alsof hij een chagrijnige bui zou krijgen; het zag de roos in zijn wenkbrauwen en de manier waarop hij aan de haartjes trok die uit zijn neus groeiden en het kruis van zijn broek om de zoveel tijd eens een stevige ruk gaf.

Al die dingen die dat oog zag waren slecht, en het daagde me dat trouwen met hem heel wat meer was geweest dan de grootste vergissing van mijn leven; het was de enige vergissing die er werkelijk toe deed, omdat uiteindelijk ik niet de enige zou zijn die ervoor ging boeten. Toen was het Selena die hem bezighield, maar er kwamen twee jongens direct achter haar aan, en als hij er niet mee ophield te proberen haar te verkrachten, wat zou hij hen dan kunnen aandoen?

Ik draaide mijn hoofd om en dat oog binnen in me zag de hakbijl op de plank boven de houtkist, gewoon zoals altijd. Ik stak mijn hand uit en sloot mijn vingers rond de steel, terwijl ik dacht: deze keer krijg je hem niet in je handen, Joe. In je hoofd misschien, maar niet in je handen. Toen dacht ik aan Selena die zich naar me omdraaide toen ze gedrieën de oprit afliepen en ik besloot dat wat er ook gebeurde, de godverdommese hakbijl er geen deel van uit zou maken. Ik bukte me en pakte in plaats daarvan een eind essehout uit de houtkist.

Hakbijl of kachelhout, het maakte bijna niets uit – op dat moment en daar was Joe's leven aan een zijden draad komen te hangen. Hoe langer ik naar hem keek, terwijl hij daar in zijn smerige borstrok zat en aan de haartjes trok die uit zijn neus staken en de strippagina las, hoe meer ik dacht aan wat hij met Selena voor had; en hoe meer ik daarover dacht, hoe kwader ik werd; en hoe kwader ik werd, hoe dichter ik bij het punt kwam dat ik gewoon naar hem toe liep en zijn hoofd opensplet met dat stuk hout. Ik kon zelfs de plek zien waar ik hem de eerste klap zou geven. Zijn haar was al echt aan het dunnen, vooral achterop en de lamp naast de stoel legde er een soort van glans op. Je kon de sproeten op de huid zien tussen de paar sliertjes haar die er nog waren. Daarzo, dacht ik, precies op die plek. Het bloed zal opspringen en de hele lampekap onderspatten, maar dat kan me niets schelen; het is toch een lelijk oud ding. Hoe meer ik erover dacht, hoe meer ik het bloed op de kap wilde zien spatten, zoals ik wist dat zou gebeuren. En toen dacht ik eraan dat er ook druppels op de gloeilamp terecht zouden komen en dan een zacht sissend geluid zouden maken. Ik dacht aan die dingen en hoe meer ik eraan dacht, hoe meer mijn vingers zich vastgrepen om dat eind hout zodat ik de beste greep kreeg. Het was krankzinnig, o ja, maar ik scheen me niet van hem af te kunnen wenden, en ik wist dat dat inwendige oog naar hem zou blijven kijken als ik dat wel kon.

Ik zei tegen mezelf eraan te denken hoe Selena naar me zou kijken als ik het deed – hoe haar ogen zouden zeggen dat mijn temperament net zo door en door slecht was als Joe had gezegd en dat al haar ergste angsten bewaarheid waren – maar dat werkte ook niet. Hoezeer ik ook van haar hield en hoezeer ik haar diepste genegenheid wilde hebben, het werkte niet. Dat oog was te sterk voor liefde. Dat inwendige oog wilde zelfs niet sluiten, toen ik me afvroeg wat er van hun drieën zou worden als hij dood was en ik in South Windham zat voor de moord op hem. Het bleef wijdopen, en het bleef steeds meer lelijke dingen in Joe's gezicht zien. De manier waarop hij witte schilfers huid van zijn wangen trok als hij zich schoor. De klodder mosterd van zijn avondeten die op zijn kin opdroogde. Zijn gebit met die grote paardetanden dat hij via een postorderbedrijf had besteld en dat niet goed paste. En elke keer dat ik iets anders zag met dat oog, werd mijn greep op dat eind hout nog steviger.

Op het laatste moment dacht ik aan iets anders. Als je het nu hier doet, doe je het niet meer voor Selena, dacht ik. Ook doe je het niet voor de jongens. Je doet het dan omdat al dat betasten zich drie maanden lang of langer onder je eigen neus heeft afgespeeld en jij te stom was om het te zien. Als je hem vermoordt en je gaat naar de gevangenis en je ziet je kinderen alleen maar op zaterdagmiddagen, dan kun je maar beter begrijpen waarom je het doet: niet omdat hij aan Selena zat, maar omdat hij jou in de maling heeft genomen en dat haat je meer dan wat ook.

Dat zette uiteindelijk een domper op me. Het inwendige oog ging niet dicht, maar het verflauwde en verloor iets van zijn kracht. Ik probeerde mijn hand te openen en dat eind essehout te laten vallen, maar ik had er te stevig in geknepen en ik scheen niet los te kunnen laten. Ik moest mijn andere hand gebruiken om de wijs- en middelvinger los te wrikken voor het terugviel in de houtkist, en de andere twee vingers en duim bleven gekromd alsof ze het nog steeds vasthielden. Ik moest mijn hand drie of vier keer open- en dichtdoen voor hij weer normaal begon aan te voelen.

Toen dat zo was, liep ik naar Joe toe en tikte hem op de schouder. 'Ik wil met je praten,' zeg ik.

'Praat maar,' zegt hij vanachter de krant. 'Ik hou je niet tegen.'

'Ik wil dat je me aankijkt als ik het doe,' zeg ik. 'Leg dat vod neer.'

Hij liet de krant in zijn schoot vallen en keek me aan. 'Jij hebt tegenwoordig wel een erg drùkke mond,' zegt hij.

'Ik let op mijn mond,' zeg ik, 'jij moet gewoon op je handen letten. Doe je dat niet, dan zullen die je in heel wat meer moeilijkheden brengen dan jij in een eeuwigheid kunt afhandelen.'

Zijn wenkbrauwen gingen omhoog en hij vroeg me wat dat moest betekenen.

'Dat betekent dat ik wil dat je Selena met rust laat,' zeg ik.

Hij keek alsof ik mijn knie precies in zijn familiejuwelen had geplant. Dat was het mooiste van een trieste zaak, Andy – de uitdrukking op Joe's gezicht toen hij snapte dat hij gesnapt was. Zijn huid werd bleek en zijn mond viel open en zijn hele lijf schokte zo'n beetje in die bescheten ouwe schommelstoel van hem, op de manier dat het lijf van mensen soms schokt als zij net in slaap vallen en een slechte gedachte hebben op hun weg daarheen.

Hij probeerde het te verdoezelen door te doen alsof hij een spiertrekking in zijn rug had, maar hij kon ons geen van tweeën bedotten. Hij zag er feitelijk ook een beetje beschaamd uit, maar dat hielp hem niet bij mij. Zelfs een stomme jachthond heeft voldoende verstand om beschaamd te kijken als je hem betrapt op het stelen van eieren uit een kippenhok.

'Ik weet niet waar je het over hebt,' zegt hij.

'Hoe komt het dan dat je eruitziet alsof de duivel zojuist zijn hand in je broek heeft gestoken en in je ballen heeft geknepen?' vroeg ik hem.

Toen begon zijn voorhoofd te bewolken. 'Als die verrekte Joe Junior leugens over mij heeft zitten vertellen...' begon hij.

'Joe Junior heeft geen boe of ba over je gezegd,' zeg ik, 'en je kunt gerust ophouden met die komedie, Joe. Selena heeft het me verteld. Ze heeft me alles verteld – hoe ze aardig tegen je probeerde te zijn na die avond dat ik je met de roomkan sloeg, hoe jij haar terugbetaalde en wat je zei dat zou gebeuren als ze het ooit vertelde.'

'Ze is een kleine leugenaar,' zegt hij, terwijl hij zijn krant op de grond gooide alsof dat het bewijs was. 'Een kleine leugenaar en godvergeten uitdaagster! Ik ga mijn riem pakken en als ze haar gezicht weer laat zien... als ze ooit dùrft haar gezicht hier binnen weer te laten zien...'

Hij begon overeind te komen. Ik drukte hem met een hand weer terug. Het is vreselijk makkelijk om iemand terug te duwen die uit een schommelstoel probeert overeind te komen. Het verbaasde me een beetje hoe makkelijk het was. Natuurlijk, nog geen drie minuten eerder had ik bijna zijn schedel ingeslagen met een eind kachelhout, en dàt kon er iets mee te maken hebben.

Zijn ogen versmalden zich tot spleetjes en hij zei dat ik geen grapjes met hem uit moest halen. 'Je hebt het eerder gedaan,' zegt hij, 'maar dat betekent niet dat je èlke keer dat je het wilt de kachel met me aan kunt maken.'

Precies datzelfde had ik gedacht en niet zo lang ervoor, maar het was nauwelijks het moment hem dat te vertellen. 'Je kunt je grootspraak voor je vrienden bewaren,' zeg ik in plaats daarvan. 'Wat je op dìt moment moet, is niet praten, maar luisteren... en luisteren naar wat ik zeg, omdat ik elk woord meen. Als je ooit weer rotzooit met Selena, zorg ik ervoor dat je in de gevangenis komt voor kindermishandeling of seksueel contact met een minderjarige, welke aanklacht ook die je het langst opgeborgen houdt.'

Dat bracht hem van zijn stuk. Zijn mond viel weer open en hij bleef gewoon een minuut zo naar me op zitten staren.

'Dat doe je nooit,' begon hij en zweeg toen. Omdat hij had gezien dat ik het wèl zou doen. Dus hij werd boos, met zijn onderlip verder dan ooit naar voren gestoken. 'Je staat aan haar kant, hè?' zegt hij. 'Je vraagt zelfs nooit naar mijn kant van de zaak, Dolores.'

'Hèb je er dan een?' vroeg ik terug. 'Als een man van op vier jaar na veertig zijn veertienjarige dochter vraagt haar onderbroekje uit te trekken zodat hij kan zien hoeveel haar ze op haar kutje heeft, kun je dan zeggen dat die man een kant hééft?'

'Volgende maand wordt ze vijftien,' zegt hij, alsof dat op de een of andere manier alles verandert. Hij was een mooi heerschap, inderdaad.

'Hoor je wel wat je zegt?' vraag ik hem. 'Hoor je wel wat er uit je eigen mond rolt?'

Hij staarde me nog een tijdje aan, bukte zich toen en raapte zijn krant van de vloer. 'Laat me met rust, Dolores,' zegt hij op zijn beste pruilerige arme-ik-toon. 'Ik wil dit artikel uitlezen.'

Ik wilde die verrekte krant wel uit zijn handen rukken en in zijn gezicht gooien, maar als ik dat had gedaan zou er zeker een vechtpartij vol bloed zijn gevolgd, en ik wilde niet dat de kinderen – vooral Little Pete niet – binnenkwamen bij zoiets. Dus ik stak mijn hand uit en drukte zacht de bovenkant met mijn duim naar beneden.

'Eerst ga je me beloven dat je Selena met rust laat,' zei ik, 'zodat we deze ellendige schijtbende achter ons kunnen laten. Je belooft me dat je nooit meer van je leven haar op die manier aan zal raken.'

'Dolores, je hebt niet...' begint hij.

'Beloof het, Joe, of ik maak je leven tot een hel.'

'Denk je dat ik daar bang voor ben?' schreeuwt hij. 'De afgelopen vijftien jaar heb je mijn leven tot een hel gemaakt, kreng – dat lelijke gezicht van je kan nog geen kaars verdragen. Als het je niet bevalt hoe ik ben, neem het jezelf dan kwalijk.'

'Jij weet niet wat hel is,' zei ik, 'maar als je het niet belooft haar met rust te laten, zorg ik ervoor dat je erachter komt.'

'Goed,' gilt hij. 'Goed! Ik beloof het! Hier! Klaar! Ben je nou tevreden?'

'Ja,' zeg ik, hoewel ik het niet was. Hij zou nooit meer in staat zijn mij tevreden te stellen. Het zou niet hebben uitgemaakt als hij ineens over water kon lopen. Ik had de bedoeling de kinderen het huis uit te krijgen of ervoor te zorgen dat hij dood was voor het eind van het jaar. Hoe het uit zou pakken, maakte me niet veel uit, maar ik wilde niet dat hij wist dat er voor hem iets aan stond te komen tot het voor hem te laat was er iets aan te doen.

'Goed,' zegt hij. 'Dan is dus alles klaar en afgerond, nietwaar, Dolores?' Maar hij keek me aan met een rare kleine glinstering in zijn ogen die me niet erg beviel. 'Jij denkt dat je behoorlijk slim bent, hè?'

'Weet niet,' zeg ik. 'Ik dacht altijd dat ik een behoorlijke hoeveelheid intelligentie had, maar moet je nou eens zien met wie ik uiteindelijk samen in een huis zit.'

'O, schiet op,' zegt hij, nog steeds naar me kijkend met die rare, halfgare blik. 'Jij denkt dat jij zo uitgekookt bent, dat je waarschijnlijk over je schouder kijkt om er zeker van te zijn dat je reet niet meegekookt is voor je jezelf afveegt. Maar je weet niet alles.'

'Wat bedoel je daarmee?'

'Zoek jíj dat maar uit,' zegt hij, en schudt zijn krant open als de een of andere rijke bink die wil kijken of de aandelenbeurs hem die dag wel behoorlijk heeft behandeld. 'Het moet niet al te moeilijk zijn voor zo'n slimmerik als jij.'

Het beviel me niet, maar ik liet het lopen. Voor een deel kwam het omdat ik niet langer dan nodig was met een stok in een horzelnest wilde porren, maar dat was niet alles. Ik dacht ècht dat ik slim was, in ieder geval slimmer dan hij, en dat was de rest. Ik dacht dat ik, als hij probeerde mij iets betaald te zetten, ongeveer vijf minuten nadat hij was begonnen zou zien wat hij van plan was. Met andere woorden, het was trots, puur en alleen trots, en het idee dat hij al begonnen wàs, was nooit bij me opgekomen.

Toen de kinderen terugkwamen van de winkel, stuurde ik de jongens het huis in en liep met Selena naar de achtertuin. Er is daar een grote wirwar van braamstruiken, voornamelijk kaal in die tijd van het jaar. Een briesje was opgestoken en deed ze ritselen. Het was een eenzaam geluid. En ook een beetje griezelig. Er steekt daar een grote witte kei uit de grond op, en wij gingen erop zitten. Een halve maan was opgekomen boven East Head, en toen ze mijn handen pakte, waren haar vingers net zo koud als de maan eruitzag.

'Ik durf niet naar binnen, mammie,' zei ze en haar stem trilde. 'Ik ga naar Tanya, goed? Zeg alsjeblieft dat het mag.'

'Je hoeft nergens bang voor te zijn, liefje,' zeg ik. 'Alles is geregeld.'

'Ik geloof je niet,' fluisterde ze, hoewel haar gezicht zei dat ze het wel wilde geloven – haar gezicht zei dat ze het meer dan wat dan ook wilde geloven.

'Het is waar,' zei ik. 'Hij heeft beloofd je met rust te laten. Hij houdt zijn beloftes niet altijd, maar deze zal hij houden, omdat hij weet dat ik hem in de gaten hou en hij kan er niet op rekenen dat jij je mond houdt. Hij is ook doodsbang.'

'Doodsba... waarom?'

'Omdat ik hem heb verteld dat ik ervoor zou zorgen dat hij in Shawshank terechtkomt als hij nog meer smerige dingen met je uithaalt.'

Ze hijgde en haar handen drukten weer in die van mij. 'Mammie, dat heb je níet!'

'Jawel, en ik meende het,' zeg ik. 'Je kunt het maar het beste weten, Selena. Maar ik zou me niet te veel zorgen maken. De komende vier jaar zal Joe wellicht niet binnen een afstand van drie meter van je komen... en tegen die tijd zit je op de universiteit. Als er iets is waar hij op deze ronde wereld respect voor heeft, is het wel zijn eigen hachje.'

Ze liet mijn handen los, langzaam maar zeker. Ik zag de hoop in haar gezicht komen, en ook nog iets anders. Het was alsof haar jeugd bij haar terugkwam, en pas op dat moment, terwijl ik daar met haar in het maanlicht zat bij het veld met braamstruiken, besefte ik hoe oud ze die herfst was geworden.

'Hij geeft me toch geen pak rammel of zoiets?' vroeg ze.

'Nee,' zeg ik. 'Het is voorbij.'

Toen geloofde ze het allemaal en legde haar hoofd op mijn schouder en begon te huilen. Dat waren alleen maar tranen van opluchting. Dat ze op die manier moest huilen, deed me Joe zelfs nog meer haten.

Ik denk dat de eerste dagen daarna er een meisje in mijn huis was dat beter sliep dan ze in drie maanden of meer had gedaan... maar ik lag wakker. Ik luisterde naar Joe's gesnurk naast me en keek naar hem met dat oog binnen in me en had het gevoel naar hem over te buigen en zijn godvergeten keel af te bijten. Maar ik was niet meer zo gek als toen ik hem bijna had neergeslagen met dat stuk kachelhout. Toen had denken aan de kinderen en wat er met hen zou gebeuren als ik opgepakt werd voor moord, geen enkele macht over dat inwendige oog gehad, maar later, toen ik Selena had verteld dat ze veilig was en ikzelf de kans kreeg een beetje af te koelen, wel. Toch wist ik dat wat Selena het allerwaarschijnlijkst wilde – dat dingen gewoon verdergingen alsof wat haar vader van plan was geweest, nooit was gebeurd – niet kon. Zelfs als hij zijn belofte hield en haar nooit meer aanraakte, kon het nog niet... en ondanks wat ik Selena had verteld, was ik er niet volledig zeker van dat hij zijn belofte zou houden. Vroeg of laat weten mannen als Joe zich ervan te overtuigen dat ze er de volgende keer ook zonder meer van af komen; dat ze, als ze alleen maar wat voorzichtiger zijn, alles kunnen krijgen wat ze hebben willen.

Terwijl ik in het donker lag en eindelijk rustig was, scheen het antwoord eenvoudig genoeg: ik moest met de kinderen naar het vasteland verhuizen en ik moest het gauw doen. Ik was op dat moment rustig genoeg, maar ik wist dat ik niet zo zou blijven; dat inwendige oog zou het me niet toestaan. De volgende keer dat ik woedend was, zou ik nog beter zien en Joe zou er nog lelijker uitzien en misschien was er dan geen enkele gedachte op aarde die me ervan zou weerhouden het te doen. Het was een nieuwe manier van kwaad zijn, in ieder geval voor mij, en ik was verstandig genoeg om de schade te zien die het kon veroorzaken, als ik het liet gebeuren. Ik moest met de kinderen weg van Little Tall voor die kwaadheid helemaal naar buiten kon breken. En toen ik mijn eerste stap in die richting zette, kwam ik erachter wat die rare halfgare blik in zijn ogen had betekend. Dàt kun je wel zeggen!

Ik wachtte een tijdje tot de dingen bezonken waren, nam toen op een vrijdagochtend de veerboot van elf uur naar het vasteland. De kinderen waren op school en Joe was op zee met Mike Stargill en zijn broer Gordon aan het dollen met kreeftenfuiken – hij zou niet eerder terug zijn dan zo tegen zonsondergang.

Ik had de spaarbankboekjes van de kinderen bij me. Al sinds hun geboorte hadden we geld weggezet voor hun studie... in ieder geval had ìk het gedaan; Joe kon het geen moer schelen of ze gingen studeren of niet. Steeds als het onderwerp ter sprake kwam – en altijd was ik het die het ter sprake bracht, natuurlijk – zat hij hoogstwaarschijnlijk daar in die bescheten schommelstoel van hem met zijn gezicht verscholen achter de Ellsworth *American* en hij liet dat gezicht net lang genoeg zien om te zeggen: 'Waarom in Jézusnaam ben je vastbesloten de kinderen te laten studeren, Dolores? Ik heb niet gestudeerd en ik ben goed terecht gekomen.'

Nou, d'r zijn sommige dingen waar je gewoon niet over kunt discussiëren, wel? Als Joe dacht dat het lezen van de krant, het zich bezighouden met snotpegels en die afvegen aan de glijders van zijn schommelstoel, goed terechtkomen was, was er helemaal geen ruimte voor discussie; het was hopeloos vanaf het begin. Maar dat was in orde. Zolang ik hem zijn eerlijke deel kon laten bijdragen als hij toevallig in iets goeds terecht was gekomen, zoals toen hij bij de wegenaanleg zat, kon het me geen reet schelen of hij dacht dat elke universiteit in het land werd geleid door de communisten. De winter dat hij op het vasteland bij de wegenaanleg werkte, kreeg ik hem zover vijfhonderd dollar op hun bankrekeningen te zetten en hij jammerde als een jonge hond. Zei dat ik zijn hele verdiensten pakte. Maar ik wist wel beter, Andy. Als die klootzak die winter geen tweeduizend, misschien wel vijfentwintighonderd draaide, kus ik lachend een varken.

'Waarom vind je het altijd zo leuk om op me te vitten, Dolores?' vroeg hij dan.

'Als jij om te beginnen mans genoeg was om dat te doen wat goed is voor de kinderen, zou ik dat niet hoeven,' zei ik dan, en zo ging het almaar in een kringetje: bla-bla-blaatje-bla. Af en toe werd ik er behoorlijk beroerd van, Andy, maar bijna altijd kreeg ik van hem los wat ik dacht dat de kinderen toekwam. Ik kon er niet al te beroerd door worden, omdat zij niemand anders hadden die ervoor zorgde dat ze hun toekomst nog steeds voor zich hadden als ze eraan toe waren.

Er stond niet veel op die drie rekeningen naar de huidige maatstaven – tweeduizend of zo op die van Selena, ongeveer achthonderd op Joe Juniors, vier- of vijfhonderd op die van Little Pete – maar ik heb het nu over 1962, en in die tijd was het een behoorlijke smak duiten. Meer dan voldoende om mee weg te komen, dat was zeker. Ik stelde me voor die van Little Pete in baar geld op te nemen, en de andere twee in cheques. Ik had besloten de breuk volledig te maken en met ons allen helemaal naar Portland te verhuizen – een plek vinden om te wonen en een nette baan. We waren geen van allen gewend aan het stadsleven, maar mensen kunnen gewend raken aan verdomme bijna alles als zij moeten. Bovendien was Portland in die tijd niet echt veel meer dan een provincie-stad – niet zoals het nu is.

Had ik eenmaal een huis en een baan dan kon ik beginnen met het terugstorten van het geld dat ik had moeten gebruiken en ik dacht dat het me wel zou lukken. Zelfs als het me niet lukte, zij waren intelligente kinderen en ik wist dat er zulke dingen als studiebeurzen bestonden. Als ze daar buiten vielen, besloot ik, was ik niet te trots om een paar leningen aan te vragen. Het belangrijkste was hen wèg te krijgen – en op dat moment leek dat heel wat belangrijker dan studeren. De belangrijke dingen eerst, zoals er op de sticker stond die Joe op de bumper van zijn oude Farmall tractor geplakt had.

Ik heb mijn kaken bijna drie kwartier klem geluld over Selena, maar zij was niet de enige die van hem te lijden had. Zij kreeg het ergste, maar er waren nog zat donkere buien over voor Joe Junior. Hij was twaalf in 1962, een prima leeftijd voor een jongen, maar je zou het niet zeggen als je naar hem keek. Hij glimlachte of lachte nauwelijks en dat was echt geen wonder. Hij hoefde maar de kamer binnen te komen en zijn pa dook op hem als een wezel op een kip, vertelde hem zijn hemd in zijn broek te stoppen, zijn haar te kammen, op te houden met sloffen, volwassen te worden, ermee op te houden zich als een godvergeten mietje te gedragen door met zijn neus altijd in de boeken te zitten, een man te worden. Toen het Joe Junior niet lukte bij de junioren van de All Stars te komen in de zomer voor ik erachter kwam wat er met Selena aan de hand was, zou je, als je naar zijn vader luisterde, hebben gedacht dat hij uit het olympisch hardloopteam was getrapt wegens dopinggebruik. Tel daarbij op wat hij gezien mag hebben van wat zijn vader van plan was met zijn grote zus, en je hebt echt met rotzooi te maken, Sunny Jim. Soms keek ik naar Joe Junior terwijl die naar zijn vader zat te kijken en zag echte haat in het gezicht van die jongen – pure, onvervalste haat. En in de week of twee voor ik overstak naar het vasteland met die spaarbankboekjes in mijn zak, besefte ik dat, wat zijn vader betrof, Joe Junior zijn eigen inwendige oog had.

En dan had je Little Pete. Tegen de tijd dat hij vier was, liep hij al achter Joe aan te paraderen, met de band van zijn broek opgetrokken zoals Joe die droeg, en hij trok dan aan het eind van zijn neus en zijn oren, net als Joe deed. Little Pete had daar helemaal geen haar om aan te trekken natuurlijk, dus hij deed net alsof. Op zijn eerste dag op de kleuterschool kwam hij sniffend naar huis, met modder op het achterwerk van zijn broek en een krab op zijn gezicht. Ik ging naast hem op de trap van de veranda zitten, legde mijn arm om zijn schouders en vroeg hem wat er was gebeurd. Hij zei dat die godverdommese smous Dicky O'Hara hem op de grond had gegooid. Ik zei hem dat godverdommese vloeken was en dat hij dat niet kon zeggen en vroeg hem toen of hij wist wat een smous was. Om je de waarheid te zeggen, was ik behoorlijk nieuwsgierig om te horen wat er uit zijn mond zou komen.

'Natuurlijk wel,' zegt hij. 'Een smous is een stomme zak als Dicky O'Hara.' Ik zei tegen hem dat het niet zo was, dat hij het mis had en hij vroeg wat het dan wèl betekende. Ik zei hem het maar te laten zitten, het was geen aardig woord en ik wilde niet dat hij het nog een keer zei. Hij zat daar woedend naar mij te kijken met zijn lip vooruitgestoken. Hij zag er precies zo uit als zijn ouwe heer. Selena was als de dood voor haar vader, Joe Junior haatte hem, maar in sommige opzichten kreeg ik het meest de kriebels van Little Pete, omdat die net zo wilde worden als hij.

Dus ik pakte hun spaarbankboekjes uit de onderste la van mijn juwelenkistje (ik bewaarde ze daar omdat dat het enige ding was dat ik bezat waar een slot op zat; ik droeg de sleutel aan een ketting om mijn nek) en liep de Coastal Northern Bank in Jonesport binnen om ongeveer half een 's middags. Toen ik aan de beurt was, schoof ik de spaarbankboekjes naar het meisje achter de balie, zei dat ik de bedoeling had alle drie de rekeningen op te heffen en legde uit hoe ik het geld wilde hebben.

'Een ogenblikje, mevrouw St. George,' zegt ze en loopt naar achter in de kas-ruimte om de rekeningen te voorschijn te halen. Dit was lang voor de computers natuurlijk, en ze moesten veel meer handelingen verrichten.

Ze had ze – ik zag haar ze alledrie pakken – en toen sloeg ze ze open en keek erin. Er verscheen een kleine streep over het midden van haar voorhoofd en ze zei iets tegen een van de andere vrouwen. Toen keken ze allebei een tijdje, terwijl ik daar stond aan de andere kant van de balie, en naar hun keek en mezelf vertelde dat er geen enkele reden ter wereld was om me zenuwachtig te voelen en me toch terzelfder tijd behoorlijk godverdommes zenuwachtig voelde.

Toen, in plaats van terug te komen naar mij, liep het baliemeisje een van die mallotige hokjes binnen die zij kantoren noemen. Het had glazen wanden en ik kon haar zien praten tegen een kleine, kale man in een grijs pak en met een zwarte das. Toen ze terugkwam bij de balie, had ze de rekeningdossiers niet meer. Ze had ze op het bureau van de kale man achtergelaten.

'Ik denk dat u beter de spaarrekeningen van uw kinderen kunt bespreken met meneer Pease, mevrouw St. George,' zegt ze en duwt de spaarbankboekjes naar me terug. Ze deed het met de zijkant van haar hand, alsof die vol bacteriën zaten en zij besmet kon worden als ze ze te veel of te lang aanraakte.

'Waarom? vroeg ik. 'Wat is er mis mee?' Tegen die tijd had ik het idee opgegeven dat ik niets had om me zenuwachtig over te voelen. Mijn hart maakte dubbele slagen in mijn borst en mijn mond was helemaal droog geworden.

'Echt, ik zou het niet kunnen zeggen, maar ik weet zeker dat als er een misverstand is, meneer Pease dat direct uit de weg zal ruimen,' zegt ze, maar ze wilde me niet in de ogen kijken en ik kon zeggen dat ze zoiets niet dacht.

Ik liep naar dat kantoor alsof ik een blok beton van tien kilo aan elke voet had. Ik had inmiddels een behoorlijk goed idee van wat er gebeurd moest zijn, maar ik begreep niet hoe ter wereld het had kùnnen gebeuren. Godsamme, ik had de spaarbankboekjes, toch? Joe had ze niet uit mijn juwelenkistje gehaald en toen weer teruggelegd, omdat het slot dan opengebroken had moeten zijn en dat was niet zo. Zelfs als hij het open gekregen had (wat een lachertje is, die man kon geen lepel limabonen van zijn bord naar zijn mond krijgen zonder de helft in zijn schoot te laten vallen), dan zouden de spaarbankboekjes òf de opnames laten zien òf met RE-KENING OPGEHEVEN gestempeld zijn in de rode inkt die de bank gebruikt... en geen van beide was het geval.

Desondanks wist ik dat meneer Pease me zou gaan vertellen dat mijn echtgenoot de boel verneukt had, en toen ik eenmaal in zijn kantoor was, was dat precies wat hij me vertèlde. Hij zei dat de rekeningen van Joe Junior en Little Pete twee maanden geleden waren opgeheven en die van Selena minder dan twee weken terug.

Joe had het juist in die tijd gedaan omdat hij wist dat ik nooit geld op hun rekeningen zette na Labor Day tot ik dacht dat ik genoeg had gehamsterd in de grote soepketel op de bovenste keukenplank om de kerstrekeningen te kunnen betalen.

Pease liet me die groene vellen gelinieerd papier zien die boekhouders gebruiken, en ik zag dat Joe de laatste grote mep – vijfhonderd dollar van Selena's rekening – had opgenomen de dag nadat ik hem had verteld dat ik wist waar hij met haar op uit was geweest en hij daar in zijn schommelstoel zat en me vertelde dat ik niet alles wist. Daar had hij zeker gelijk in gehad.

Een keer of zes ging ik de cijfers na en toen ik opkeek zat meneer Pease tegenover me in zijn handen te wrijven en zag er bezorgd uit. Ik zag zweetdruppeltjes op zijn kale hoofd. Hij wist net zo goed als ik wat er was gebeurd.

'Zoals u kunt zien, mevrouw St. George, zijn die rekeningen door uw echtgenoot opgeheven en...'

'Hoe kan dat?' vraag ik hem. Ik gooide de drie spaarbankboekjes op zijn bureau neer. Ze maakten een kletsend geluid en hij knipperde een soortement met zijn ogen en schoot achteruit. 'Hoe kan dat als ik godverdomme die spaarbankboekjes hier heb?'

'Nou,' zegt hij terwijl hij langs zijn lippen likt en met zijn ogen knippert als een hagedis die op een steen ligt te zonnen, 'begrijpt u, mevrouw St. George, dat zijn – wáren – wat we noemen "jongeren-spaarrekeningen". Dat betekent dat het kind op wiens naam de rekening staat kan – kon – ervan kon opnemen als u of uw echtgenoot mee tekende. Het betekent ook dat elk van u beiden als ouder van welke van deze drie rekeningen ook wanneer en indien u wilt kunt opnemen. Zoals u vandaag zou hebben gedaan als het geld, ahum, nog steeds op de rekeningen had gestaan.'

'Maar hierop stáát geen enkele godvergeten opname!' zeg ik en ik moet hebben geschreeuwd, want mensen in de bank keken naar ons om. Ik kon ze door de glazen wanden zien. Niet dat het mij wat uitmaakte. 'Hoe kreeg hij dat geld zonder deze godvergeten *spaarbankboekjes?*'

Hij wreef steeds sneller en sneller in zijn handen. Ze maakten een schuurpapieren soort van geluid, en als hij er een droog houtje tussen had gehad geloof ik dat hij de kauwgumpapiertjes in zijn asbak in de fik had kunnen steken. 'Mevrouw St. George, als ik zou mogen vragen uw stem wat zachter te laten klinken...'

'Mijn stem is míjn zaak,' zeg ik, nog luider dan ervoor. 'De wijze waarop deze bescheten bank zaken doet is jóuw zaak, mooie meneer! En zoals ik het zie, heb je een hoop om je zorgen over te maken.'

Hij pakte een vel papier van zijn bureau en keek ernaar. 'Volgens dit hier beweerde uw echtgenoot dat de spaarbankboekjes kwijt waren,' zegt hij ten slotte. 'Hij vroeg nieuwe aan. Het is heel normaal dat...'

'Normaal-am-me-reet!' gilde ik. 'Je hebt me nooit gebeld. Niemand van de bank heeft me gebeld! Deze rekeningen golden voor ons gezámenlijk – zo werd het me uitgelegd toen we destijds in '51 die van Selena en Joe Junior openden en het was nog steeds hetzelfde toen we die van Peter openden in '54. U wilt me zeggen dat sindsdien de regels zijn veranderd?'

'Mevrouw St. George...' begon hij, maar hij had net zo goed kunnen proberen te fluiten met een mond vol koekkruimels. Ik wilde mijn zegje doen.

'Hij vertelde jou een sprookje en je geloofde hem – vroeg om nieuwe spaarbankboekjes en je gaf hem die. Godsamme liefhebben! Wie, verdomme, denk je dat in de eerste plaats dat geld op de bank heeft gezet? Als je denkt dat het Joe St. George is, ben je nog veel stommer dan je eruitziet!'

Tegen die tijd waren ze allemaal in de bank er zelfs mee opgehouden te doen alsòf ze zich met hun eigen zaken bemoeiden. Ze bleven gewoon staan waar ze waren en keken naar ons. De meesten moeten hebben gedacht dat het een behoorlijk goede voorstelling was ook, gezien de uitdrukkingen op de gezichten, maar ik vraag me af of ze zich wel zo vermaakt zouden hebben als het het studiegeld van hùn kinderen was geweest dat gewoon weg was gevlogen als de een of andere klotevogel. Meneer Pease was net zo rood geworden als de zijkant van de schuur van m'n ouweheer. Zelfs zijn bezwete oude kale kop was steenrood geworden.

'Alstúblieft, mevrouw St. George,' zegt hij. Op dat moment zag hij eruit alsof hij in zou storten en gaan huilen. 'Ik verzeker u dat wat wij hebben gedaan niet alleen uiterst legaal was, maar ook standaardprocedure van de bank.'

Toen liet ik mijn stem zakken. Ik kon alle vechtlust uit me voelen wegstromen. Joe had me voor de gek gehouden, inderdaad, me goed voor de gek gehouden en deze keer hoefde ik niet te wachten tot het twee keer gebeurde om te zeggen dat ik me moest schamen.

'Misschien is het wettig en misschien niet,' zeg ik. 'Ik zou je voor de rechtbank moeten slepen om uit te vinden wat het is, nietwaar, en ik heb noch de tijd noch het geld om het te doen. Bovendien is het niet de kwestie of het wettig is of niet wat me hier een knal voor m'n kanus heeft gegeven... het is hoe je er nooit ook maar een keer aan hebt gedacht dat iemand zich zorgen zou kunnen maken over wat er met dat geld is gebeurd. Geeft "standaardprocedure van de bank" nooit iemand de mogelijkheid om een enkel godvergeten telefoontje te plegen? Ik bedoel, het nummer staat hierzo op al die formulieren, en dat is niet veranderd.'

'Mevrouw St. George, het spijt me heel erg, maar...'

'Als het andersom was geweest,' zeg ik, 'als ìk degene was geweest met het verhaal over hoe de spaarbankboekjes kwijt waren en om nieuwe vroeg, als ìk degene was geweest die begon op te nemen wat elf of twaalf jaar heeft gekost om erop te zetten... zou je Jóe dan niet hebben gebeld? Als het geld hier nog steeds was geweest zodat ik het vandáág kon opnemen, wat ik van plan was toen ik hier binnenkwam, zou je hem dan niet hebben gebeld op het moment dat ik de deur uitstapte, om hem te laten weten – gewoon uit beleefdheid, begrijp me goed! – wat zijn vrouw in haar schild voerde?'

Omdat ik dat gewoon verwachtte, Andy... daarom pikte ik een dag uit dat hij weg was met de Stargills. Ik had verwacht terug te gaan naar het eiland, de kinderen bij elkaar te pakken en weg te zijn lang voor Joe de oprit opkwam met een pak bier in een hand en zijn lunchtrommeltje in de ander.

Pease keek me aan en opende zijn mond. Toen sloot hij hem weer en zei niets. Hij hoefde niet. Het antwoord stond gewoon op zijn gezicht. Natúúrlijk zou hij – of iemand anders van de bank – Joe hebben gebeld, en zijn blijven proberen tot hij hem uiteindelijk te pakken kreeg. Waarom? Omdat Joe de man des huizes was, daarom. En de reden dat niemand de moeite nam míj te bellen, was omdat ik alleen maar zijn vrouw was. Wat moest ik verdomme ook weten over geld, behalve dan hoe ik het op mijn knieën kon verdienen met het schrobben van vloeren en plinten en pleepotten? Als de man des huizes besluit al het studiegeld van zijn kinderen op te nemen, moet hij een verrekt goede reden hebben gehad, en zelfs als hij die niet had, maakte het niets uit, omdat hij de man des huizes was en het voor het zeggen had. Zijn vrouw was gewoon moeders en het enige waar zíj wat over te zeggen had waren plinten, toiletpotten en gebraden kip op zondagmiddagen.

'Als er een probleem is, mevrouw St. George,' zei Pease, 'spijt het me heel erg, maar...'

'Als je nog een keer zegt dat het je spijt, schop ik je reet zover omhoog dat je eruit komt te zien als een bultenaar,' zeg ik, maar er zat geen echt gevaar in mij dat ik zoiets met hem zou doen. Op dat moment had ik niet het gevoel dat ik nog genoeg kracht had om een bierblikje de straat over te schoppen. 'Vertel me gewoon één ding en ik laat je met rust: is het geld uitgegeven?'

'Dat zou ik op geen enkele manier kunnen weten,' zegt hij met zijn preutse, wat geschokte stem. Je zou gedacht hebben dat ik hem had gezegd dat ik hem de mijne zou laten zien als hij die van hem liet zien.

'Dit is de bank waar Joe zijn hele leven zaken mee gedaan heeft,' zeg ik. 'Hij hàd verderop kunnen gaan naar Machias of Columbia Falls en het op een van die banken kunnen zetten, maar dat is niet zo – hij is te stom en te lui en te vastgeroest in zijn gewoontes. Nee, hij heeft het òf in een paar Mason-potten gestopt of het ergens begraven òf het gewoon weer hier teruggezet. Dàt wil ik weten – of mijn echtgenoot hier de afgelopen paar maanden een soort van nieuwe rekening heeft geopend.' Behalve dat het meer voelde alsof ik het móest weten, Andy. Erachter komen hoe hij mij te grazen had genomen, gaf me kramp in mijn maag, en dat was slecht, maar niet weten of hij het er op de een of andere manier door had gedraaid... dàt verteerde me.

'Als dat zo is... dat is geheime informatie,' zegt hij, en op dat moment zou je gedacht hebben dat ik hem had gezegd dat ik die van hem zou vóelen als hij die van mij voelde.

'Zekers,' zeg ik. 'Dacht ik wel. Ik vraag u een regel te breken. Door gewoon naar u te kijken weet ik dat u niet een man bent die dat vaak doet. Ik zie dat dat tegen uw geweten indruist. Maar dat was het geld van mijn kinderen, meneer Pease, en hij loog om het te pakken te krijgen. Dat weet u; het bewijs ligt daar op het vloeiblad van uw bureau. Het is een leugen die niet gewerkt zou hebben als deze bank – úw bank – de normale hoffelijkheid had betracht om een telefoontje te plegen.'

Hij schraapt zijn keel en begint: 'We zijn niet bevoegd...'

'Dat weet ik,' zeg ik. Ik wilde hem vastgrijpen en door elkaar schudden, maar ik zag dat dat de zaak geen goed zou doen... niet bij een man als hij. Bovendien, mijn moeder zei altijd dat je meer vliegen ving met honing dan met azijn, en ik heb gemerkt dat het waar is. 'Ik weet dat, maar denk aan de smart en het hartzeer dat u me bespaard zou hebben met dat ene telefoontje. En als u iets hiervan goed wilt maken – ik weet dat u dat niet hóeft, maar als u dat zou wìllen doen – vertel me dan alsjeblieft of hij hier een rekening heeft geopend of dat ik moet beginnen gaten te graven om mijn huis. Alsjeblieft – ik zal het nooit verder vertellen. Ik zweer het bij de naam van Onze Lieve Heer dat ik het niet zal doen.'

Hij zat daar en keek me aan, terwijl hij met zijn vingers op die groene accountantsvellen roffelde. Zijn nagels waren allemaal schoon en zagen eruit alsof een beroepsmanicure ermee bezig was geweest, hoewel ik denk dat dat niet al te waarschijnlijk is – het is Jonesport in 1962 waar we het immers over hebben. Ik veronderstel dat zijn vrouw het had gedaan. Die mooie, keurige nagels maakten gedempte geluidjes op de papieren elke keer dat ze neerkwamen, en ik dacht: hij doet niets voor me, niet zo'n man. Wat zal hij zich druk maken om mensen van het eiland en hun problemen? Zijn reet is gedekt en dat is het enige waar hij zich druk om maakt.

Dus toen hij wèl sprak, voelde ik me beschaamd over wat ik had gedacht over mannen in het algemeen en over hem in het bijzonder.

'Zolang u hier blijft zitten, mevrouw St. George, kan ik zoiets niet nagaan,' zegt hij. 'Waarom gaat u niet naar The Chatty Buoy en bestelt voor uzelf een donut en een lekkere kop koffie? U ziet eruit alsof u die wel kunt gebruiken. Ik ben met vijftien minuten bij u. Nee, maak er maar een half uur van.'

'Dank u,' zeg ik. 'Heel hartelijk bedankt.'

Hij zuchtte en begon de papieren weer samen te schuiven. 'Ik moet niet goed wijs zijn,' zegt hij en lacht een beetje zenuwachtig. 'Nee,' zei ik tegen hem. 'U helpt een vrouw die nergens anders naartoe kan, da's alles.'

'Ik heb altijd een zwak gehad voor vrouwen in nood,' zegt hij. 'Geef me een half uur. Misschien nog iets langer.'

'Maar u komt?'

'Ja,' zegt hij. 'Ik kom.'

Dat deed hij ook, maar het was eerder vijfenveertig minuten dan een half uur, en tegen de tijd dat hij uiteindelijk in The Buoy verscheen, was ik er al behoorlijk zeker van dat hij me in de steek zou laten. Toen, toen hij eindelijk binnenkwam, dacht ik dat hij slecht nieuws had. Ik dacht het van zijn gezicht af te kunnen lezen.

Hij bleef een paar seconden in de deuropening staan, terwijl hij terdege om zich heen keek om er zeker van te zijn dat er niemand in het restaurant was die moeilijkheden voor hem zou kunnen veroorzaken als we samen werden gezien na de rel die ik had geschopt in de bank. Toen kwam hij naar de box in de hoek waar ik zat, gleed tegenover me en zegt: 'Het is nog steeds op de bank. In ieder geval het meeste. Iets minder dan drieduizend dollar.'

'Godzijdank,' zeg ik.

'Nou,' zegt hij, 'dat is het goede deel. Het slechte deel is dat de nieuwe rekening alleen op zijn naam staat.'

'Natuurlijk is dat zo,' zei ik. 'Hij gaf me beslist geen nieuw formulier voor een spaarbankrekening te tekenen. Dat zou me op de hoogte hebben gebracht van zijn spelletje, nietwaar?'

'Veel vrouwen zouden het hoe dan ook niet geweten hebben,' zegt hij. Hij schraapte zijn keel, gaf een ruk aan zijn das, keek toen snel om om te zien wie er binnen was gekomen toen de bel bij de deur rinkelde. 'Veel vrouwen tekenen alles wat hun echtgenoten hun voorleggen.'

'Nou, ik ben niet veel vrouwen,' zeg ik.

'Dat heb ik gemerkt,' zegt hij terug, nogal droog. 'Afijn, ik heb gedaan wat u heeft gevraagd, en nu moet ik echt terug naar de bank. Ik wou dat ik tijd had om een kop koffie met u te drinken.'

'Weet u,' zeg ik, 'dat betwijfel ik min of meer.'

'Om eerlijk te zijn, ik ook,' antwoordt hij. Maar hij stak zijn hand uit om die van mij te schudden, alsof ik een andere man was en ik zag dat maar als een soort van compliment. Ik bleef waar ik zat tot hij was verdwenen, en toen het meisje terugkwam en me vroeg of ik een verse kop koffie wilde, zei ik nee bedankt, ik had het zuur van die eerste. Dat had ik inderdaad, maar dat was niet van de koffie.

Een mens kan altijd íets vinden om dankbaar voor te zijn, hoe donker de dingen ook worden, en terugreizend op de veerboot was ik dankbaar dat ik in ieder geval niet gepakt had; nou hoefde ik tenminste niet alles weer uit te pakken. Ik was ook blij dat ik Selena niks had verteld. Ik was het van plan geweest, maar uiteindelijk was ik bang dat het geheim misschien te veel voor haar zou zijn en ze het tegen een van haar vriendinnen zou zeggen, en dan zou het verhaal op die manier weer bij Joe kunnen terugkeren. Zelfs was het bij me opgekomen, dat zij koppig zou kunnen worden en zeggen dat ze niet wilde gaan. Het leek me niet zo waarschijnlijk, gezien de manier waarop ze, steeds als Joe bij haar in de buurt kwam, achteruitdeinsde, maar als je met een tienermeisje te maken hebt, is alles mogelijk – echt alles.

Dus ik had wat zegeningen te tellen, maar geen ideeën. Ik kon niet net zo goed het geld opnemen dat Joe en ik op onze gezamenlijke spaarrekening hadden; er stond ongeveer vierenzestig dollar op, en onze gewone rekening was een nog groter lachertje – als we niet rood stonden, stonden we er heel dicht in de buurt. Maar ik zou niet gewoon de kinderen pakken en weggaan; nee meneer en nee mevrouw. Als ik dat deed, zou Joe het geld gewoon opmaken uit wrok. Ik wist dat net zo goed als ik mijn eigen naam wist. Het was hem al gelukt om door driehonderd dollar heen te komen, volgens meneer Pease... en van de resterende drieduizend of zo die er nog over waren, had ik er zelf minstens vijfentwintighonderd weggezet – ik had die verdiend met vloeren schrobben en ramen lappen en lakens ophangen van dat verrekte kreng Vera Donovan – zès knijpers, geen vier – de hele zomer lang. Toen was het niet zo slecht als het in de wintertijd bleek te worden, maar toen was het ook al geen pretje, bij lange na niet.

Ik en mijn kinderen zouden nog altijd gaan, wat dat betrof had ik een beslissing genomen, maar ik mocht doodvallen als we platzak zouden gaan. Ik was voornemens dat mijn kinderen hun geld zouden hebben. Teruggaand naar het eiland, terwijl ik op het voordek van de *Princess* stond met de wind van open water die zich openspleet op mijn gezicht en mijn haar van mijn slapen naar achteren waaide, wìst ik dat ik dat geld weer van hem te pakken zou krijgen. Ik had alleen geen idee hóe.

Het leven ging verder. Als je alleen maar naar de oppervlakte van de dingen keek, zag het er niet naar uit alsof er iets was veranderd. De dingen schijnen nooit ècht te veranderen op het eiland... tenminste, als je alleen naar de oppervlakte van de dingen kijkt. Maar er zit heel wat meer aan een leven vast dan wat iemand aan de oppervlakte kan zien, en in ieder geval voor mij schenen de dingen eronder die herfst volslagen anders te zijn. De manier waarop ik dingen zàg, was veranderd, en ik denk dat dat het grootste deel ervan was. Ik heb het nou eens niet over dat derde oog; tegen de tijd dat de papieren heks van Little Pete was weggehaald en zijn plaatjes van kalkoenen en pelgrims op waren, zag ik alles wat ik nodig had met mijn twee goede, natuurlijke ogen.

De hongerige, gulzige manier waarop Joe soms naar Selena keek als zij in haar ochtendjas liep bijvoorbeeld, of hoe hij naar haar achterste keek als zij zich voorover bukte om een theedoek van onder de gootsteen te pakken. De manier waarop zij een wijde boog om hem heen maakte als hij in zijn stoel zat en zij door de woonkamer liep om naar haar kamer te komen; hoe zij probeerde ervoor te zorgen dat haar hand nooit die van hem raakte als ze hem aan tafel een bord aanreikte. Schaamte en medelijden deden mijn hart zeer, maar maakten me ook zo kwaad dat ik de meeste dagen rondliep met een misselijk gevoel in mijn maag. Hij was haar váder, godallemachtig, zijn bloed stroomde door haar aderen, zij had zijn zwarte Ierse haar en zijn pinken met twee kootjes, maar zijn ogen werden helemaal groot en rond als haar behabandje ook maar langs haar arm afzakte.

Ik heb de manier gezien waarop Joe Junior ook een wijde boog om hem heen maakte en geen antwoord wilde geven als Joe hem wat vroeg en hij kon eronderuit komen, en mompelend antwoord gaf als dat hem niet lukte. Ik herinner me de dag dat Joe Junior me zijn werkstuk bracht over president Roosevelt toen hij het had teruggekregen van zijn lerares. Ze had er een tien plus opgezet en schreef voorop dat het de enige tien plus was geweest die ze voor een geschiedenisverslag had gegeven in twintig jaar van lesgeven, en zij dacht dat het misschien goed genoeg was om het in een krant gepubliceerd te krijgen. Ik vroeg Joe Junior of hij het leuk zou vinden om te proberen het op te sturen naar de Ellsworth *American* of misschien naar de Bar Harbor *Times*. Ik zei dat ik graag voor de porto zou betalen. Hij schudde alleen maar zijn hoofd en lachte. Het was geen lach die ik erg leuk vond; hij was hard en cynisch, zoals die van zijn vader. 'En hèm de volgende zes maanden op mijn nek krijgen?' vraagt hij. 'Nee, bedankt. Heb je nooit gehoord dat pa hem Franklin D. Jodevelt noemde?'

Ik kan hem nu zien, Andy, pas twaalf maar al op een haar na een meter tachtig, terwijl hij daar op de achterveranda stond met zijn handen diep weggestoken in zijn zakken, en op me neerkeek terwijl ik het werkstuk met de tien plus erop in mijn handen hield. Ik herinner me het lachje bij zijn mondhoeken. Er zat geen goede wil in, geen goeie luim, geen geluk. Het was zijn vaders lach, hoewel ik de jongen dat nooit zou hebben kunnen vertellen.

'Van alle presidenten, haat pa Roosevelt het meest,' zei hij tegen mij. 'Daarom koos ik hem om mijn werkstuk over te maken. Kom, geef het terug, alsjeblieft, ik ga het verbranden in de houtkachel.'

'Nee, dat doe je niet, Sunny Jim,' zeg ik, 'en als je wilt weten hoe het voelt om door je eigen moe over de balustrade van de veranda op het erf te worden gemept, probeer je het gewoon van me af te pakken.'

Hij haalde zijn schouders op. Hij deed dat ook als Joe, maar zijn lach werd breed en die was lieflijker dan welke ook die zijn vader ooit van zijn leven had geproduceerd. 'Oké,' zei hij. 'Laat het hem alleen niet zien, oké?'

Ik zei dat ik het niet zou doen, en hij rende weg om te gaan basketballen met zijn vriend Randy Gigeure. Ik keek hem na met het werkstuk in mijn handen en dacht aan wat er net tussen ons was gebeurd. Waar ik voornamelijk aan dacht was hoe hij de enige tien plus sinds twintig jaar van zijn lerares had gekregen, en hoe hij die had gekregen door een werkstuk te maken over de president die zijn vader het meeste haatte.

En dan had je Little Pete, altijd rond paraderend met zijn kont zwaaiend en zijn onderlip vooruitgestoken, die mensen smouzen noemde en op school zo vaak in moeilijkheden raakte dat hij van de vijf dagen er drie na moest blijven. Een keer moest ik hem gaan halen omdat hij had gevochten en een andere jongen zo hard tegen de zijkant van zijn hoofd had geslagen dat zijn oor was gaan bloeden. Wat zijn vader die avond erover zei, was: 'Ik denk dat hij de volgende keer dat hij jou ziet komen wel uit de buurt blijft, hè, Petey?' Ik zag de manier waarop de ogen van de jongen oplichtten toen Joe dat zei en ik zag hoe liefdevol Joe hem een uur of zo later naar bed bracht. Die herfst leek het alsof ik alles kon zien, behalve dat ene ding dat ik het allerliefste wilde... een manier om van hem vandaan te komen.

Weet je wie me uiteindelijk het antwoord gaf? Vera. Inderdaad – Vera Donovan zelf. Ze was de enige die ooit heeft geweten wat ik heb gedaan, in ieder geval tot nu. En zij was de enige die mij het idee gaf.

Door de hele jaren vijftig heen waren de Donovans – nou, Vera en de kinderen in ieder geval – de meest echte zomergasten van alle zomergasten – ze verschenen in het weekend van Memorial Day, verlieten de hele zomer het eiland nooit, en gingen in het weekend van Labor Day naar Baltimore terug. Ik weet niet of je je klok op hen gelijk kon zetten, maar ik weet verrekte zeker dat je je kálender op hun gelijk kon zetten. De woensdag nadat zij waren vertrokken, haalde ik een schoonmaakploeg in huis, veegde het huis schoon van voor- naar achtersteven, haalde bedden af, bedekte meubels, raapte speelgoed van de kinderen op en borg de legpuzzels beneden in de kelder weg. Ik geloof dat tegen 1960, toen meneer stierf, er meer dan driehonderd van die puzzels daarbeneden moeten hebben gelegen, opgestapeld tussen platen karton en groeiend schimmel. Ik kon zo'n volledige schoonmaak houden, omdat ik wist dat de kans heel groot was dat niemand weer een voet in dat huis zou zetten voor het weekend van Memorial Day van het volgende jaar.

Natuurlijk waren er een paar uitzonderingen; het jaar dat Little Pete was geboren kwamen zij over en hielden hun Thanksgiving Day op het eiland (het huis was volledig geprepareerd voor de winter, wat wij raar vonden, maar natuurlijk zíjn de zomergasten meestal raar) en een paar jaar later kwamen zij met de kerst. Ik herinner me dat de kinderen van de Donovans Selena en Joe Junior op kerstmiddag mee uit sleeën namen en hoe Selena na drie uur op Sunrise Hill thuisgekomen was met haar wangen zo rood als appels en haar ogen vonkend als diamanten. Ze kan niet ouder dan acht of negen zijn geweest toen, maar ik ben er behoorlijk zeker van dat zij desondanks als een baksteen op Donald Donovan viel.

Dus ze hielden een jaar Thanksgiving op het eiland en kerst een ander, maar dat was alles. Zij waren zómergasten... of in ieder geval Michael Donovan en de kinderen. Vera kwam van elders, maar ten slotte bleek zij net zoveel eilandvrouw te zijn als ik. Misschien wel meer.

In 1961 begonnen de dingen net zoals ze al die andere jaren waren begonnen, ook al was haar echtgenoot het jaar ervoor bij dat auto-ongeluk omgekomen – zij en de kinderen verschenen op Memorial Day en Vera ging aan het breien en deed legpuzzels, verzamelde schelpen, rookte sigaretten, en hield haar speciale Vera Donovan soort borreluur, dat begon om vijf en eindigde rond half tien. Maar het was niet hetzelfde, zelfs ik kon dat zien, en ik was maar de gehuurde kracht. De kinderen waren in zichzelf gekeerd en stil, nog steeds rouwend om hun vader, veronderstel ik, en niet lang na de Vierde Juli hadden ze met hun drieën een echte kanjer van een ruzie terwijl ze in The Harborside zaten te eten. Ik herinner me dat Jimmy DeWitt, die daar toen kelnerde, zei dat hij dacht dat het iets te maken had met de auto.

Wat het ook was, de kinderen vertrokken de volgende dag. De lulhannes bracht ze naar het vasteland in de grote motorboot die ze hadden, en ik stel me voor dat de een of andere gehuurde kracht ze daar overnam. Sindsdien heb ik geen van beiden meer gezien. Vera bleef. Je kon zien dat ze niet gelukkig was, maar ze bleef. Dat was een slechte zomer om bij haar in de buurt te zijn. Ze moet zo'n zes tijdelijke meisjes hebben ontslagen voor het eindelijk Labor Day was, en toen ik de *Princess* uit de haven zag vertrekken met haar erop, dacht ik, ik wed dat we haar de volgende zomer niet zullen zien, of niet zo lang. Ze zal het bijleggen met de kinderen – ze zal wel moeten, ze zijn alles wat ze nu nog heeft – en als zij hun buik vol hebben van Little Tall zal ze aan hen toegeven en ergens anders naartoe gaan. Hoe dan ook, zij gaan het nu voor het zeggen krijgen en daar zal ze rekening mee moeten houden.

Wat alleen maar laat zien hoe weinig ik toentertijd Vera Donovan kende. Wat dàt katje betrof, hoefde ze met de duivel en z'n ouwe moer nog geen rekening te houden als ze niet wilde. Ze verscheen met de veerboot op de middag van Memorial Day 1962 – in haar eentje – en bleef helemaal tot aan Labor Day. Ze kwam in haar eentje, ze had geen goed woord voor mij of iemand anders, ze dronk meer dan ooit en ze zag er de meeste dagen uit als de opoe van magere Hein, maar ze kwam en ze bleef en ze deed haar legpuzzels en ze ging naar beneden – helemaal in haar eentje nu – en verzamelde haar schelpen op het strand, net zoals ze dat altijd had gedaan. Een keer vertelde ze me dat ze geloofde dat Donald en Helga augustus op Pinewood door zouden brengen (zoals ze altijd het huis hadden genoemd, dat weet je waarschijnlijk, Andy, maar ik betwijfel of Nancy dat weet), maar ze verschenen nooit.

Het was 1962 dat ze ná Labor Day begon te komen. Ze belde midden oktober en vroeg me het huis open te maken, wat ik deed. Ze bleef drie dagen – de lulhannes kwam met haar mee en logeerde in het appartement boven de garage – en vertrok toen weer. Voor ze het deed, belde ze me op en vertelde me Dougie Tappert het fornuis te laten nakijken en de stofkleden van het meubilair te laten. 'Je zult nu heel wat meer van mij zien nu de zaken van mijn man eindelijk zijn geregeld,' zegt ze. 'Misschien wel meer dan je prettig vindt, Dolores. En ik hoop dat je de kinderen ook zal zien.' Maar ik hoorde iets in haar stem dat me doet denken dat ze wist dat het voor een deel een wensgedachte was, zelfs toen al.

De volgende keer kwam ze tegen het eind van november, ongeveer een week na Thanksgiving, en ze belde meteen, wilde dat ik stofzuigde en de bedden opmaakte. De kinderen waren natuurlijk niet bij haar – dit was tijdens school – maar ze zei dat ze misschien op het laatste moment besloten om het weekend bij haar door te brengen in plaats van op de kostschool waarop ze zaten. Waarschijnlijk wist ze wel beter, maar diep vanbinnen was Vera een padvindster – ze geloofde in voorbereid zijn, dat is een ding dat zeker is.

Ik kon meteen komen omdat het op het eiland een slappe tijd was voor mensen met werk zoals het mijne. Ik draafde daarheen in een koude regen met mijn hoofd naar beneden en mijn gedachten stomend zoals alle dagen gebeurde nadat ik erachter was gekomen wat er met het geld van de kinderen was gebeurd. Mijn bezoek aan de bank was bijna een hele maand ervoor geweest, en sinds die tijd had het aan me gevreten, zoals accuzuur een gat in je kleren vreet of in je huid als je iets op je krijgt.

Ik kon geen behoorlijke hap eten meer naar binnen krijgen, sliep nog geen drie uur achtereen, of de een of andere nachtmerrie maakte me wakker, kon er nauwelijks meer aan denken schoon ondergoed aan te trekken. Mijn gedachten waren nooit ver van wat Joe van plan was geweest met Selena en het geld dat hij achterover had gedrukt van de bank en hoe ik het terug zou krijgen. Ik begreep dat ik een tijdje op moest houden erover na te denken wilde ik een antwoord vinden – als het me lukte, kwam er misschien eentje uit zichzelf – maar ik scheen het niet te kunnen. Zelfs als mijn gedachten wèl voor een tijdje ergens anders heen gingen, duwde het minste of geringste die weer terug in hetzelfde ouwe gat. Ik zat in een versnelling vast, het maakte me gek, en ik veronderstel dat dat de echte reden is dat ik uiteindelijk tegen Vera vertelde wat er was gebeurd.

Ik had zeker niet de bedóeling het tegen haar te zeggen; ze was even onaardig geweest als een leeuwin met een doorn in haar poot sinds ze haar gezicht liet zien die mei nadat haar echtgenoot was overleden, en ik had er geen belang bij al mijn ellende op te hoesten tegen een vrouw die zich gedroeg alsof voor haar de hele wereld in een grote stronthoop was veranderd. Maar toen ik die dag binnenkwam, was haar humeur eindelijk beter geworden.

Ze was in de keuken en prikte een artikel dat ze had geknipt uit de voorpagina van de Boston *Globe* op het prikbord naast de deur van de voorraadkast. Ze zegt: 'Moet je dit zien, Dolores – als we geluk hebben en het weer werkt mee, dan krijgen we de volgende zomer iets heel moois te zien.'

Ik herinner me de kop van dat artikel nog steeds woord voor woord na al die jaren, want toen ik die las, kreeg ik het gevoel alsof iets in me op zijn kop kwam te staan. TOTALE ZONSVERDUISTERING VERDUISTERT KOMENDE ZOMER DE HEMELEN VAN HET NOORDEN VAN NEW ENGLAND, stond er. Er was een kaartje bij dat liet zien welk deel van Maine in de baan van de eclips zou komen, en Vera zette met een pen een rood kruisje waar Little Tall lag.

'De volgende komt pas aan het eind van de volgende eeuw,' zegt ze. 'Misschien dat onze achterkleinkinderen haar zien, Dolores, maar wij zijn er dan al lang niet meer.... dus we kunnen maar beter van deze genieten...'

'Het zal waarschijnlijk als een gek regenen op die dag,' zeg ik terug, terwijl ik er nauwelijks over nadenk, en met het sombere humeur dat Vera bijna al die tijd had gehad sinds haar man was gestorven, dacht ik dat ze wel tegen me zou gaan snauwen. Maar ze lachte alleen maar en ging neuriënd naar boven. Ik herinner me dat ik eraan dacht dat het weer in haar hoofd ècht veranderd was. Niet alleen neuriede ze, ze had zelfs geen spoor van een kater.

Ongeveer twee uur later was ik boven in haar kamer, verschoonde het bed waar ze in later jaren zoveel tijd hulpeloos in door zou brengen. Ze zat in haar stoel bij het raam een sprei te breien en neuriede nog steeds. De verwarming was aan, maar de warmte was er nog niet ingetrokken – die grote huizen hebben een eeuwigheid nodig om warm te worden, klaargemaakt voor de winter of niet – en ze had haar roze sjaal om haar schouders geslagen. Tegen die tijd was de wind sterk uit het westen gaan waaien en de regen die tegen het raam naast haar sloeg klonk als handenvol gegooid zand. Toen ik daaruit naar buiten keek, kon ik het lichtschijnsel zien dat uit de garage kwam, wat betekende dat de lulhannes daarboven in zijn appartementje zat, zo knus als een mus in de bus.

Ik stopte de hoeken van het onderlaken in (geen hoeslakens voor Vera Donovan, daar kun je je laatste dollar onder verwedden – hoeslakens zouden te makkelijk zijn geweest), en dacht voor de verandering eens helemaal niet aan Joe en de kinderen, en mijn onderlip begon te trillen. Hou ermee op, zei ik tegen mezelf. Hou er nu mee op. Maar die lip wou niet ophouden. Toen begon de bovenlip ook heen en weer te bewegen. Heel plotseling vulden mijn ogen zich met tranen en mijn benen werden slap en ik ging op het bed zitten en huilde.

Nee. Nee.

Als ik de waarheid ga vertellen, kan ik het net zo goed grondig doen. Het feit is dat ik niet gewoon húilde, ik trok mijn schort voor mijn gezicht en brùlde. Ik was moe en verward en aan het eind van mijn Latijn. Ik had niets anders gehad dat flarden slaap in weken en, al sloeg je me dood, ik zag niet in hoe ik verder moest. En de gedachte die mijn hoofd maar binnen bleef komen was: stel dat je het mis had, Dolores. Stel dat je toch aan Joe en de kinderen dacht. En natuurlijk was dat zo. Het was al zover gekomen dat ik aan niets anders meer kon denken, en dat was precies de reden waarom ik brulde.

Ik weet niet hoe lang ik zo heb zitten huilen, maar ik weet dat ik, toen het eindelijk ophield, snot over mijn hele gezicht had en dat mijn neus verstopt zat en ik zo buiten adem was dat ik het gevoel had alsof ik een marathon had gelopen. Ik was ook bang om mijn schort te laten zakken, omdat ik het idee had dat als ik het deed, Vera zou zeggen: 'Dat was een mooie voorstelling, Dolores. Je kunt je laatste envelop met je salaris vrijdag komen ophalen. Kenopensky' – daar, dat was de naam van de lulhannes – 'zal hem je geven.' Dat was precies iets voor haar. Behalve dat níets precies als zij was. Vera bleef onvoorspelbaar, ook in die tijd voordat haar hersens voornamelijk in moes veranderden.

Toen ik ten slotte het schort voor mijn gezicht weghaalde, zat ze daar bij het raam met haar breiwerk op schoot naar me te kijken alsof ik een nieuw en interessant soort kever was. Ik herinner me de griezelige schaduwen die de langs de vensterruiten neerglijdende regen op haar wangen en voorhoofd maakte.

'Dolores,' zei ze, 'vertel me alsjeblieft niet dat je zo onvoorzichtig bent geweest dat lelijke wezen met wie je leeft de kans te geven je weer met jong te schoppen.'

Even had ik niet het geringste idee waar ze het over had – toen ze zei 'met jong schoppen', schoten mijn gedachten terug naar de avond dat Joe me had geslagen met het eind hout en ik hem had geslagen met de roomkan. Toen klikte het en ik begon te giechelen. Binnen een paar seconden lachte ik in alle opzichten net zo hard als ik ervoor had gehuild, en ik kon er net zomin iets aan doen als ik had gekund met dat andere. Ik wist dat het voornamelijk verschrikking was – het idee weer zwanger te zijn van Joe was ongeveer het ergste wat ik kon bedenken en het feit dat we waardoor je baby's maakt niet meer deden, veranderde daar niets aan – maar te weten wat me deed lachen, hielp niets om het te stoppen.

Vera keek me nog een paar seconden langer aan, toen pakte ze haar breiwerk van haar schoot en ging er mee door, zo rustig als je maar wilt. Ze begon zelfs weer te neuriën. Het was alsof het hebben van een huishoudster die op haar onopgemaakte bed zat, en loeide als een kalf in het maanlicht, voor haar de meest natuurlijke zaak ter wereld was. Als dat zo was, dan moeten de Donovans heel vreemd personeel hebben gehad daar in hun huis in Baltimore.

Na een tijdje ging het lachen weer over in huilen, op de manier zoals regen soms voor een tijdje in sneeuw verandert tijdens wintersneeuwstormen, als de wind de juiste richting op draait. Toen veranderde het langzaam naar niks en ik zat daar gewoon op het bed, terwijl ik me moe voelde en me voor mezelf schaamde... maar op de een of andere manier uitgeruimd.

'Het spijt me, mevrouw Donovan,' zeg ik. 'Het spijt me echt.'

'Vera,' zegt ze.

'Neem me niet kwalijk?' zeg ik tegen haar.

'Vera,' herhaalde ze. 'Ik sta erop dat alle vrouwen die een aanval van hysterie hebben op mijn bed me vanaf dat moment bij mijn voornaam aanspreken.'

'Ik weet niet wat me overkwam,' zei ik.

'O,' antwoordt ze direct. 'Ik denk het wel. Maak je zelf schoon, Dolores – je ziet eruit alsof je je gezicht in een schaal gehakte spinazie hebt gedrukt. Je kunt mijn badkamer gebruiken.'

Ik ging naar binnen om mijn gezicht te wassen en ik bleef daar lang binnen. De waarheid was dat ik een beetje bang was om er weer uit te komen. Ik was ermee opgehouden te denken dat ze me zou gaan ontslaan toen ze me vertelde haar Vera te noemen in plaats van mevrouw Donovan – zo gedraag je je niet tegen iemand die je van plan bent binnen vijf minuten weg te sturen – maar ik wist niet wat ze zou gáán doen. Ze kon wreed zijn; als je niet op z'n minst zoveel hebt begrepen van wat ik jullie heb zitten vertellen, heb ik mijn tijd verdaan. Ze kon je behoorlijk ontregelen waar en wanneer ze maar wilde, en als ze het deed, deed ze het gewoonlijk hard.

'Ben je daarbinnen verdronken, Dolores?' riep ze, en ik wist dat ik het niet langer uit kon stellen. Ik draaide de kraan dicht, droogde mijn gezicht en ging terug haar slaapkamer in. Ik begon me meteen weer te verontschuldigen, maar ze wuifde dat weg. Ze keek me nog steeds aan alsof ik een soort kever was die ze nooit eerder had gezien.

'Weet je, je deed me het lèplazarus schrikken, vrouw,' zegt ze. 'Al deze jaren was ik er niet zeker of je kòn huilen – ik had het idee dat je misschien van steen was.'

Ik mompelde iets over hoe ik de laatste tijd mijn slaap niet had gekregen.

'Dat kan ik aan je zien,' zegt ze. 'Je hebt een passend stel Louis Vuitton onder je ogen en je handen hebben een pikante kleine trilling opgepikt.'

'Ik heb wàt onder mijn ogen?' vroeg ik.

'Laat maar,' zegt ze. 'Vertel me wat er mis is. Een kind op stapel was het enige dat ik als oorzaak van zo'n onverwachte uitbarsting kon bedenken en ik moet bekennen dat het nog stééds het enige is wat ik kan bedenken. Dus licht me bij, Dolores.'

'Dat kan ik niet,' zeg ik, en ik mag godverdomd zijn als ik niet kon voelen dat het hele gebeuren op het punt stond weer op me terug te slaan zoals de slinger van die oude A-Ford van mijn pa altijd deed als je hem niet goed vastgreep; als ik niet uitkeek zou ik behoorlijk snel weer op haar bed zitten met mijn schort voor mijn gezicht.

'Je kunt het en je doet het,' zei Vera. 'Je kunt niet de hele dag je kop eraf janken. Daar krijg ik hoofdpijn van en dan moet ik een aspirine nemen. Ik haat het aspirines in te nemen. Die irriteren mijn maagwand.'

Ik ging op de rand van het bed zitten en keek naar haar. Ik opende mijn mond zonder het geringste idee wat er uit zou komen. Wat eruit kwam, was dit: 'Mijn man probeert zijn eigen dochter te naaien, en toen ik hun studiegeld van de bank ging halen zodat ik met haar en de jongens weg kon gaan, had hij de hele rataplan opgenomen. Nee, ik ben niet van steen. Ik ben helemaal niet van steen.'

Ik begon weer te huilen en bleef een behoorlijke tijd huilen, maar niet zo hard als ervoor en zonder het gevoel te hebben dat ik mijn gezicht moest verschuilen achter mijn schort. Toen ik alleen nog maar snifte, vroeg ze me haar het hele verhaal te vertellen, helemaal vanaf het begin en zonder ook maar iets weg te laten.

En dat deed ik. Ik zou niet hebben geloofd dat ik íemand dat verhaal verteld zou kunnen hebben, en het minst van allen Vera Donovan, met haar geld en haar huis in Baltimore en haar huis-lulhannes, die ze niet alleen maar om zich heen hield om haar auto te poetsen, maar ik vertelde het haar wèl, en met elk woord voelde ik de last op mijn hart lichter worden. Ik gooide alles eruit, precies zoals ze me had gezegd te doen.

'Dus ik zit vast,' eindigde ik. 'Ik kan maar niet bedenken wat ik met die klootzak moet beginnen. Ik denk dat ik wel ergens zou kunnen beginnen als ik gewoon met de kinderen vertrok en met ze naar het vasteland ging – ik ben nooit bang geweest voor hard werken – maar dat is het punt niet.'

'Wat ìs het punt dan?' vroeg ze me. De sprei waar ze mee bezig was, was bijna klaar – haar vingers waren ongeveer de snelste die ik ooit heb gezien.

'Hij heeft alles gedaan, behalve zijn dochter verkrachten,' zeg ik. 'Hij heeft haar zo bang gemaakt dat ze er misschien nooit helemaal overheen komt, en hij heeft zichzelf een beloning uitgekeerd van zo'n drieduizend dollar voor zijn eigen slechte gedrag. Ik laat hem er niet ongestraft mee wegkomen – dàt is het klotepunt.'

'O já?' zegt ze met die zachte stem van haar, en haar naalden gingen klik-klik-klik, en de regen rolde langs de vensterruiten naar beneden en de schaduwen wriemelden en friemelden over haar wang en voorhoofd als zwarte aderen. Zo naar haar kijken deed me denken aan een verhaal dat mijn grootmoeder altijd vertelde over de drie zusters in de sterren die onze levens breien... een die het spint, een die het instandhoudt en een die het doorknipt als ze de behoefte daartoe voelt. Ik geloof dat de laatste Atropos heette. Ook al is het niet zo, die naam heeft me altijd de rillingen bezorgd.

'Ja,' zeg ik tegen haar, 'maar ik mag godverdomme doodvallen als ik een manier vind om met hem af te rekenen zoals hij verdient mee afgerekend te worden.'

Klik-klik-klik. Er stond een kop thee naast haar en ze hield lang genoeg op om een slokje te nemen. Er zou een tijd komen dat ze, of ze het nou wilde of niet, probeerde haar thee met haar rechteroor te drinken en zich een Tetley shampoo gaf, maar op die herfstdag in 1962 was ze nog steeds net zo scherp als het moordenaarssscheermes van mijn vader. Toen ze me aankeek, schenen haar ogen een gat dwars door me heen naar de andere kant te boren.

'Wat is het ergste hieraan, Dolores,' zegt ze ten slotte, terwijl ze haar kopje neerzette en haar breiwerk weer oppakte. 'Wat zou jij zeggen dat het ergste was? Niet voor Selena of de jongens, maar voor jóu?'

Ik hoefde zelfs niet te stoppen en erover na te denken. 'Die klootzak *lacht me uit*,' zeg ik. 'Dat is het ergste eraan voor mij. Soms zie ik het in zijn gezicht. Ik heb het hem nooit verteld, maar hij weet dat ik het bij de bank gevraagd heb, hij weet het verrekte goed, en hij weet wat ik ontdekt heb.'

'Dat zou net zo goed je verbeelding kunnen zijn,' zegt ze.

'Kan me geen flikker schelen als het zo is,' flapte ik eruit. 'Het is hoe ik me vóel.'

'Ja,' zegt ze, 'hoe je je voelt, is belangrijk. Ben ik met je eens. Ga door, Dolores.'

Wat bedoel je met ga door? wilde ik zeggen. Dat is alles. Maar ik denk dat dat niet zo was, omdat iets anders te voorschijn schoot als een duveltje uit zijn doos. 'Hij zou me níet uitlachen,' zeg ik, 'als hij wist hoe dicht ik een aantal keren in de buurt ben geweest zijn klok voorgoed stil te zetten.'

Ze zat daar gewoon naar me te kijken, terwijl die donkere, dunne schaduwen elkaar achternazaten op haar gezicht en in haar ogen kwamen zodat ik ze niet kon lezen, en ik dacht weer aan de dames die in de sterren aan het spinnen waren. Vooral aan degene die de schaar vasthield.

'Ik ben bang,' zeg ik. 'Niet voor hem – voor mezelf. Als ik de kinderen niet snel van hem vandaan krijg, zal er iets slechts gebeuren. Ik weet het. Er zit iets in me, en het wordt erger.'

'Is het een oog?' vraagt ze rustig en toen schoot er zo'n rilling door me heen! Het leek alsof ze een raam in mijn schedel had gevonden en het gebruikte om recht in mijn gedachten te gluren. 'Zoiets als een oog?'

'Hoe weet je dat?' fluisterde ik, en terwijl ik daar zat, kreeg ik overal kippevel op mijn armen en ik begon te beven.

'Ik weet het,' zegt ze en begint een nieuwe pen te breien. 'Ik weet er alles van, Dolores.'

'Nou... ik maak hem af als ik niet uitkijk. Daar ben ik bang voor. Dan kan ik alles over dat geld vergeten, dan kan ik alles over àlles vergeten.'

'Onzin,' zegt ze en de naalden gingen klik-klik-klik in haar schoot. 'Elke dag sterven er echtgenoten, Dolores. Kom op, waarschijnlijk sterft er op dit moment een, terwijl we hier zitten te praten. Ze sterven en laten hun vrouwen hun geld na.' Ze was klaar met haar pen en keek naar me op, maar nog steeds kon ik niet zien wat er in haar ogen stond door de schaduwen die de regen maakte. Ze gingen kruipend en sluipend als slangen over haar hele gezicht. 'Ik zou het toch moeten weten, nietwaar?' zegt ze. 'Hoe dan ook, kijk naar wat er met die van mij is gebeurd.'

Ik kon niks zeggen. Mijn tong zat tegen het dak van mijn mond gekleefd als een wandluis aan een vliegenvanger.

'Een ongeluk,' zegt ze met een heldere stem, bijna als een schooljuffrouw, 'is soms de beste vriend van een ongelukkige vrouw.'

'Wat bedoel je?' vroeg ik. Het was maar een fluistering, maar ik was een beetje verbaasd te merken dat ik dat zelfs maar kon zeggen.

'Nou, wat je maar denkt,' zegt ze. Toen grijnsde ze – geen glimlach, maar een grijns. Om je de waarheid te zeggen, Andy, die grijns verkilde mijn bloed. 'Je zult je alleen maar hoeven te herinneren dat wat van jou is, van hem is en wat van hem is, is van jou. Als hij een ongeluk kreeg, bij voorbeeld, zou het geld dat hij op zijn bankrekeningen heeft, van jou worden. Dat is de wet in dit fantastische land van ons.'

Haar ogen vestigden zich op die van mij, en heel kort waren daar de schaduwen verdwenen en ik kon er duidelijk in kijken. Wat ik zag, deed me snel een andere kant opkijken. Aan de buitenkant, was Vera net zo koud als een baby op een blok ijs, maar vanbinnen leek de temperatuur een behoorlijk stuk hoger; ongeveer net zo heet als het in het hart van een bosbrand kan worden, zou ik zo op de gok zeggen. Te heet voor mensen als ik om lang naar te kijken, dat is zeker.

'De wet is een fantastisch iets, Dolores,' zegt ze. 'En als een nare man een naar ongeluk krijgt, kan dat soms ook iets fantastisch zijn.'

'Wil je zeggen...' begon ik. Tegen die tijd lukte het me iets boven een fluistering uit te komen, maar niet veel.

'Ik zeg níets,' zegt ze. Toentertijd, als Vera besloot dat ze klaar was met een onderwerp, sloeg ze het dicht als een boek. Ze stak haar breiwerk terug in de mand en stond op. 'Maar ik zal je dit vertellen – dat bed wordt nooit opgemaakt als jij erop blijft zitten. Ik ga naar beneden en zet water voor de thee op. Misschien dat je, als je hier klaar bent, het prettig vindt naar beneden te komen en een stuk van de appeltaart te proeven die ik van het vasteland heb meegenomen. Als je geluk hebt, doe ik er misschien nog een schep vanille-ijs op.'

'Goed,' zeg ik. Mijn gedachten zaten in een maalstroom en het enige waar ik volledig zeker van was, was dat een stuk taart van de Jonesport Bakery precies klonk wat ik nodig had. Ik had voor het eerst sinds meer dan vier weken echt honger – die zaak van me afgezet te hebben had in ieder geval zoveel gedaan.

Vera kwam tot aan de deur en draaide zich om om me aan te kijken. 'Ik heb geen medelijden met jou, Dolores,' zei ze. 'Je vertelde me niet dat je zwanger was toen je met hem trouwde, en je hoefde niet; zelfs een mathematische onbenul als ik kan optellen en aftrekken. Hoe ver was je, drie maanden?'

'Zes weken,' zei ik. Mijn stem was teruggezakt naar een fluistering. 'Selena kwam een beetje vroeg.'

Ze knikte. 'En wat doet het klassieke eilandmeisje als ze merkt dat het kleintje begint te groeien? Wat voor de hand ligt, natuurlijk... maar haastig getrouwd, is lang berouwd, zoals jij ontdekt schijnt te hebben. Heel jammer dat je moeder zaliger je die niet heeft geleerd, samen met er klopt een hart in elke boezem en gebruik je hoofd als je je voeten wilt sparen. Maar ik zal je iets zeggen, Dolores: brullen als een gek met je schort over je hoofd zal het maagdenvlies van je dochter niet redden als die stinkende ouwe geit werkelijk van plan is het te roven, en ook niet het geld van je kinderen als hij werkelijk van plan is het uit te geven. Maar soms kríjgen mannen, vooral mannen die drinken, ongelukken. Ze vallen van de trap, ze glijden uit in het bad, en soms weigeren hun remmen en rijden ze met hun BMW's tegen een eik als ze zich naar huis haasten van de flat van hun minnares in Arlington Heights.'

Toen liep ze de kamer uit en sloot de deur achter zich. Ik maakte het bed op, en terwijl ik ermee bezig was dacht ik na over wat ze had gezegd... over hoe als een nare man een naar ongeluk krijgt, dat soms ook iets fantastisch kan zijn. Ik begon te zien wat er al die tijd gewoon voor me had gelegen – wat ik eerder zou hebben gezien als mijn gedachten niet in blinde paniek hadden rondgefladderd, als een mus die gevangen zat in een zolderkamer.

Tegen de tijd dat we onze taart hadden gegeten en ik haar naar boven had gebracht voor haar middagslaapje, stond de mogelijkheid duidelijk in mijn gedachten, ik wilde van Joe af. Ik wilde het geld van mijn kinderen terug, en het allermeest wilde ik hem laten boeten voor alles wat hij ons had laten doormaken... vooral voor wat hij Selena had laten doormaken. Als de klootzak een ongeluk kreeg – het júiste ongeluk – zouden al die dingen gebeuren. Het geld, waar ik niet aan kon komen zolang hij nog leefde, zou ik krijgen als hij doodging. Hij mocht dan in de eerste plaats dat geld op een geniepige manier hebben gekregen, maar hij was er nooit op een geniepige manier op uit gegaan om een testament te maken dat mij buitensloot. Het was geen kwestie van hersens – de manier waarop hij het geld had gekregen, toonde me dat hij heel wat uitgekookter was dan ik wilde geloven – maar gewoon de manier waarop zijn gedachten werkten. Ik ben er behoorlijk zeker van dat Joe St. George diep vanbinnen niet dacht dat hij óóit dood zou gaan.

En als zijn vrouw, zou ik gewoon alles terugkrijgen.

Tegen de tijd dat ik die middag Pinewood verliet, was het opgehouden met regenen en ik liep heel langzaam naar huis. Ik was nog niet eens halverwege toen ik over de oude waterput achter de houtschuur begon na te denken.

Ik had het huis voor mij alleen toen ik thuiskwam – de jongens waren ergens aan het spelen, en Selena had een briefje achtergelaten waarin stond dat zij naar mevrouw Devereaux was gegaan om haar te helpen met de was... ze deed alle lakens van The Harborside Hotel in die tijd, weet je. Ik had geen idee waar Joe was en het kon me niet schelen ook. Het belangrijkste was dat zijn vrachtwagen weg was, en zoals de knalpot er aan een draadje bij hing, zou ik voldoende gewaarschuwd worden als hij terugkwam. Ik bleef daar een ogenblik staan kijken naar Selena's briefje. Het is grappig, hoe kleine dingen iemand uiteindelijk tot een beslissing forceren – waardoor je van een mogelijkheid naar een gerede kans naar een waarschijnlijkheid komt, zogezegd. Zelfs nu weet ik niet zeker of ik echt van plan was Joe te vermoorden toen ik die dag thuiskwam van Vera Donovan. Ik was van plan de waterput te bekijken, ja, maar dat had gewoon een spel kunnen zijn, zoals kinderen doen-alsof spelen. Als Selena dat briefje niet had achtergelaten, had ik het misschien nooit gedaan... en wat er hier ook uit voortkomt, Andy, Selena mag dit nooit weten.

Op het briefje stond zoiets als: 'Mam – ik ben met Cindy Babcock naar mevrouw Devereaux gegaan om te helpen met de was van het hotel – ze hadden veel meer mensen in het weekend dan zij hadden verwacht en je weet hoe erg het is geworden met die artritis van mevrouw Devereaux. Die arme lieverd klonk aan het eind van haar Latijn toen ze belde. Ik ben terug om je met het avondeten te helpen. Liefs en kussen, Sel.'

Ik wist dat Selena met niet meer zou thuiskomen dan vijf of zeven dollar, maar er zo blij als een kind mee zou zijn. Ze zou ook blij zijn om terug te gaan als mevrouw Devereaux of Cindy weer belde; en als ze de volgende zomer een baantje aangeboden zou krijgen als part-time kamermeisje in het hotel, zou ze waarschijnlijk proberen mij over te halen het haar te laten doen. Omdat geld geld is, en in die tijd ruilhandel op het eiland de normaalste zaak van de wereld was en geld een moeilijk artikel was om aan te komen. Mevrouw Devereaux zóu ook weer bellen en met liefde voor Selena een aanbevelingsbrief voor het hotel schrijven als Selena dat vroeg, omdat Selena een goed werkstertje was, niet bang om haar rug te buigen of om vuile handen te krijgen.

Met andere woorden, ze was net als ik toen ik zo oud was, en zie wat er van mij is geworden – het zoveelste schoonmaakwijf dat eeuwig krom loopt en een fles pillen tegen de pijn in haar rug in het medicijnkastje bewaart. Selena zag daar niets verkeerds in, maar zij was net vijftien geworden, en met vijftien weet een meisje bij god niet wat ze ziet, ook al staat ze er met haar neus bovenop. Ik las dat briefje steeds maar weer, en ik dacht, bekijk het – ze eindigt niet zoals ik, oud en bijna opgebruikt met vijfendertig, verdomme. Dat gebeurt niet, ook niet over mijn lijk als het aan mij ligt. Maar weet je, Andy? Ik dacht niet dat het allemaal zo ver hoefde te komen. Ik dacht dat Joe als lijk misschien al alles was wat we bij ons thuis nodig hadden.

Ik legde haar briefje terug op tafel, deed de drukkertjes van mijn oliejas weer dicht, en trok mijn gummilaarzen aan. Toen liep ik achterom en bleef staan bij de grote witte kei waarop ik en Selena die avond hadden gezeten toen ik haar vertelde dat ze niet langer bang hoefde te zijn voor Joe, dat hij beloofd had haar met rust te laten. Het was opgehouden met regenen, maar ik hoorde nog steeds het water neerdruipen diep in de wirwar van braamstruiken achter het huis, en zag waterdruppels aan de kale takken hangen. Ze zagen eruit als de diamanten oorbellen van Vera Donovan, alleen niet zo groot.

Het stukje grond besloeg ongeveer een kwart hectare en op het moment dat ik me een weg naar binnen baande, was ik verrekte blij dat ik mijn oliejas en hoge laarzen aan had. Het vocht was nog het minste; die doorns waren dodelijk. Aan het eind van de jaren veertig was dat stukje land een grasveld vol bloemen geweest, met de waterput aan de kant van de schuur, maar ongeveer zes jaar nadat Joe en ik waren getrouwd en daar waren ingetrokken – zijn ome Fred had het hem nagelaten toen hij stierf – droogde de bron uit. Joe liet Peter Doyon komen om een nieuwe voor ons te wichelen, aan de linkerkant van het huis. Sindsdien hebben we nooit meer een centje problemen met water gehad.

Toen we de oude put niet meer gebruikten, raakte die kwart hectare achter de schuur overwoekerd door die borsthoge wirwar van braamstruiken, en de doorns scheurden en trokken aan mijn oliejas terwijl ik heen en weer liep, en naar het houten deksel op de oude put zocht. Toen mijn handen op drie of vier plaatsen opengehaald waren, trok ik de mouwen eroverheen.

Ten slotte vond ik het verrekte ding door er bijna in te vallen. Ik stapte op iets dat zowel los als een beetje sponsachtig was; er klonk een krakend geluid onder mijn voet en ik stapte achteruit net voor de plank waarop ik was gestapt, doorboog. Als ik pech had gehad, was ik naar voren gevallen en het hele deksel zou waarschijnlijk ingestort zijn. Ding-dong-bel, de put in met die del. Ik liet me op mijn knieën zakken en hield een hand voor mijn gezicht zodat de braamdoorns mijn wangen niet konden openhalen of misschien een oog uitprikken, en keek eens goed.

Het deksel was ongeveer een meter twintig breed en anderhalve meter lang; de planken waren allemaal wit uitgeslagen, kromgetrokken en verrot. Ik drukte er op een met mijn hand en die voelde aan als een staaf zoethout. De plank waar ik mijn voet op had gezet was helemaal doorgebogen, en ik zag verse splinters eruit omhoog steken. Ik zou er inderdaad in zijn gevallen, en in die tijd woog ik ongeveer vijfenvijftig kilo. Joe was minstens twintig kilo zwaarder.

Ik had een zakdoek in mijn zak. Ik bond hem om de bovenkant van een struik aan de schuurkant van het deksel zodat ik het snel terug zou kunnen vinden. Toen ging ik terug naar het huis. Die nacht sliep ik als een roos en voor het eerst sinds ik van Selena hoorde waar haar sprookjesprins van een vader op uit was geweest, had ik geen nare dromen.

Dat was eind november, en ik was van plan een hele tijd niets meer te doen. Ik betwijfel het of ik jullie moet zeggen waarom, maar ik doe het toch: als er te snel na ons gesprek op de veerboot iets met hem gebeurde, zou Selena mij verdenken. Ik wilde niet dat dat gebeurde, omdat ze voor een deel nog steeds van hem hield en waarschijnlijk altijd zou blijven doen, en omdat ik bang was hoe haar gevoel zou zijn als ze ook maar vermóedde wat er was gebeurd. Hoe haar gevoel over míj zou zijn, natuurlijk – dat hoef ik niet te zeggen, denk ik – maar ik was nog banger over hoe haar gevoel over zichzelf zou zijn. Hoe dat is afgelopen... nou, laat nu maar zitten. Daar kom ik nog wel op, denk ik. Waarschijnlijk eerder dan ik wil.

Dus ik liet de tijd voorbijgaan, hoewel dat voor mij altijd het moeilijkste is geweest als ik eenmaal een beslissing over iets heb genomen. Toch, de dagen regen zich aaneen tot weken, zoals ze dat altijd doen. Om de zoveel tijd vroeg ik Selena over hem. 'Heeft je pa zich gedragen?' vroeg ik dan, en we begrepen allebei wat ik eigenlijk vroeg. Altijd zei ze ja, wat een opluchting was, omdat als Joe weer begon, ik hem meteen uit de weg had moeten ruimen, en de kolere voor de risico's. Of de consequenties.

Ik had meer dingen om me zorgen over te maken toen de kerst voorbijging en 1963 begon. Een was het geld – elke dag werd ik wakker met de gedachte dat dit misschien de dag was dat hij het uit zou geven. Waarom zou ik me er géén zorgen over maken? Hij was heel keurig door de eerste driehonderd heen gekomen, en ik had geen enkele manier om hem ervan te weerhouden de rest weg te smijten terwijl ik op de gelegenheid zat te wachten om mijn gelegenheid te baat te nemen, zoals ze graag zeggen op zijn A.A.-bijeenkomsten. Ik kan jullie niet vertellen hoe vaak ik achter dat godvergeten spaarbankboekje aan ben geweest, dat ze hem gegeven moeten hebben toen hij zijn eigen rekening opende met die poen, maar ik heb het nooit gevonden. Dus het enige wat ik kon doen was wachten tot hij thuiskwam met een nieuwe kettingzaag of een duur horloge om zijn pols, en hopen dat hij niet al iets of zelfs alles had verloren in een van die pokerspellen met hoge inzetten die, zoals hij beweerde, elk weekend in Ellsworth en Bangor gespeeld werden. In mijn hele leven heb ik me nooit zo hulpeloos gevoeld.

Dan had je de kwestie van wanneer en hoe ik het zou doen... dat wil zeggen als ik uiteindelijk de moed had het gewoon te doen. Het idee de oude put als een valkuil te gebruiken was prima voorzover het ging; het probleem was dat het nergens ver genoeg ging. Als hij keurig netjes stierf zoals mensen op de tv doen, zou alles prachtig zijn. Maar zelfs dertig jaar geleden had ik voldoende van het leven gezien om te weten dat dingen nauwelijks zo gaan als op de tv.

Stel je voor dat hij erin viel en bijvoorbeeld begon te gillen? Het eiland was nog niet zo volgebouwd als nu, maar we hadden altijd nog drie buren op dat stukje East Lane – de Carons, de Langills en de Jolanders. Misschien zouden ze gegil uit het braamveld achter ons huis niet horen, maar misschien ook wel... vooral als er een sterke wind stond die de juiste kant op waaide. En dat was nog niet alles. Als verbinding tussen het dorp en de Head, kon het op East Lane behoorlijk druk zijn. De hele tijd kwamen er vrachtwagens en personenwagens langs ons huis, toen nog niet zoveel als nu, maar voldoende om een vrouw de bibbers te geven die over dingen nadacht als waar ik over nadacht.

Ik stond op het punt te besluiten dat ik de put toch niet kon gebruiken om van hem af te komen, dat het gewoon te riskant was, toen ik het antwoord kreeg. Ook die keer kreeg ik het van Vera, hoewel ik niet denk dat ze dat wist.

Ze was gefascineerd door de eclips, weet je. Ze was het grootste deel van dat seizoen op het eiland en toen de winter begon af te lopen, werd er elke week een nieuw knipsel daarover op het prikbord van de keuken geprikt. Toen de lente begon met de gewone harde winden en koude plensbuien, was ze hier zelfs nog meer, en die knipsels verschenen ongeveer om de andere dag. Het waren stukjes uit de lokale kranten, uit landelijke kranten zoals de *Globe* en de New York *Times* en uit tijdschriften zoals *Scientific American*.

Ze was opgetogen omdat ze er zeker van was dat de eclips uiteindelijk Donald en Helga terug zou lokken naar Pinewood – ze vertelde me dat steeds maar weer – maar ze was er voor zichzelf ook opgetogen over. Tegen half mei, toen het eindelijk warmer begon te worden, had ze zich hier bijna volledig gevestigd – ze práátte zelfs nooit over Baltimore. Die klote-eclips was het enige waar zij over praatte. Ze had vier camera's – en ik heb het nou niet over boxjes – in de kast naast de voordeur, waarvan drie al op statief. Ze had acht of negen speciale zonnebrillen, speciaal gemaakte open dozen die zij 'eclipskijkers' noemde, periscopen met speciaal getinte spiegels erin, en ik weet niet wat nog meer.

Toen, tegen eind mei, kwam ik binnen en zag dat het artikel dat op het prikbord hing uit ons eigen krantje was – *The Weekly Tide*. Haven wordt 'eclips-station' voor bewoners en zomergasten, zei de kop. De foto toonde Jimmy Gagnon en Harley Fox die wat timmerwerk deden op het dak van het hotel, dat toen al net zo plat en breed was als nu. En weet je? Ik voelde weer iets in mij omdraaien, net zoals ik voelde toen ik dat eerste artikel over de eclips zag dat daar opgespeld zat op precies dezelfde plek.

In het artikel stond dat de eigenaren van The Harborside van plan waren van het dak een soort van openlucht-observatorium te maken op de dag van de eclips.... behalve dat het voor mij klonk als daar-gaan-we-weer, maar dan met een nieuw etiket. Ze zeiden dat het dak voor die gelegenheid 'speciaal werd gerenoveerd' (het idee dat Jimmy Gagnon en Harley Fox ook maar iets renoveerden is behoorlijk grappig, als je er bij stilstaat), en zij verwachtten driehonderdvijftig speciale 'eclips-kaartjes' te verkopen. Zomergasten kregen de eerste keus, dan de gewone eilandbewoners. De prijs was eigenlijk best redelijk – twee piek per plaats – maar natuurlijk zouden ze eten uitserveren en een bar hebben, en dat zijn de dingen waar hotels de mensen altijd mee geschoren hebben. Vooral de bar.

Ik was het artikel nog aan het lezen toen Vera binnenkwam. Ik hoorde haar niet en toen ze sprak sprong ik zo ongeveer een halve meter de lucht in.

'Nou, Dolores,' zegt ze. 'Wat zal het zijn? Het dak van The Harborside of de *Island Princess?*'

'Wat is er met de *Island Princess?* vroeg ik haar.

'Ik heb hem gecharterd voor de middag van de eclips,' zegt ze.

'Da's niet waar?' zeg ik, maar ik wist op het moment dat het uit mijn mond kwam, dat het wel waar was. Vera zei nooit zomaar iets, en ze pochte ook nooit. Toch kon ik, door de gedachte dat zij een veerpont zo groot als de *Princess* had gecharterd, bijna geen adem meer krijgen.

'Jawel,' zei ze. 'Het kost me een vermogen, Dolores, het meeste nog voor de vervangende veerboot die die dag de gewone route van de *Princess* zal varen, maar ik heb het zeker gedaan. En als je met míjn excursie meegaat, ben je gratis uit met alle drankjes van de zaak.' Dan, min of meer naar me loerend vanonder haar oogleden vandaan, zegt ze: 'Dat laatste moet je man wel aanspreken, dacht je niet?'

'Mijn god,' zeg ik, 'waarom heb je die verrekte pònt gecharterd, Vera?' Haar voornaam klonk nog steeds vreemd voor me, elke keer dat hij uit mijn mond kwam, maar toen had ze me al duidelijk gemaakt dat het geen grapje van haar was geweest – ze was niet van plan me terug te laten gaan naar mevrouw Donovan, zelfs niet als ik dat wilde, wat ik soms deed. 'Ik bedoel, ik weet dat je opgetogen bent door de eclips en alles, maar je had een rondvaartboot kunnen krijgen bij Vinalhaven die bijna net zo groot is en waarschijnlijk voor de helft van de prijs.'

Ze haalde min of meer haar schouders op en schudde op hetzelfde moment haar lange haar naar achteren – het was haar grootste lik-me-reet-blik die ik ooit had gezien. 'Ik heb hem gecharterd omdat ik van die geile ouwe tobbe hou,' zegt ze. 'Little Tall Island is mijn liefste plek op aarde, Dolores – weet je dat?'

Om eerlijk te zijn, wìst ik het, dus ik knikte.

'Natuurlijk. En bijna altijd was het de *Princess* die me hierheen bracht – de rare, dikke, schommelende ouwe *Princess*. Ze hebben me gezegd dat er makkelijk vierhonderd mensen veilig op kunnen, vijftig meer dan op het dak van het hotel, en ik neem iedereen mee die met mij en de kinderen mee wil.' Toen grijnsde ze en díe grijns

was oké; het was de grijns van een meisje dat blij is dat ze leeft.
'En weet je wat nog meer, Dolores?' vroeg ze me.
'Nee,' zeg ik. 'Ik sta paf.'
'Je hoeft achter niemand aan te lopen als je...' Toen hield ze op en keek me heel vreemd aan. 'Dolores? Gaat het wel goed met je?'
Maar ik kon niets zeggen. Het vreselijkste, mooiste beeld had zich in mijn gedachten gevormd. Erin zag ik het grote, platte dak van The Harborside Hotel vol mensen die allemaal met hun hoofden in hun nek stonden, en ik zag de *Princess* stilliggen in het midden van het kanaal tussen het vasteland en het eiland, het dek ook tjokvol mensen die omhoog keken en boven dat alles hing een grote zwarte cirkel omgeven door vuur, in een daghemel vol sterren. Het was een spookachtig beeld, voldoende om de nekharen van een dode overeind te laten komen, maar dat was het niet wat me midden in mijn ingewanden had getroffen. Het was de gedachte aan *de rest van het eiland* die dat gedaan had.
'Dolores,' vroeg ze en legde een hand op mijn schouder. 'Heb je pijn in je maag? Voel je je flauw? Kom hier aan tafel zitten, ik haal een glas water voor je.'
Ik had geen pijn in mijn maag, maar plotseling voelde ik wèl een lichte flauwte, dus ik liep daarheen en ging zitten... behalve dat mijn knieën zo rubberachtig aanvoelden, dat ik bijna op de stoel viel. Ik keek naar haar terwijl ze water voor me pakte en dacht aan iets wat ze afgelopen november had gezegd – dat zelfs een mathematische onbenul als zij kon optellen en aftrekken. Nou, zelfs iemand als ik kon driehonderdvijftig op het hoteldak en nog eens vierhonderd op de *Island Princess* optellen en uitkomen op zevenhonderdvijftig. Dat was niet íedereen die midden juli op het eiland zou zijn, maar het was een allemachtig groot deel van ze, allejezus. Ik was er bijna van overtuigd dat de rest òf op zee zou zitten om hun fuiken binnen te halen òf van het strand of de haven naar de eclips zou kijken.
Vera bracht me het water en ik dronk het achter mekaar op. Ze ging tegenover me zitten en keek bezorgd. 'Gaat het goed met je, Dolores?' vroeg ze. 'Wil je wat gaan liggen?'
'Nee,' zeg ik. 'Ik voelde me daarnet gewoon een beetje raar.'
Dat moest ook wel. Plotseling weten op welke dag je van plan

bent je man te vermoorden, zal iedereen wel een raar gevoel geven, denk ik.

Zo'n drie uur later, met de was en de boodschappen gedaan en de kruidenierswaren opgeborgen en de kleden gestofzuigd en de kleine stoofpan weggezet in de koelkast voor haar eenzame avondeten (ze mocht dan van tijd tot tijd haar bed delen met die lulhannes, maar ik zag haar nooit haar eettafel met hem delen), pakte ik mijn bullen bij elkaar om te vertrekken. Vera zat aan de keukentafel en deed de kruiswoordpuzzel in de krant.

'Denk erover twintig juli met ons mee te gaan op de boot, Dolores,' zegt ze. 'Het zal zo oneindig veel prettiger zijn op het kanaal dan op dat hete dak, geloof me.'

'Dank je, Vera,' zeg ik, 'maar als ik die dag vrij heb, betwijfel ik of ik ergens naartoe ga – ik blijf waarschijnlijk gewoon thuis.'

'Zou je je beledigd voelen als ik zei dat dat heel erg saai klinkt?' vroeg ze, terwijl ze naar me opkeek.

Sinds wanneer maak jij je zorgen of je mij of iemand anders beledigt, verwaand kreng? dacht ik, maar natuurlijk zei ik het niet. En bovendien zag ze er echt bezorgd uit toen ze dacht dat ik misschien flauw zou vallen, hoewel dat had kunnen zijn omdat ze bang was dat ik op mijn neus terecht zou komen en dat haar hele keukenvloer dan onder het bloed zou komen – die ik net de dag ervoor in de was had gezet.

'Nee,' zeg ik. 'Zo ben ik, Vera – zo saai als de pieten.'

Ze schonk me toen een rare blik. 'O ja?' zegt ze terug. 'Soms denk ik het... en soms vraag ik het me af.'

Ik zei gedag en ging naar huis, terwijl ik onderweg mijn idee van alle kanten bekeek en naar gaten zocht. Ik vond er geen – alleen maar vraagtekens, en vraagtekens zijn een deel van het leven, nietwaar? Pech kun je altijd hebben, maar als mensen zich daar te veel zorgen over maken, gebeurt er nooit iets. Bovendien, dacht ik, als er dingen fout lopen, kan ik het nog altijd affluiten. Tot op bijna het allerlaatste moment kan ik dat nog doen.

Mei ging voorbij, Memorial Day kwam en ging voorbij, en de schoolvakantie begon. Ik was er helemaal klaar voor om Selena af te houden als ze kwam zeuren over werken in The Harborside, maar voor we zelfs maar onze eerste woordenwisseling hierover hadden, gebeurde het allermooiste wat maar mogelijk was. Dominee Huff die toen de methodisten-dominee was, kwam langs om met mij en Joe te praten. Hij zei dat het methodistenkamp in Winthrop plaats had voor twee meisjes met zwemdiploma's als begeleidster. Nou, zowel Selena als Tanya Caron waren echte waterratten, en Huffy wist dat, en om een lang verhaal in ieder geval iets korter te maken, zwaaiden ik en Melissa Caron een week nadat de school was afgelopen onze dochters uit op de veerboot. Zij wuifden vanaf de boot en wij vanaf de kade, en allevier huilden we als idioten. Selena had een leuk roze pakje aan voor de reis en voor het eerst kreeg ik een duidelijk beeld van de vrouw die zij zou worden. Het brak bijna mijn hart, en nog steeds. Heeft iemand van jullie misschien een zakdoek?

Dank je, Nancy. Goed. Waar was ik?

O, ja.

Selena was onder de pannen; bleven de jongens over. Ik liet Joe zijn zus in New Gloucester bellen en vragen of zij en haar echtgenoot het erg vonden om ze de laatste drie weken van juli en de eerste van augustus of zo te logeren te hebben, aangezien wij hun twee duivels een paar keer 's zomers een maand te logeren hadden gehad toen ze jonger waren. Ik dacht dat Joe zou weigeren Little Pete weg te sturen, maar dat deed hij niet – ik neem aan dat hij eraan dacht hoe rustig het in huis zou zijn als ze alledrie weg waren en het idee hem beviel.

Alicia Forbert – zo heette zijn zus na haar trouwen – zei dat ze het leuk zou vinden de jongens te logeren te hebben. Ik had het idee dat Jack Forbert waarschijnlijk wat minder blij was dan zij, maar Alicia hàd het daar voor het zeggen, dus geen probleem – in ieder geval niet daar.

Het probleem was dat noch Joe Junior, noch Little Pete erg graag wilde gaan. Ik kon het ze niet echt kwalijk nemen, de jongens van Forbert waren allebei tieners, en zouden helemaal geen tijd hebben voor een stelletje onderdeuren als zij. Maar ik was niet van plan me daar door te laten tegenhouden – ik kòn me er niet door laten tegenhouden. Uiteindelijk liet ik gewoon alle redelijkheid varen en forceerde ze die kant op. Joe Junior bleek de hardste noot van de twee. Ten slotte nam ik hem terzijde en zei: 'Zie het gewoon als een vakantie, weg van je vader.' Dat argument overtuigde hem het meest, en dat is behoorlijk triest als je erover nadenkt, vind je niet?

Toen ik eenmaal de zomervakantie van de jongens had geregeld, was er niets anders te doen dan te wachten tot ze vertrokken, en ik denk dat zij uiteindelijk blij genoeg waren om te gaan. Joe was behoorlijk aan het drinken sinds de Vierde Juli, en ik denk dat zelfs Little Pete het niet erg prettig vond in zijn buurt te zijn.

Zijn drinken was voor mij geen verrassing; ik had hem ermee geholpen. De eerste keer dat hij het gootsteenkastje opentrok en daar een gloednieuwe fles whisky zag staan, vond hij het raar – ik herinner me dat hij me vroeg of ik op mijn hoofd was gevallen of zoiets. Maar daarna stelde hij geen vragen meer. Waarom zou hij ook? Vanaf de Vierde Juli tot de dag dat hij stierf was Joe St. George op sommige tijden volledig in de lorum en de meeste tijden half, en een man in die staat heeft er niet lang voor nodig om geluk te gaan zien als een van zijn grondwettelijke rechten... vooral iemand als Joe.

Dat was wat mij betrof prima, maar toch was die tijd na de Vierde Juli – de week voor de jongens vertrokken en de week of zo erna – niet echt plezierig. Ik ging dan om zeven uur weg naar Vera terwijl hij in bed naast me lag als een homp zure kaas, snurkend met zijn haar woest alle kanten opstekend. Ik kwam om twee of drie uur thuis, en dan zat hij neergeploft op die gammele achterveranda die we toen hadden (hij had die lelijke schommelstoel van hem daar naar buiten gesleept), met zijn *American* in een hand en zijn tweede of derde drankje van de dag in de andere. Hij had nooit enig gezelschap om hem te helpen met zijn whisky; mijn Joe was niet wat je noemt iemand die graag deelde.

Die juli stond er zo ongeveer elke dag een verhaal over de eclips op de voorpagina van de *American*, maar ik denk dat Joe, ondanks al zijn gelees in de krant, er maar een heel vaag idee over had dat er later die maand iets buiten het normale zou gebeuren. Hij gaf geen reet om dat soort dingen, begrijp je. Waar Joe wel om gaf waren de communisten en de 'freedom-riders' (alleen noemde hij ze 'Greyhound-nikkers') en die godvergeten katholieke jodenvriend in het Witte Huis. Als hij had geweten wat er vier maanden later met Kennedy zou gebeuren, denk ik dat hij bijna gelukkig gestorven zou zijn, zo lelijk was hij.

Maar toch ging ik naast hem zitten en luisterde naar zijn geraaskal over wat hij ook maar had gevonden in de krant van die dag waardoor zijn stekels overeind waren gaan staan. Ik wilde dat hij er gewend aan raakte dat ik in zijn buurt was als ik thuis was, maar als ik je zou vertellen dat het gemakkelijk werk was, dan zou ik een godverdommese leugenaar zijn. Weet je, ik zou zijn drinken nog niet half zo erg hebben gevonden, als hij dan een wat vrolijker humeur had gekregen. Ik weet dat sommige mannen dat hebben, maar Joe was niet zo. Drinken bracht het wijf in hem naar buiten, en wat het wijf in Joe betrof, ze was altijd twee dagen van een enorme, godsliederlijke ongesteldheid af.

Maar naarmate de grote dag dichterbij kwam, begon het weggaan bij Vera een opluchting te worden, ook al ging ik alleen maar naar huis naar een naar drank stinkende echtgenoot. Heel juni was ze druk in de weer geweest, kwetterend over van alles, terwijl ze haar eclips-uitrusting controleerde en nog eens controleerde, en mensen belde – ze moet het bedrijf dat de catering verzorgde voor haar veerboot-onderneming die laatste week van juni minstens twee keer per dag hebben gebeld, en dat was nog maar één punt op haar dagelijkse agenda.

In juni had ik zes meisjes onder me werken en na de Vierde Juli acht; het was de meeste hulp die Vera ooit had gehad, voor of na de dood van haar echtgenoot. Het huis werd van boven tot onder geschrobd – geschrobd tot het blonk – en elk bed werd opgemaakt. Verrek, we plaatsten tijdelijk bedden in het solarium en ook op de overloop van de eerste verdieping. Ze verwachtte minstens een stuk of twaalf gasten te slapen te hebben in het weekend van de eclips, en misschien zelfs wel twintig. De dag had niet genoeg uren voor haar en ze bleef maar doorrazen als Mozes op een motorfiets, maar ze was gelukkig.

Toen, precies rond de tijd dat ik de jongens wegstuurde naar hun tante Alicia en ome Jack – dat moet rond de tiende of elfde juli zijn geweest, en nog steeds meer dan een week voor de eclips – stortte haar goede humeur in.

Stortte in? Kolere, nee. Dat is niet het goede woord. Het plòfte uit elkaar als een ballon die door een speld wordt geraakt. De ene dag zoemde ze als een straaljager, de volgende had ze haar mondhoeken naar beneden gerukt en hadden haar ogen die gemene, gekwelde uitdrukking gekregen die ik zo vaak had gezien toen ze zoveel tijd in haar eentje op het eiland begon door te brengen. Die dag ontsloeg ze twee meisjes, een omdat ze op een poef stond om de ramen in de salon te lappen en de andere voor lachen in de keuken met een van de jongens van de catering. Vooral dat tweede was gemeen, omdat het meisje begon te huilen. Ze vertelde Vera dat ze de jongen van de middelbare school kende en ze hem sinds die tijd niet meer had gezien en dat ze wat over vroeger aan het bijpraten waren. Ze zei dat het haar speet en smeekte haar niet te ontslaan – ze zei dat haar moeder nog kwaaier zou worden dan een broedse hen als het gebeurde.

Dat maakte geen indruk op Vera. 'Zie het van de zonnige kant, schat,' zei ze met haar krengerigste stem. 'Je moeder is dan misschien boos, maar je zal dan héél veel tijd hebben om over al die lol te praten die jullie op die goeie ouwe Jonesport High hadden.' Het meisje – het was Sandra Mulcahey – liep de oprit af met haar hoofd naar beneden, snikkend alsof haar hart zou breken. Vera stond in de gang, iets gebukt zodat ze naar haar kon kijken door het raam naast de voordeur. Mijn voet jeukte om haar een schop tegen haar reet te geven toen ik haar zo zag staan... maar ik voelde ook een beetje medelijden met haar. Het was niet zo moeilijk om te bedenken wat haar stemming had veranderd, en niet lang daarna wist ik het zeker. Haar kinderen kwamen toch niet bij haar naar de eclips kijken, gecharterde veerboot of niet. Misschien kwam het gewoon omdat zij andere plannen hadden gemaakt, zoals kinderen dat doen zonder ook maar te denken dat ze mogelijk hun ouders zouden kunnen kwetsen, maar mijn gok was dat wat er ooit mis was gegaan tussen hen, nog steeds mis was.

Vera's stemming werd beter toen haar eerste gasten begonnen te komen op de zestiende en zeventiende, maar nog steeds was ik elke dag blij dat ik weg kon, en op donderdag de achttiende ontsloeg ze weer een meisje – Karen Jolander was dat. Haar grote misdaad was een bord te laten vallen dat toch al een barst had. Karen huilde niet toen ze de oprit afliep, maar je kon zien dat ze zich inhield tot ze over de eerste heuvel was om los te barsten.

Nou, ik ging iets stoms doen – maar je moet je herinneren dat ik toen zelf al behoorlijk opgefokt was. Het lukte me te wachten tot Karen uit het zicht was, maar ging toen Vera zoeken. Ik trof haar in de achtertuin. Ze had haar strooien hoed zo hard over haar hoofd getrokken dat de rand haar oren raakte, en ze maakte zulke knipbewegingen met die tuinschaar van haar dat je gedacht zou hebben dat ze Madam Dufarge was die hoofden afhakte in plaats van Vera Donovan die rozen knipte voor de salon en eetkamer.

Ik liep recht op haar af en zei: 'Dat was een klerestreek die je hebt uitgehaald, dat meisje zo te ontslaan.'

Ze kwam overeind en schonk me haar hooghartigste vrouw-des-huizes-blik. 'Vind je dat? Ik ben zo blij jouw mening te horen, Dolores. Ik snak ernaar, weet je. Elke avond als ik naar bed ga, lig ik daar in het donker, laat de dag passeren en stel mezelf steeds dezelfde vraag als elke gebeurtenis aan mijn ogen voorbijtrekt: "Wat zou Dolores St. George gedaan hebben?"'

Nou, dat maakte me nog kwader dan ervoor. 'Ik zal je een ding zeggen wat Dolores Claiborne níet doet,' zeg ik, 'en dat is het afreageren op iemand anders als ze er de pest in heeft en ergens door teleurgesteld is. Ik denk dat je iets meer van een arrogant kreng moet hebben, om dat te doen.'

Haar mond viel open alsof iemand de bouten, die de kaak gesloten hielden, eruit had getrokken. Ik weet bijna zeker dat dat de eerste keer was dat ik haar echt verraste, en ik beende haastig weg, voor ze kon zien hoe bang ik was. Mijn benen trilden zo erg dat ik, toen ik in de keuken kwam, moest gaan zitten en ik dacht, je bent gek, Dolores, haar zo aan haar staart te trekken. Ik kwam net voldoende overeind om uit het raam boven de gootsteen te gluren, maar ze had haar rug naar me toe en ze was vol overgave weer met haar schaar bezig; rozen vielen in haar mand als dode soldaten met bebloede koppen.

Ik stond op het punt om die middag naar huis te gaan toen ze achter me verscheen en me vertelde even te wachten, ze wilde met me praten. Ik voelde mijn hart helemaal in mijn schoenen zinken. Ik twijfelde er helemaal niet aan dat mijn uur had geslagen – ze zou me vertellen dat mijn diensten niet meer gewenst waren, zou me een laatste lik-me-reet-blik geven en dan zou ik de weg aflopen, deze keer voorgoed. Je zou denken dat het een opluchting was van haar af te zijn, en ik veronderstel dat het in sommige opzichten ook zo was, maar toch voelde ik pijn rond mijn hart. Ik was zesendertig, en ik had hard gewerkt sinds mijn zestiende, en ik was nog nooit bij iemand ontslagen. Toch heb je allerlei klote-gelul waar mensen zich tegen moeten verweren en ik probeerde uit alle macht me daarop voor te bereiden toen ik me omdraaide om haar aan te kijken.

Maar toen ik haar gezicht zag, wist ik dat ze niet was gekomen om me te ontslaan. Alle make-up die ze die ochtend op had gehad, was eraf geschrobd, en zoals haar oogleden opgezwollen waren, kreeg ik het idee dat ze òf had geslapen òf op haar kamer had gehuild. Ze hield een bruine kruidenierszak in haar armen en ze schoof me die min of meer toe. 'Hier,' zegt ze.

'Wat is dit?' vroeg ik haar.

'Twee eclipskijkers en twee reflectiedozen,' zegt ze. 'Ik dacht dat jij en Joe ze misschien leuk zouden vinden. Ik heb toevallig -' Ze stopte toen en kuchte in haar opgekrulde vuist voor ze me weer recht in de ogen keek. Een ding bewonderde ik in haar, Andy – wat ze ook zei of hoe moeilijk het voor haar ook was, ze keek je aan als ze het zei. 'Ik heb toevallig van allebei twee over,' zei ze.

'O?' zeg ik. 'Het spijt me dat te horen.'

Ze wuifde het weg alsof het een vlieg was, vroeg me toen of ik van gedachten was veranderd over het meegaan op de veerboot met haar en haar gezelschap.

'Nee,' zeg ik, 'ik denk dat ik mijn feestje op mijn eigen achterveranda hou en het vandaar met Joe bekijk. Of, als hij de boerenlul uithangt, ga ik naar East Head.'

'Over de boerenlul uithangen gesproken,' zegt ze, me nog steeds recht aankijkend, 'ik wil me verontschuldigen over vanochtend... en je vragen of je Mabel Jolander zou willen bellen en haar zeggen dat ik van gedachten ben veranderd.'

Het kostte haar heel wat moed om dat te zeggen, Andy – je kende haar niet op de manier zoals ik, dus ik denk dat je me gewoon op mijn woord moet geloven, maar het kostte haar een vréselijke hoop moed. Wat verontschuldigingen betrof, was Vera Donovan min of meer geheelonthouder.

'Dat zal ik zeker doen,' zei ik, tamelijk vriendelijk. Bijna stak ik mijn hand uit om haar hand aan te raken, maar uiteindelijk deed ik het niet. 'Alleen is het Karen, niet Mabel. Mabel werkte hier zes of zeven jaar geleden. Tegenwoordig zit ze in New Hampshire, zegt haar moeder – en werkt voor de telefoonmaatschappij en het gaat erg goed met haar.'

'Karen dan,' zegt ze. 'Vraag haar terug. Zeg alleen dat ik van gedachten ben veranderd, Dolores, geen woord meer dan dat. Begrijp je?'

'Ja,' zeg ik. 'En bedankt voor de eclips-dingen. Ze zullen van pas komen, dat weet ik zeker.'

'Heel graag gedaan,' zegt ze. Ik opende de deur om naar buiten te gaan en zij zegt: 'Dolores?'

Ik keek achterom over mijn schouder en ze schonk me een raar knikje alsof ze dingen wist die haar niet aangingen.

'Soms moet je wel een arrogant kreng zijn om te overleven,' zegt ze. 'Soms is een kreng zijn het enige waar een vrouw zich aan vast kan houden.' En toen sloot ze de deur in mijn gezicht... maar zacht. Ze gooide hem niet dicht.

Goed; hier is de dag van de eclips, en als ik jullie ga vertellen wat er gebeurde – àlles wat er gebeurde – doe ik het niet droog. Volgens mijn horloge ben ik al bijna zo'n verrekte twee uur aan een stuk door aan het praten, lang genoeg om de olie uit iemands lagers te draaien en ik ben nog lang niet klaar. Dus luister eens, Andy – of je geeft me twee vingers van de Jim Beam die je in je bureaula hebt, of we stoppen voor vanavond. Wat zeg je?

Kijk eens aan – dank je. Jongen, valt dat even goed! Nee, zet weg. Een is genoeg om de pomp in beweging te krijgen; twee doen misschien niks dan de pijp verstoppen.

Goed – hier gaan we weer.

Op de avond van de negentiende ging ik zo zorgelijk naar bed dat ik er bijna pijn van in mijn maag kreeg, omdat ze op de radio zeiden dat er een goede kans bestond dat het zou gaan regenen. Ik was zo godverdommes druk geweest met plannen maken over wat ik ging doen en me zoveel moed in te praten om het te doen, dat de gedachte aan regen nooit ook maar in me op was gekomen. Ik ga de hele nacht liggen woelen en draaien, dacht ik toen ik ging liggen en toen dacht ik: o, nee, Dolores, dat doe je niet, en ik zal je zeggen waarom – je kan geen ene moer doen aan het weer en het maakt trouwens niet uit. Je weet dat je van plan bent hem om zeep te helpen, ook al pleurt het de hele dag. Je bent al veel te ver om er nu nog van af te zien. En ik wìst dat, dus ik sloot mijn ogen en was weg van de wereld.

Zaterdag – twintig juli 1963 – begon warm en drukkend en bewolkt. Volgens de radio zou het hoogstwaarschijnlijk helemaal niet gaan regenen, op een paar donderbuien na laat die avond, maar de wolken zouden het grootste deel van de dag blijven hangen, en de kans dat de kustplaatsen werkelijk de eclips zouden zien, was een op twee.

Toch had ik het gevoel alsof er een zwaar gewicht van mijn schouders was gegleden, en toen ik vertrok om Vera te helpen met het opdienen van het grote brunch-buffet dat ze had gepland, waren mijn gedachten kalm en mijn zorgen achter mij. Het maakte niet uit dat het bewolkt was, weet je; het zou zelfs niet uitgemaakt hebben als het af en toe regende. Zolang het niet plensde, zouden de mensen van het hotel op het dak zitten en de mensen van Vera zouden op het kanaal zijn, allemaal met de hoop dat er net een scheur in het wolkendek zou komen die voldoende was om hun een blik te gunnen op wat in hun leven niet meer zou gebeuren... in ieder geval niet in Maine. Hoop is een enorme macht in de menselijke aard, weet je – niemand weet dat beter dan ik.

Als ik het me goed herinner had Vera die vrijdagavond uiteindelijk achttien gasten over huis, maar er waren er zelfs nog meer bij het buffet van zaterdagochtend – dertig of veertig, zou ik zeggen. De rest van de mensen die met haar mee zouden gaan op de boot (en dat waren voornamelijk eilanders, niet mensen van elders) zou zich pas rond één uur op de kade verzamelen, en de oude *Princess* zou vertrekken rond twee uur. Tegen de tijd dat de eclips werkelijk begon – half vijf of zo – zouden de eerste twee of drie vaten bier waarschijnlijk leeg zijn.

Ik verwachtte Vera helemaal op van de zenuwen aan te treffen en klaar om uit haar eigen vel te springen, maar soms denk ik dat ze er een verrekte carrière van heeft gemaakt om mij te verrassen. Ze droeg een golvend rood en wit geval dat meer op een cape leek dan op een jurk – kaftan worden ze, geloof ik, genoemd – en ze had haar haar naar achteren getrokken in een eenvoudige paardestaart die in niets leek op die kapsels van vijftig piek waar ze gewoonlijk in die tijd mee rondliep.

Ze liep rondjes om de lange buffettafel die op het grasveld achter was neergezet vlak bij de rozentuin, en praatte en lachte met al haar vrienden – de meesten uit Baltimore, gemeten aan hun uiterlijk en spraak – maar ze was die dag anders dan ze de week voorafgaande aan de eclips was geweest. Weet je nog dat ik jullie vertelde dat ze heen en weer zoemde als een straaljager? Op de dag van de eclips leek ze meer op een vlinder die bezoekjes aflegt aan een heleboel planten en haar lach klonk niet zo schril of hard.

Ze had me een schaal roereieren naar buiten zien brengen en haastte zich naar me toe om me een paar instructies te geven, maar ze liep niet zoals ze de laatste paar dagen had gelopen – alsof ze eigenlijk wilde rennen – en de glimlach bleef op haar gezicht. Ik dacht, zij is gelukkig – dat is alles. Ze heeft geaccepteerd dat haar kinderen niet komen en heeft besloten dat ze desondanks gelukkig kan zijn. En dat wàs alles... behalve als je haar kende, en wist hoe zeldzaam het was voor Vera Donovan om gelukkig te zijn. Zal je wat zeggen, Andy – ik kende haar daarna nog dertig jaar, bijna, maar ik denk niet dat ik haar ooit nog echt weer gelukkig heb gezien. Tevreden, ja, en min of meer ontspannen, maar gelukkig? Stralend en gelukkig als een vlinder die over een veld bloemen gaat op een warme zomermiddag? Ik denk het niet.

'Dolores!' zegt ze. 'Dolores Claiborne!' Pas veel later viel het me in dat ze me bij mijn meisjesnaam had geroepen, ook al was Joe die ochtend nog altijd levend en gezond, en dat had ze nooit eerder gedaan. Toen het me inviel, huiverde ik helemaal, zoals je schijnt te moeten doen als iemand over de plek loopt waar je op een goed moment begraven wordt.

'Morgen, Vera,' zei ik terug. 'Het spijt me dat de dag zo grijs is.' Ze blikte op naar de lucht die behangen was met lage, vochtige zomerwolken, glimlachte toen. 'Om drie uur breekt de zon door,' zegt ze.

'Je klinkt alsof je er opdracht toe gegeven hebt,' zeg ik.

Ik plaagde alleen maar, natuurlijk, maar ze schonk me een ernstig knikje en zei: 'Ja – dat heb ik precies gedaan. Ren nu naar de keuken, Dolores en kijk waarom die stomme kerel van de catering nog geen pot verse koffie naar buiten heeft gebracht.'

Ik was op weg om te doen wat ze me had gevraagd, maar voor ik meer dan vier stappen in de richting van de keuken had gedaan, riep ze me, net zoals ze twee dagen eerder had gedaan, toen ze me vertelde dat een vrouw soms een kreng moet zijn om te overleven. Ik draaide me om met het idee dat ze me datzelfde weer helemaal opnieuw zou gaan vertellen. Maar dat deed ze niet. Ze stond daar in haar mooie rood met witte tentjurk, met haar handen op haar heupen en die paardestaart liggend op een schouder, en zag er geen dag ouder uit dan eenentwintig in dat witte ochtendlicht. 'Zon om drie uur, Dolores!' zegt ze. 'Kijk of ik geen gelijk heb!'

Het buffet was om elf uur voorbij en ik en de meisjes hadden de keuken om twaalf uur voor onszelf, want de mensen van de catering waren vertrokken richting *Island Princess* om zich gereed te maken voor Fase Twee. Vera zelf vertrok tamelijk laat, rond kwart over twaalf, en reed de laatste drie of vier van haar gezelschap zelf naar de haven in de oude Ford Ranch Wagon die ze op het eiland hield. Ik zat met de afwas tot zo'n uur of een, zei toen tegen Gail Lavesque die min of meer mijn directe ondergeschikte was dat ik een beetje hoofdpijn had en wat last van mijn maag en dat ik, nu de meeste troep was opgeruimd, naar huis ging. Op weg naar buiten omhelsde Karen Jolander me en bedankte me. Ze huilde ook weer. Ik zweer bij de hemelse goedheid, alle jaren dat ik dat meisje heb gekend, bleef ze maar uit haar ogen lekken.

'Ik weet niet met wie je hebt gesproken, Karen,' zei ik, 'maar je hoeft me nergens voor te bedanken – ik heb er niets aan gedaan.'

'Niemand heeft me iets gezegd,' zegt ze, 'maar ik weet dat u het was, mevrouw St. George. Niemand anders durft die oude draak tegen te spreken.'

Ik gaf haar een kus op de wang en zei haar dat zij zich volgens mij nergens zorgen over hoefde te maken zolang ze geen borden meer liet vallen. Toen ging ik op weg naar huis.

Ik herinner me alles wat er gebeurde, Andy – àlles – maar vanaf het moment dat ik van Vera's oprit Center Drive opliep, is het als dingen herinneren die er zijn gebeurd in de helderste, meest echtlijkende droom die je ooit in je leven hebt gehad. Ik bleef maar denken: ik ga naar huis om mijn man te vermoorden, alsof ik het op dezelfde manier in mijn hoofd kon hameren als dat je een spijker in dat harde hout als teak of mahonie zou hameren, als ik het maar lang genoeg bleef doen. Maar terugkijkend, denk ik dat het al de tijd al in mijn hóófd zat. Het was mijn hàrt dat het niet begreep.

Hoewel het pas kwart over een was of zo toen ik naar het dorp liep en het begin van de eclips nog meer dan drie uur ver weg, waren de straten zo leeg dat het griezelig was. Het deed me denken aan dat stadje ergens in het zuiden van de staat waar ze zeggen dat niemand leeft. Toen keek ik omhoog naar het dak van The Harborside en dat was nog griezeliger. Er moeten daar al honderd mensen of meer zijn geweest, rondwandelend en de hemel afspeurend als boeren in de planttijd. Ik keek de heuvel af naar de haven en zag de *Princess* daar, de loopplank neer en het autodek vol mensen in plaats van auto's. Ze liepen rond met drankjes in hun handen en hielden een grote openlucht cocktailparty. De haven zelf was afgeladen met mensen, en er moeten vijfhonderd bootjes zijn geweest – in ieder geval meer dan ik er daar ooit heb gezien – die al in het kanaal voor anker lagen te wachten. En het leek wel alsof iedereen die je zag, of ze nu op het hoteldak waren of in de haven of op de *Princess*, een zonnebril droeg en een eclipskijker met berookt glas of een reflectiedoos vasthield. Niet ervoor en niet erna heeft het eiland zo'n dag gekend, en ook als ik niet van plan was geweest wat ik wèl van plan was, denk ik dat ik het gevoel van een droom zou hebben gehad.

De 'groentewinkel' was open, eclips of geen eclips – ik denk dat díe mafketel nog open is op de ochtend van de Apocalyps. Ik stopte daar, kocht een fles Johnnie Walker Red Label, liep toen East Lane af naar het huis. Als eerste gaf ik Joe de fles – maakte er geen omhaal over, liet hem gewoon in zijn schoot ploffen. Toen liep ik het huis in en pakte de zak die Vera me had gegeven, die met de eclipskijkers en de reflectiedozen erin. Toen ik weer buiten op de achterveranda kwam, hield hij de fles whisky omhoog zodat hij de kleur kon zien.

'Drink je hem of bewonder je hem alleen maar?' vroeg ik.

Hij werpt me een nogal wantrouwende blik toe en zegt: 'Wat ìs dit, verdomme, Dolores?'

'Het is een cadeautje om de eclips te vieren,' zei ik. 'Als je hem niet wilt hebben, kan ik hem wel in de gootsteen leeggieten.'

Ik deed alsof ik hem wilde grijpen, maar hij trok hem echt snel achteruit.

'Ik heb de laatste tijd een verrekte hoop cadeautjes van je gekregen,' zegt hij. 'We kunnen ons dit soort spul niet veroorloven, eclips of geen eclips.' Maar dat weerhield hem er niet van zijn zakmes te voorschijn te halen en het zegel door te snijden; het scheen hem zelfs niet af te remmen.

'Nou, om je de waarheid te zeggen, is het niet alleen de eclips,' zeg ik. 'Ik voel me gewoon zo lekker en opgelucht, dat ik iets van mijn geluk met je wilde delen. En aangezien ik heb gemerkt dat wat jóu gelukkig maakt voornamelijk uit een fles komt...'

Ik keek naar hem terwijl hij de dop eraf haalde en voor zichzelf een neut inschonk. Zijn hand trilde een beetje, en het speet me helemaal niet dat te zien. Hoe slechter hij eraan toe was, hoe beter mijn kansen zouden zijn.

'Wat heb jíj om je goed door te voelen?' vraagt hij. 'Heeft iemand een pil tegen lelijkheid uitgevonden?'

'Dat is behoorlijk gemeen om te zeggen tegen iemand die net voor jou een fles whisky heeft gekocht,' zei ik. 'Misschien móet ik hem echt terugnemen.' Ik stak mijn hand weer uit en hij trok hem weer terug.

'Had je gedacht,' zegt hij.

'Wees dan aardig,' zei ik tegen hem. 'Wat is er met al die dankbaarheid gebeurd die je geleerd moet hebben bij jouw A.A.?'

Hij liet dat passeren, bleef gewoon naar me kijken als een winkelier die er probeert achter te komen of dat tientje dat hij net heeft gekregen vals is of niet. 'Waarom voel jij je zo godverdommes goed?' vraagt hij weer. 'Het zijn de koters, hè? Dat ze weg zijn?'

'Nee, ik mis ze nu al,' zei ik en dat was ook zo.

'Ja, zoiets dacht ik al,' zegt hij en neemt een slok van zijn drankje. 'Dus wat is het?'

'Dat vertel ik je later,' zeg ik en begin overeind te komen.

Hij greep mijn arm en zei: 'Zeg het me nu, Dolores. Je weet dat ik het niet leuk vind als je zo bijdehand doet.'

Ik keek op hem neer en zeg: 'Je kunt me beter loslaten, of anders zou die dure fles bocht wel eens in scherven kunnen eindigen op je hoofd. Ik wil geen ruzie met je maken, Joe, vooral vandaag niet. Ik heb nog wat lekkere salami, wat emmentaler en wat crackers.'

'Crackers!' zegt hij. 'Jezus krimmeneel, vrouw!'

'Laat maar,' zeg ik. 'Ik ga een schaal met *hors d'oeuvres* voor ons maken die helemaal net zo mooi is als Vera's gasten op de pont krijgen.'

'Ik krijg de schijterij van dat soort opgedirkt eten,' zegt hij. 'Laat die horduiven maar zitten, en maak gewoon een sandwich voor me.'

'Goed,' stem ik in, 'doe ik.'

Toen keek hij in de richting van het kanaal – hij moest er waarschijnlijk aan denken omdat ik de pont had genoemd – met zijn onderlip naar voren gestoken op die lelijke manier van hem. Er lagen daar meer boten dan ooit en voor mij leek het alsof de hemel erboven iets lichter was geworden. 'Moet je hun zien,' zegt hij op die snierende toon van hem – de toon die zijn jongste zoon zo godvergeten hard probeerde na te doen. 'Gebeurt niks meer dan een donderkop die langs de zon trekt, en ze komen allemaal bijna klaar. Ik hoop dat het regent! Ik hoop dat het zo hard naar beneden komt dat die arrogante kut voor wie je werkt verzuipt en de rest ook!'

'Dat is mijn Joe,' zeg ik. 'Altijd opgewekt, altijd lief voor anderen.'

Hij keek naar mij om, terwijl hij die fles nog steeds tegen zijn borst gedrukt hield als een beer een stuk honingraat. 'Waar, in jézusnaam, bazel je over, vrouw?'

'Niets,' zeg ik. 'Ik ga naar binnen en maak het eten klaar – een sandwich voor jou en wat *hors d'oeuvres* voor mij. Dan gaan we zitten en we drinken wat en kijken naar de eclips – Vera heeft voor ons allebei een kijker en een reflectiedoos dinges meegegeven – en als het voorbij is, vertel ik je waarom ik me zo gelukkig voel. Het is een verrassing.'

'Ik hou niet van kloteverrassingen,' zegt hij.

'Dat weet ik,' zei ik tegen hem. 'Maar deze zal je prachtig vinden, Joe. Je raadt het nooit, in geen duizend jaar.' Toen liep ik de keuken in zodat hij echt aan de fles kon beginnen die ik voor hem bij de groenteman had gekocht. Ik wilde dat hij er van genoot – echt waar. Het was tenslotte de laatste drank die hij ooit zou drinken. Ook zou hij de A.A. niet meer nodig hebben om hem van het zuipen af te houden. Niet waar hij naartoe ging.

Dat was de langste middag van mijn leven, en ook de vreemdste. Hij zat daar op de veranda in zijn schommelstoel, de krant in een hand en een drankje in de andere, en zeurde door het open keukenraam tegen mij over iets wat de Democraten probeerden uit te halen in Augusta. Hij was het helemaal vergeten dat hij probeerde erachter te komen waardoor ik zo gelukkig was, en de eclips was hij ook vergeten. Ik was in de keuken, maakte een sandwich voor hem, neuriede een wijsje en dacht: Maak hem goed, Dolores –

doe er wat van die rode ui op die hij zo lekker vindt, en net voldoende mosterd om hem pittig te maken. Maak hem goed, want het is het laatste dat hij ooit zal eten.

Vanwaar ik stond kon ik langs de hele schuur kijken en de witte kei zien en de rand van de braamstruiken. De zakdoek die ik boven in een van de struiken had vastgebonden, hing er nog steeds; die zag ik ook. Hij bleef heen en weer knikken in de bries. En steeds als hij het deed, dacht ik aan dat sponsachtige putdeksel eronder.

Ik herinner me hoe de vogels die middag zongen en hoe ik op het kanaal mensen tegen elkaar hoorde gillen, hun stemmen allemaal dun en ver weg – ze klonken als stemmen op de radio. Ik kan me zelfs herinneren wat ik neuriede: 'Amazin Grace, how sweet the sound.' Ik bleef het neuriën terwijl ik mijn crackers met kaas maakte (ik wilde ze net zomin als een kip een medaille, maar ik wilde ook niet dat Joe zich ging afvragen waarom ik niet at).

Het moet zo ongeveer kwart over twee zijn geweest toen ik naar buiten liep, de veranda op, met het dienblad eten balancerend op een hand als een serveerster en de tas die Vera me had gegeven in de andere. De hemel was nog steeds betrokken, maar je kon zien dat het echt heel wat lichter was geworden.

Dat bleek een lekker tussendoortje. Joe was niet zo complimenteus, maar door de manier waarop hij zijn krant neerlegde en naar zijn sandwich keek terwijl hij at, zag ik dat hij hem lekker vond. Ik dacht aan iets wat ik in een boek had gelezen of in een film had gezien: 'De veroordeelde at met smaak een maaltijd.' Toen ik dat eenmaal in mijn hoofd had zitten, kon ik het, verdomme, niet meer kwijtraken.

Maar dat weerhield me er niet van om aan mijn eigen lekkers te beginnen, en toen ik eenmaal was begonnen, bleef ik dooreten tot al die kaascrackers op waren en ook dronk ik nog een hele fles Pepsi. Ik merkte dat ik me een paar keer zat af te vragen of de meeste beulen goede trek hebben op de dagen dat zij hun werk moeten doen. Het is grappig waar de gedachten van iemand naartoe gaan als die zich zit op te peppen om iets te doen, vind je niet? Net toen we klaar waren, brak de zon door de wolken heen. Ik dacht aan wat Vera die ochtend tegen me had gezegd, keek op mijn horloge, en glimlachte. Het was klokslag drie uur. Ongeveer op die tijd reed Dave Pelletier – hij bracht toentertijd de post rond op het eiland – alsof de duivel hem op de hielen zat terug naar de stad, en trok een lange hanestaart van stof achter zich aan. Ik zag geen andere auto op East Lane tot lang na donker.

Ik hurkte neer om de borden en mijn lege flesje op het blad te zetten, en voor ik op kon staan, deed Joe iets wat hij in jaren niet had gedaan: hij legde een van zijn handen in mijn hals en gaf me een kus. Ik heb betere gehad, zijn adem was een en al drank, ui en salami en hij had zich niet geschoren, maar het bleef toch een kus, en er zat niets gemeens of lulligs of zeikerigs aan. Het was gewoon een lieve kus en ik kon me niet meer de laatste keer herinneren dat hij me er een had gegeven. Ik sloot mijn ogen en liet het gebeuren. Ik herinner me dat – ik sloot mijn ogen en voelde zijn lippen op die van mij en voelde de zon op mijn voorhoofd. De een was net zo warm en lief als de andere.

'Dat was niet half zo slecht, Dolores,' zei hij – hoogst complimenteus voor iemand als hij.

Daar kreeg ik een moment dat ik een beetje wankelde – ik ga hier niet anders zitten vertellen. Het was een moment dat ik niet Joe zag die zijn handen over Selena liet gaan, maar zoals zijn voorhoofd er destijds in 1945 uit had gezien in de studiezaal – hoe ik ernaar keek en wilde dat hij me kuste net zoals hij me nu kuste, en hoe ik dacht: Als hij me kust, steek ik mijn hand omhoog en raak de huid van zijn voorhoofd aan... om te zien of het net zo glad is als het eruitziet.

Toen stak ik mijn hand uit en raakte het aan, net zoals ik het al die jaren ervoor had gedroomd te doen, toen ik nog maar een onschuldig meisje was, en het moment dat ik het deed, ging dat inwendige oog wijder open dan ooit. Wat het zag, was hoe hij door zou gaan als ik hem de kans gaf – niet alleen zou hij van Selena krijgen wat hij wilde hebben, of het geld uitgeven dat hij van de bankrekeningen van zijn kinderen had geroofd, maar hij zou hun blijven bewèrken; Joe Junior kleineren òm zijn goede cijfers en zijn liefde voor geschiedenis; Little Pete schouderkloppen geven elke keer dat Pete iemand een smous noemde of zei dat een van zijn klasgenoten zo lui als een nikker was; hij zou hen bewerken; altijd blijven bewerken. Hij zou doorgaan tot er niets meer van ze over was, als ik hem de kans gaf, en uiteindelijk als hij stierf zou hij ons met niets anders achterlaten dan rekeningen en een gat om hem in te begraven.

Nou, ik had een gat voor hem, een van negen meter diep in plaats van één tachtig, en met allemaal keien tegen de wanden in plaats van zand. Reken maar dat ik een gat voor hem had, en een kus na drie jaar of misschien zelfs vijf zou er niets aan veranderen. Ook niet het aanraken van zijn voorhoofd, wat veel meer de oorzaak van al mijn problemen was geweest dan zijn lullige dingetje ooit... maar toch raakte ik het weer aan; ging er met een vinger overheen en dacht eraan hoe hij me gekust had op de patio van The Samoset Inn terwijl de band binnen 'Moonlight Cocktail' speelde, en hoe ik al die tijd zijn vaders after-shave op zijn wangen had geroken.

Toen verhardde ik mijn hart.

'Daar ben ik blij om,' zei ik en pakte het blad weer op. 'Waarom kijk je niet wat je kunt doen met die kijkers en de reflectiedozen, terwijl ik deze paar borden afwas?'

'Wat die rijke kut je heeft gegeven, kan me geen klote schelen,' zegt hij, 'en die godvergeten eclips kan me ook geen klote schelen. Ik heb het vaker donker zien worden. Het gebeurt godverdomme elke nacht.'

'Goed,' zeg ik. 'Zoek het dan maar uit.'

Ik haalde net de deur en hij zegt: 'Misschien dat jij en ik straks wat kunnen gaan rollebollen. Wat vind je daarvan, Dee?'

'Misschien,' zeg ik, terwijl ik eraan denk dat er zat te rollebollen ging komen, inderdaad. Voor het voor de tweede keer die dag donker zou worden, zou Joe St. George meer gerollebold hebben dan hij ooit had kunnen dromen.

Ik bleef hem in de gaten houden terwijl ik bij de gootsteen onze paar borden stond af te wassen. Hij had jarenlang in bed alleen maar geslapen, gesnurkt en winden gelaten, en ik denk dat hij net zo goed als ik wist dat de drank er net zoveel mee te maken had als mijn lelijke gezicht... waarschijnlijk meer. Ik was bang dat het idee dat hij straks misschien een wip ging maken ervoor zou zorgen dat hij de dop terug op de fles Johnnie Walker zou schroeven, maar die pech had ik niet. Voor Joe was neuken (verexcuseer mijn taal, Nancy) gewoon een opwelling, net zoals die kus was geweest. De fles was een stuk echter voor hem. De fles was precies daar waar hij hem aan kon raken. Hij had een van de eclipskijkers uit de zak gehaald en hield hem bij het handvat vast, draaide hem de ene en andere kant op, keek er loensend doorheen naar de zon. Hij deed me denken aan iets wat ik een keer op de tv had gezien – een chimpansee die probeerde een radiostation te pakken te krijgen. Toen legde hij hem neer en schonk zichzelf weer een whisky in.

Toen ik terugkwam op de veranda met mijn verstelmand, zag ik dat hij al dat uilige, rood-om-de-ogen-uiterlijk had gekregen dat hij had als hij onderweg was van een beetje aangeschoten naar zwaar beschonken. Toch keek hij me behoorlijk scherp aan, ongetwijfeld zichzelf afvragend of ik niet tegen hem zou zeuren.

'Let maar niet op mij,' zeg ik, zo zoet als marsepein. 'Ik ga hier gewoon wat verstelwerk zitten doen en wacht tot de eclips begint. Het is leuk dat de zon te voorschijn is gekomen, vind je niet?'

'Jezus, Dolores, je doet alsof dit mijn verjaardag is,' zegt hij. Zijn stem begon al dik en wollig te klinken.

'Nou – misschien zoiets,' zeg ik en begin een scheur dicht te naaien in Little Pete's spijkerbroek.

Het volgende anderhalf uur ging langzamer voorbij dan welke tijd ook sinds ik een klein meisje was en mijn tante Cloris had beloofd me op te halen voor mijn eerste film in Ellsworth. Ik kreeg Little Pete's spijkerbroek klaar, naaide stukken op twee kakibroeken van Joe Junior (zelfs toen wilde die jongen absoluut geen spijkerbroeken dragen – ik denk dat hij voor een deel al had besloten dat hij als hij groot was politicus zou worden) en zoomde twee rokken van Selena. Het laatste dat ik naaide was een nieuwe gulp in een van Joe's twee of drie nette pantalons. Ze waren oud, maar niet helemaal afgedragen. Ik herinner me dat ik eraan dacht dat hij er heel goed in begraven kon worden.

Toen, net toen ik dacht dat het nooit zou gebeuren, merkte ik dat het licht op mijn handen een beetje vager leek.

'Dolores?' zegt Joe. 'Ik denk dat het dit is waar jij en al die andere idioten op hebben zitten te wachten.'

'Zekers,' zeg ik. 'Denk het.' Het licht in de tuin was van dat harde namiddaggeel dat het in juli heeft naar een soort van gedempt roze gegaan, en de schaduw van het huis die over de oprit lag had een grappig dùn soort van uiterlijk gekregen dat ik nooit eerder had gezien en later ook nooit meer zou zien.

Ik pakte een van de reflectiedozen uit de zak, hield die vast zoals Vera me de afgelopen week of zo een keer of honderd voor had gedaan, en kreeg toen een hele rare gedachte: Dat kleine meisje doet dit ook, dacht ik. Dat meisje dat nu bij haar vader op schoot zit. Ze doet precies hetzelfde.

Ik wist toen niet wat die gedachte betekende, Andy, en ik weet het nu ook nog niet echt, maar ik vertel het je toch – omdat ik besloten heb jullie alles te vertellen, en omdat ik later weer aan haar dacht. Behalve dat ik die paar ogenblikken daarna niet aan haar dàcht, maar ik haar zàg, zoals je mensen in dromen ziet, of zoals volgens mij de profeten uit het Oude Testament dingen gezien moeten hebben in hun visioenen: een klein meisje, misschien tien jaar oud, met haar eigen reflectiedoos in haar handen. Ze droeg een kort jurkje met rode en gele strepen – een soort van zonnejurk met bandjes in plaats van mouwen, weet je – en lippenstift in de kleur van pepermuntsnoepjes. Ze had blond haar en dat was van achteren opgestoken, alsof ze er ouder uit wilde zien dan ze echt was. Ik zag ook nog iets anders, iets dat me aan Joe deed denken: haar vaders hand lag op haar been, helemaal bovenaan. Misschien wel hoger dan hoorde. Toen was het weg.

'Dolores?' vroeg Joe. 'Is er iets?'

'Wat bedoel je?' vroeg ik terug. 'Natuurlijk niet.'

'Je zag er even raar uit.'

'Het is gewoon de eclips,' zeg ik en ik denk echt dat dat het was, Andy, maar ik denk ook dat dat meisje, dat ik toen zag en later weer, een ècht meisje was, en dat ze met haar vader ergens anders in de baan van de eclips zat op hetzelfde moment dat ik op de achterveranda zat samen met Joe.

Ik keek neer in de doos en zag een wit zonnetje, zo helder dat het leek alsof ik naar een brandend kwartje keek, met een donkere curve aan een kant erin gebeten. Ik keek er een tijdje naar, toen naar Joe. Hij hield een van de kijkers op en tuurde erin.

'Godverdomme,' zegt hij. 'Hij verdwijnt inderdaad.'

Op dat moment begonnen de krekels in het gras te zingen; ik denk dat ze besloten hadden dat de zonsondergang die dag vroeg kwam en dat het tijd voor hen was aan de gang te gaan. Ik keek uit over het kanaal naar alle boten, en zag dat het water waar ze op dreven nu een donkerder soort blauw leek – er was iets aan ze dat zowel griezelig als wondermooi was. Mijn gedachten bleven proberen te geloven dat al die boten die daar lagen onder die grappige donkere zomerlucht gewoon een hallucinatie waren.

Ik keek even op mijn horloge en zag dat het tegen tien voor vijf liep. Dat betekende dat iedereen op het eiland voor het komende uur aan niets anders zou denken en naar niets anders zou kijken. East Lane was totaal verlaten, onze buren waren òf op de *Island Princess* òf op het hoteldak en als ik echt van plan was een eind aan hem te maken, was het nu tijd. Mijn darmen voelden aan alsof ze helemaal in elkaar gedraaid zaten tot een grote veer en ik kon wat ik had gezien – het kleine meisje dat bij haar vader op schoot zat – niet helemaal uit mijn gedachten bannen, maar ik kon me door geen van die twee dingen laten tegenhouden of afleiden – nog voor geen moment. Ik wist dat als ik het dan niet deed, het nooit zou doen.

Ik legde de reflectiedoos neer naast mijn verstelwerk en zei: 'Joe.'

'Wat?' vroeg hij me. Hij had de eclips eerder afgezeken, maar nu hij echt was begonnen, scheen hij er zijn ogen niet van af te kunnen halen. Hij hield zijn hoofd schuin naar achteren en de eclipskijker waar hij doorheen keek, wierp een van die grappige, vaag geworden schaduwen op zijn gezicht.

'Het is tijd voor de verrassing,' zei ik.

'Welke verrassing?' vroeg hij en toen hij de eclipskijker liet zakken – wat gewoon niets anders was dan die dubbele laag van speciaal gepolariseerd glas in een montuur, om me aan te kijken, zag ik dat het toch geen fascinatie voor de eclips was, of niet helemaal. Hij was halverwege strontlazarus te worden en al zo dronken dat ik een beetje bang werd. Als hij niet begreep wat ik zei, was mijn plan naar de klote voor ik zelfs maar begonnen was. En wat moest ik dan? Ik wist het niet. Het enige wat ik wèl wist, joeg me de stuipen op het lijf: ik kon niet meer terug. Ongeacht hoe verkeerd dingen gingen of wat er later gebeurde, ik kon niet meer terug.

Toen stak hij een hand uit, greep me bij de schouder en schudde me door elkaar. 'Waar heb je het in godsnaam over, vrouw?' zegt hij.

'Weet je het geld op de spaarrekeningen van de kinderen?' vraag ik hem.

Zijn ogen versmalden iets en ik zag dat hij op geen stukken na zo dronken was als ik eerst had gedacht. Ik begreep ook nog iets anders – dat een kus niets veranderde. Iedereen kan immers een kus geven; het was een kus waarmee Judas Iscarioth de Romeinen liet zien wie Jezus was.

'Wat is daarmee?' zegt hij.

'Jij hebt het gepakt.'

'Om de dooie dood niet.'

'O ja,' zeg ik. 'Nadat ik erachter ben gekomen dat je aan het donderjagen was met Selena, ging ik naar de bank. Ik was van plan het geld op te nemen, dan de kinderen te halen en met ze van jou weg te gaan.'

Zijn mond viel open en even keek hij me alleen maar gapend aan. Toen begon hij te lachen – leunde gewoon achterover in zijn schommelstoel en liet het komen terwijl de dag om hem heen almaar donkerder werd. 'Nou, ben jij even voor de gek gehouden,' zegt hij. Toen schonk hij nog wat whisky in en keek weer door de eclipskijker naar de lucht. Deze keer kon ik nauwelijks de schaduw op zijn gezicht zien. 'Halfweg, Dolores,' zegt hij. 'Hij is nu halfweg, misschien iets meer!'

Ik keek neer in mijn reflectiedoos en zag dat hij gelijk had, slechts de helft van dat kwartje was er nog over en al die tijd ging er steeds meer af. 'Zekers,' zeg ik. 'Halfweg, dat is zo. Wat het geld betreft, Joe...'

'Laat zitten,' zei hij tegen mij. 'Vermoei je scherpe hoofdje er niet mee. Dat geld is gewoon prima.'

'O, daar maak ik me geen zorgen over,' zeg ik. 'Helemaal niet. Maar de manier waarop je me voor de gek hebt gehouden – dat drukt op me.'

Hij knikte, een soortement van ernstig en peinzend, alsof hij me wilde laten zien dat hij het begreep en zelfs meeleefde, maar hij kon die uitdrukking niet vasthouden. Al gauw barstte hij weer in lachen uit, als een kind dat berispt wordt door een leraar voor wie het helemaal niet bang is. Hij lachte zo hard dat hij een zilveren wolk van spuug in de lucht voor zijn mond sproeide.

'Het spijt me, Dolores,' zegt hij toen hij weer kon praten. 'Ik wilde niet lachen, maar ik wàs je te vlug af, niet?'

'O, zekers,' stemde ik in. Het was immers niets dan de waarheid.

'Hield je goed en degelijk voor de gek,' zegt hij, terwijl hij lachte en zijn hoofd schudde op de manier die je doet als iemand je een echte dijenkletser vertelt.

'Zekers,' stemde ik met hem in, 'maar je weet wat ze zeggen?'

'Nee,' zegt hij. Hij liet de eclipskijker in zijn schoot vallen en draaide zich om om me aan te kijken. Hij had zo hard gelachen dat er tranen in zijn bloeddoorlopen varkensoogjes stonden. 'Jij bent degene die voor elke gelegenheid een gezegde heeft, Dolores. Wat zèggen ze over echtgenoten die uiteindelijk hun bemoeizuchtige bazige vrouwen eens goed te pakken nemen?'

'Hou me één keer voor de gek, en jij moet je schamen, hou me twee keer voor de gek, en ik moet me schamen,' zeg ik. 'Jij hield me voor de gek met Selena, en toen hield je me voor de gek met het geld, maar ik denk dat ik uiteindelijk gelijk sta.'

'Nou, misschien wel en misschien ook niet,' zegt hij, 'maar als je je zorgen maakt over dat het uitgegeven is, kun je er gewoon mee ophouden, want...'

Ik onderbrak hem daar. 'Ik máák me geen zorgen,' zeg ik. 'Dat heb ik je al gezegd. Ik maak me helemáál geen zorgen.'

Toen schonk hij me een harde blik, terwijl zijn lach beetje voor beetje opdroogde. 'Jij hebt die bijdehante uitdrukking weer op je gezicht,' zegt hij, 'die uitdrukking die ik niet zo leuk vind.'

'De ballen voor je,' zeg ik.

Hij keek me lange tijd aan, en probeerde uit te vinden wat er in mijn hoofd gaande was, maar ik denk dat het voor hem een even groot mysterie was als altijd. Hij stak zijn lip weer naar voren en zuchtte zo hard dat hij de haarlok die over zijn voorhoofd was gevallen naar achteren blies.

'De meeste vrouwen begrijpen de eerste beginselen van geld nog niet, Dolores,' zegt hij, 'en jij bent geen uitzondering op de regel. Ik heb alles samengebracht op een rekening, dat is alles... zodat ik meer rente trek. Ik heb het je niet verteld omdat ik niet wilde luisteren naar al dat stompzinnige gelul van je. Nou, ik heb er dus toch een beetje naar moeten luisteren, zoals ik bijna altijd moet, maar genoeg is genoeg.' Toen bracht hij de eclipskijker weer omhoog om me aan te geven dat het onderwerp gesloten was.

'Een rekening op jouw eigen naam,' zeg ik.

'Nou en?' vroeg hij. Tegen die tijd leek het alsof we in een diepe schemering zaten, en de bomen waren gaan vervagen tegen de horizon. Ik hoorde een whippoorwill achter het huis zingen en ergens anders een nachtzwaluw. Het leek alsof de temperatuur ook was gaan zakken. Het gaf me allemaal een heel vreemd gevoel... als leven in een droom die op een bepaalde manier echt was geworden. 'Waarom zou die níet op mijn naam staan? Ik ben hun vader, toch?'

'Nou, je bloed is in hun. Als dat jou tot vader maakt, denk ik van wel.'

Ik kon zien dat hij probeerde erachter te komen of dat een opmerking was die de moeite waard was om op te reageren of niet en besloot dat het niet zo was. 'Jij moet er verder over ophouden, Dolores,' zegt hij. 'Ik waarschuw je.'

'Nou, misschien nog een kléin beetje,' zeg ik terug, glimlachend. 'Je bent alles over de verrassing vergeten, begrijp je.'

Hij keek me aan, weer wantrouwend.

'Waar zit je godverdomme over te keutelen, Dolores?'

'Nou, ik ben die man die het hoofd is van de afdeling spaarrekeningen van de Coastal Northern in Jonesport gaan opzoeken,' zeg ik. 'Een aardige man die meneer Pease heet. Ik legde hem uit wat er was gebeurd en hij was vreselijk ontdaan. Vooral toen ik hem liet zien dat de oorspronkelijke spaarbankboekjes helemaal niet kwijt waren, zoals jij hem had verteld.'

En op dat moment raakte Joe dat beetje interesse, dat hij voor de eclips had, kwijt. Hij zat daar gewoon in die bescheten oude schommelstoel van hem en staarde me met wijdopen ogen aan. Er lag onweer op zijn voorhoofd en zijn lippen waren stevig samengeknepen tot een dunne witte lijn, als een litteken. Hij had de eclipskijker weer in zijn schoot laten vallen en zijn handen gingen, heel langzaam, open en dicht.

'Het bleek dat jij dat niet had mogen doen,' zei ik tegen hem. 'Meneer Pease keek na of het geld nog steeds op de bank was. Toen hij erachter kwam dat dat zo was, slaakten we allebei een grote zucht van opluchting. Hij vroeg me of ik wilde dat hij de politie belde om hun te vertellen wat er was gebeurd. Ik kon aan zijn gezicht zien dat hij als de kolere hoopte dat ik nee zou zeggen. Ik vroeg of hij mij dat geld kon geven. Hij keek het na in een boek en zei dat dat kon. Dus ik zei "dat doen we dus". En hij deed het.

Dus daarom maak ik me geen zorgen meer over het geld van de kinderen, Joe – ik heb het nu in plaats van jij. Is dat geen moord-verrassing?'

'Je liegt!' schreeuwde Joe tegen me en stond zo snel op dat zijn schommelstoel bijna omkieperde. De eclipskijker viel van zijn schoot en brak in stukken toen die de vloer van de veranda raak-te. Ik wou dat ik een foto had van hoe hij er op dat moment uit-zag. Ik had het inderdaad in zijn strot geduwd – en het ging er he-lemaal tot het eind in. De uitdrukking op het gezicht van die gore klootzak was nagenoeg alles waard waar ik doorheen was gegaan sinds de dag met Selena op de veerboot. 'Dat kunnen ze niet doen!' gilt hij. 'Jij kunt geen cent van dat klotegeld aanraken, je kunt zelfs niet naar het klotespaarbankboekje kijken...'

'O nee?' zeg ik. 'Hoe komt het dan dat ik weet dat je al driehon-derd hebt uitgegeven? Ik ben blij dat het niet meer was, maar het maakt me nog steeds zo kwaad als de kolere elke keer dat ik eraan denk. Jij bent gewoon een dief, Joe St. George – en nog wel zo'n minne dief dat hij zelfs van zijn eigen kinderen steelt.'

In de duisternis was zijn gezicht zo wit als van een lijk. Alleen zijn ogen leefden en die brandden vol haat. Zijn handen hield hij voor zich uitgestoken, terwijl ze open- en dichtgingen. Ik keek even naar beneden en zag de zon – minder dan half toen, net een dikke maansikkel – die ontelbare keren werd weerkaatst in de gebroken stukjes berookt glas die rond zijn voeten lagen. Toen keek ik weer naar hem. Het zou geen goed doen mijn ogen lang van hem af te houden, niet in de stemming waarin hij was.

'Waar gaf je die driehonderd aan uit, Joe? Hoeren? Poker? Iets aan allebei? Ik weet dat het geen andere roestbak was, omdat er geen nieuwe achter staat.'

Hij zei niets, stond daar alleen maar met zijn handen die open- en dichtgingen, en achter hem zag ik de eerste vuurvliegjes hun licht in de voortuin prikken. Tegen die tijd waren de boten in het ka-naal nog maar schimmen en ik dacht aan Vera. Ik stelde me voor dat als zij niet al in de zevende hemel was, ze waarschijnlijk toch al in het voorportaal moest staan. Niet dat ik niet wat anders te doen had dan aan Vera te denken; ik moest met mijn gedachten bij Joe blijven. Ik wilde hem in beweging krijgen, en oordeelde dat nog één goeie zet het zou doen.

'Ik denk dat het me trouwens niks uitmaakt waaraan je het hebt uitgegeven,' zeg ik. 'Ik heb de rest en dat is goed genoeg voor me. Je kunt wat mij betreft verder met je pik gaan spelen... dat wil zeggen als je die ouwe slappe sliert nog overeind krijgt.'

Hij struikelde over de veranda, terwijl hij de stukjes van de eclipskijker onder zijn schoenen versplinterde en greep me bij de armen. Ik had van hem weg kunnen komen, maar dat wilde ik niet. Niet op dat moment.

'Jij moet je brutale bek houden,' fluisterde hij, terwijl hij walmen whisky in mijn gezicht blies. 'Als jij het niet doet, doe ik het.'

'Meneer Pease wilde dat ik het geld weer op de bank zette, maar dat wilde ik niet... Ik dacht dat als jij in staat was het van de rekeningen van de kinderen te krijgen, je misschien ook een manier zou vinden het van die van mij af te krijgen. Toen wilde hij me een cheque geven, maar ik was bang dat als jij erachter kwam waar ik mee bezig was voordat ik wìlde dat je erachter kwam, je met betalen erop zou stoppen. Dus ik zei meneer Pease het mij contant te geven. Hij vond het niet prettig, maar uiteindelijk deed hij het. En nu heb ik het, elke cent en ik heb het op een plaats gelegd waar het veilig is.'

Toen greep hij me bij de keel. Ik was er behoorlijk zeker van dat hij dat zou doen, en ik was bang, maar ik wilde het ook – hij zou het laatste wat ik te zeggen had des te meer geloven als ik het uiteindelijk zei. Maar zelfs dat was niet het belangrijkste. Dat hij me zo bij de keel greep deed het op de een of andere manier meer op zelfverdediging lijken – dàt was het belangrijkste. En het wàs zelfverdediging, ongeacht wat de wet erover mocht zeggen; ik weet het, omdat ik daar was en de wet niet. Uiteindelijk heb ik mezelf verdedigd en verdedigde ik mijn kinderen.

Hij kneep mijn adem af en gillend schudde hij me heen en weer. Ik herinner me er niet alles van. Ik denk dat hij mijn hoofd een paar keer tegen een van de verandapalen moet hebben geslagen. Ik was een godvergeten kreng, zei hij, hij zou me vermoorden als ik dat geld niet teruggaf, dat geld was van hem – dat soort dwaasheid. Ik begon bang te worden dat hij me ècht zou vermoorden voor ik hem kon vertellen wat hij wilde horen. De tuin was een stuk donkerder geworden en scheen vòl van die kleine priklichtjes alsof de honderd of tweehonderd vuurvliegjes die ik eerder had gezien gezelschap hadden gekregen van nog eens tienduizend of zo. En zijn stem klonk zo ver weg, dat ik dacht dat het allemaal ergens fout was gelopen – dat ik in de put was gevallen in plaats van hij.

Ten slotte liet hij me los. Ik probeerde te blijven staan maar mijn benen wilden me niet dragen. Ik probeerde terug te vallen op de stoel waarop ik had gezeten, maar hij rukte me er te ver van weg en mijn kont scheerde langs de rand van de zitting toen ik viel. Ik belandde op de vloer van de veranda naast de glasscherven, alles wat er nog over was van zijn eclipskijker. Er lag een groot stuk, met de halvemaanvormige zon die erin blonk als een juweel. Ik begon mijn hand ernaar uit te strekken, hield toen op. Ik zou hem geen jaap geven, zelfs niet als hij me de kans gaf. Ik kòn hem geen jaap geven. Zo'n snee – een glaswond – zou er later misschien niet juist uitzien. Dus je ziet hoe ik dacht... tijdens het hele gebeuren is er weinig twijfel over of het voorbedachten rade was of niet, hè, Andy? In plaats van het glas, greep ik mijn reflectiedoos beet, die van behoorlijk zwaar hout was gemaakt. Ik zou kunnen zeggen dat ik eraan dacht dat die voldeed om zijn hersens mee in te slaan als het erop aankwam, maar dat is niet waar. Op dat moment dacht ik helemaal niet veel.

Maar ik hoestte – hoestte zo hevig dat het een wonder scheen dat ik niet ook bloed sproeide naast spuug. Mijn keel voelde alsof die in brand stond.

Hij trok me zo hard weer overeind dat een van de bandjes van mijn onderjurk brak, kreeg toen mijn nek in de kromming van zijn arm en rukte me naar zich toe tot we dicht genoeg bij elkaar waren om te kussen – niet dat hij nog in een kusstemming was.

'Ik zei je wat er zou gebeuren als je niet ophield zo bijdehand tegen me te zijn,' zegt hij. Zijn ogen stonden helemaal vochtig en raar, alsof hij gehuild had, maar wat me zo beangstigde van ze was hoe ze dwars door me heen schenen te kijken, alsof ik er voor hem niet meer echt was. 'Ik heb het je duizend keer verteld. Geloof je me nu, Dolores?'

'Ja,' zei ik. Hij had mijn keel zo'n pijn gedaan dat ik klonk alsof ik met een mondvol modder praatte. 'Ja, ik geloof je.'

'Zeg het nog eens,' zegt hij. Hij had mijn nek nog steeds vast in de kromming van zijn elleboog en hij drukte nu zo hard dat hij een van de zenuwen daar raakte. Ik gilde het uit. Ik kon er niets aan

158

doen; het deed vreselijk zeer. Hij moest erom grijnzen. 'Zeg het alsof je het meent,' zei hij tegen me.

'Ik gelóóf je!' gilde ik. 'Ik geloof je ècht!' Ik was van plan geweest doodsbang te spelen, maar Joe bespaarde me de moeite. Ik hoefde die dag uiteindelijk niet te acteren.

'Goed,' zegt hij. 'Ik ben blij dat te horen. Vertel me nu waar het geld is en laat elke rooie cent daar zijn.'

'Het is achter de houtschuur,' zeg ik. Ik klonk niet meer alsof ik met een mondvol modder praatte, maar meer als Groucho Marx in *You Bet Your Life*. Wat min of meer de situatie beschreef, als je begrijpt wat ik bedoel. Toen vertelde ik hem dat ik het geld in een pot had gedaan en die in de braambossen had verstopt.

'Echt een vrouw,' sniert hij en geeft me dan een duw richting verandatrap. 'Nou, schiet op. Laten we het gaan halen.'

Ik liep de trap af en langs de zijkant van het huis met Joe direct achter me. Tegen die tijd was het bijna zo donker als de nacht en toen we bij de schuur kwamen, zag ik iets dat zo vreemd was dat het me voor een paar ogenblikken al het andere deed vergeten. Ik bleef staan en wees naar de lucht boven de wirwar van braamstruiken. 'Kijk, Joe,' zeg ik. 'Sterren!'

En die waren er – ik kon de Grote Beer net zo zien als op een winterse nacht. Ik kreeg er kippevel over mijn hele lichaam van, maar Joe zei het niets. Hij gaf me zo'n harde duw dat ik bijna viel. 'Sterren?' zegt hij. 'Jij gaat er een helebóel zien als je niet ophoudt met treuzelen, vrouw – dat garandeer ik je.'

Ik begon weer te lopen. Onze schaduwen waren volledig verdwenen, en de grote witte kei waar ik en Selena die avond het jaar ervoor op hadden gezeten stak even helder af als een schijnwerper, zoals ik heb gemerkt dat die doet bij volle maan. Het licht was niet als maanlicht, Andy – ik kan niet beschrijven wáár het op leek, hoe duister en vreemd het was – maar het moet voldoende zijn. Ik weet dat de afstand tussen dingen moeilijk te schatten was geworden, zoals gebeurt in maanlicht, en dat je geen afzonderlijke braamstruik meer kon zien – ze waren allemaal gewoon een grote veeg met vuurvliegjes ervoor die heen en weer dansten.

Vera had me steeds maar weer verteld dat het gevaarlijk was om recht in de eclips te kijken; ze zei dat die je netvlies kon verbranden of je zelfs blind kon maken. Toch kon ik er net zomin weerstand aan bieden om mijn hoofd om te draaien en een snelle blik achterom te werpen over mijn schouder als Lots vrouw weerstand had kunnen bieden aan een laatste blik achterom naar de stad Sodom. Wat ik zag is sindsdien in mijn geheugen gebleven. Weken, soms hele maanden, gaan voorbij zonder dat ik aan Joe denk, maar nauwelijks een dag dat ik niet denk aan wat ik die middag zag toen ik over mijn schouder omhoog naar de lucht keek. Lots vrouw was in een zoutpilaar veranderd omdat ze haar ogen niet voor zich kon houden en haar gedachten niet bij haar zaken, en soms heb ik gedacht dat het een wonder is dat ik niet dezelfde prijs heb hoeven betalen.

De eclips was nog niet volledig, maar in de buurt. De lucht zelf was van een diep koninklijk paars, en wat ik erin zag hangen boven het kanaal zag eruit als een grote zwarte pupil met een gazige voile van vuur die zich er bijna helemaal omheen uitspreidde. Aan een kant was er nog steeds een dunne halve maan van zon over, als druppels goud in een smeltoven. Ik had wel wat anders te doen dan naar zo'n schouwspel te kijken, en ik wist het, maar toen ik het eenmaal deed, leek het wel alsof ik nergens anders naar kon kijken. Het was als... nou, jullie kunnen lachen, maar ik zeg het toch. Het was alsof dat inwendige oog op de een of andere manier van me los was gekomen en omhoog was gedreven, de hemel in, en nu neerkeek om te zien wat ik ervan ging maken. Maar het was zoveel groter dan ik me ooit had voorgesteld! Zoveel zwàrter!

Ik zou er waarschijnlijk naar zijn blijven kijken tot ik stekeblind was geworden, als Joe me niet weer een schuiverd had gegeven waardoor ik tegen de wand van de schuur dreunde. Dat maakte me min of meer wakker en ik begon weer te lopen. Er hing een enorme, grote blauwe vlek voor m'n ogen, zo een als je krijgt wanneer iemand een flitsfoto van je neemt, en ik dacht: Als je je netvlies hebt verbrand en je moet voor de rest van je leven daar naar kijken, Dolores, dan is het je eigen schuld – het zou hetzelfde zijn als het teken dat Kaïn moest dragen.

We liepen langs de witte kei. Joe was direct achter me en hij hield me aan de hals van mijn jurk vast. Ik voelde mijn onderjurk aan de kant waar het bandje was gebroken naar beneden zakken. Dat, met de duisternis en die grote blauwe vlek die voor me hing in het midden van alles, maakte dat alles verward en onbestemd leek.

Het uiteinde van de schuur was alleen maar een donkere vorm, alsof iemand een schaar had gepakt en een gat in de vorm van een dak in de lucht had geknipt.

Hij duwde me naar de rand van het braamveld, en toen de eerste doorns in mijn kuit prikten, bedacht ik me dat ik deze keer was vergeten mijn spijkerbroek aan te trekken. Daardoor vroeg ik me af wat ik misschien nog meer was vergeten, maar natuurlijk was het op dat moment te laat om er nog iets aan te veranderen. Ik kon dat lapje stof zien wapperen in het laatste licht en ik had net voldoende tijd om te bedenken dat het putdeksel daaronder was. Toen rukte ik me los uit zijn vuist en dook de bramenstruiken in, alsof de duivel me op de hielen zat.

'*Nee, dat doe je niet, kreng!*' brulde hij naar me, en ik hoorde de takken van de struiken breken toen hij achter me aan denderde. Ik voelde zijn hand weer naar de hals van mijn jurk grijpen en even had hij vast. Ik rukte me los en bleef voortgaan. Het was moeilijk om te rennen omdat mijn onderjurk afzakte en aan de braambosjes bleef haken. Uiteindelijk rukten ze er een enorme lange flard van los en pakten ook behoorlijk wat vlees van mijn been. Ik bloedde van mijn knieën tot aan mijn enkels, maar ik merkte het pas toen ik weer terug was in huis en dat was een hele tijd later.

'*Kom hier!*' loeide hij en deze keer voelde ik zijn hand op mijn arm. Ik trok me los en dus greep hij naar mijn onderjurk die op dat moment achter me aan dreef als een bruidssleep. Als die onderjurk had gehouden, had hij me binnen kunnen halen als een grote vis, maar hij was oud en versleten door twee- of driehonderd keer wassen. Ik voelde de reep, die hij te pakken had gekregen, losscheuren en hoorde hem vloeken, een soortement van hoog en buiten adem. Ik hoorde het geluid van de brekende takken, het zwiepen en fluiten in de lucht, maar ik kon nauwelijks iets zien; toen we eenmaal in de braambossen waren, was het er donkerder dan donker en uiteindelijk was dat zakdoekje dat ik had vastgebonden van geen enkele hulp. Maar ik zag de rand van het putdeksel – niet meer dan een glinstering van wit in de duisternis net voor me – en ik sprong met al mijn kracht. Ik kwam er net overheen en omdat ik niet naar hem keek, zag ik hem niet echt erop stappen. Er volgde een enorm *krrr-aaak!* geluid, en toen schreeuwde hij –

Nee, dat is niet juist.

Hij schrééuwde niet, en ik denk dat jullie dat net zo goed weten als ik. Hij gilde als een konijn dat met zijn poot in een strik terechtkomt. Ik draaide me om en zag een groot gat middenin het deksel. Joe's hoofd stak eruit en hij hield zich uit alle macht aan een van die gebarsten planken vast. Zijn handen bloedden en een dun spoortje bloed liep van zijn mondhoek langs zijn kin. Zijn ogen hadden het formaat van deurknoppen.

'O, Jezus, Dolores,' zegt hij. 'Het is de oude put. Help me er snel uit, voordat ik er helemaal inval.'

Ik bleef daar gewoon staan en na een paar seconden veranderden zijn ogen. Ik zag er begrip in verschijnen, over waar het allemaal om ging. Ik ben nog nooit zo bang geweest als toen ik daar aan de andere kant van het putdeksel naar hem stond te kijken met die zwarte zon westelijk van ons in de lucht hangend. Ik was mijn spijkerbroek vergeten, en hij was er niet echt ingevallen zoals de bedoeling was geweest. Voor mij leek het alsof alles verkeerd begon te lopen.

'O,' zegt hij. 'O, jij kreng.' Toen begon hij worstelend naar boven te klauteren.

Ik zei tegen mezelf dat ik weg moest rennen, maar mijn benen weigerden dienst. Bovendien waarheen rennen, als hij eruit kwam? Een ding vond ik uit op de dag van de eclips: als je op een eiland woont en je probeert iemand te vermoorden, kun je het maar beter goed doen. Als je het niet goed doet, kun je nergens naartoe vluchten en je nergens verstoppen.

Ik hoorde zijn nagels splinters loskrabben uit het oude hout terwijl hij bezig was zichzelf er stukje bij beetje uit te trekken. Dat geluid is net zoiets als wat ik zag toen ik opkeek naar de eclips – iets dat altijd heel wat dichter bij me is gebleven dan ik ooit wilde. Soms hoor ik het zelfs in mijn dromen, alleen in de dromen komt hij er uit en komt hij achter me aan en dat is niet wat er in werkelijkheid gebeurde. Wat er gebeurde, was dat de plank waar hij zich overheen klauwde, plotseling onder zijn gewicht brak en hij viel. Het gebeurde zo snel dat het bijna was alsof hij daar nooit was geweest; plotseling was daar alleen nog maar een doorgezakt, grijs vierkant van hout met een versplinterd zwart gat in het midden en vuurvliegjes die er heen en weer overheen schoten.

Hij gilde weer toen hij naar beneden viel. Het weerkaatste tegen de zijkanten van de put. Dat was ook iets waar ik niet over had nagedacht – zijn gillen als hij viel. Toen volgde er een plof en hij hield op. Hield gewoon stomweg op. Zoals een lamp ophoudt met branden als iemand de stekker uit de muur rukt.

Ik knielde op de grond en sloeg mijn armen om mijn middel en wachtte om te zien of er nog meer zou komen. Er ging wat tijd voorbij, ik weet niet hoeveel of hoe lang, maar het laatste licht verdween uit de dag. De volledige zonsverduistering was aangebroken en het was zo donker als de nacht. Nog steeds kwam er geen enkel geluid uit de put, maar een briesje waaide daarvandaan mijn kant op, en ik realiseerde me dat ik het kon rúiken – ken je die geur die je soms hebt bij water uit ondiepe bronnen? Het is een koperachtige geur, dompig en niet erg lekker. Die rook ik en hij deed me huiveren.

Ik zag dat mijn onderjurk bijna op de punt van mijn linkerschoen hing. Hij was helemaal gescheurd en vol rafels. Ik stak mijn hand aan de rechterkant in de hals van mijn jurk en brak dat bandje ook. Toen trok ik de onderjurk naar beneden uit. Ik rolde hem tot een bal naast me en probeerde de beste manier te vinden om om het putdeksel heen te komen toen ik plotseling weer aan dat kleine meisje dacht, het meisje over wie ik jullie eerder heb verteld, en plotseling zag ik haar als op klaarlichte dag. Zíj zat ook op haar knieën, en keek onder het bed, en ik dacht: Ze is zo ongelukkig en ze ruikt diezelfde geur. Die geur die lijkt op munten en oesters. Alleen kwam hij niet uit de put, hij heeft iets te maken met haar vader.

En toen, plotseling, leek het alsof ze omkeek naar mij, Andy... ik denk dat ze me zàg. En toen ze dat deed, begreep ik waarom ze zo ongelukkig was: op de een of andere manier had haar vader aan haar gezeten en zij was bezig het te verdonkeremanen. Daarbovenop realiseerde zij zich plotseling dat iemand naar haar keek, dat een vrouw die god mag weten hoeveel kilometers ver weg, maar nog steeds in de baan van de eclips – een vrouw die net haar echtgenoot had vermoord – naar haar keek.

Ze sprak tegen me, hoewel ik haar stem niet hoorde met mijn oren; hij kwam van diep binnen in mijn hoofd. 'Wie bèn je?' vroeg ze.

Ik weet niet of ik haar antwoord zou hebben gegeven of niet, maar voor ik ook maar de kans kreeg, kwam er een lange, bevende gil uit de put: 'Duh-lorrrrr-issss...'

Ik kreeg het gevoel alsof mijn bloed stijf bevroor in m'n aderen en ik wéét dat mijn hart een ogenblik stilstond, want toen het weer begon te kloppen, kreeg ik drie of vier slagen die op elkaar gepropt zaten. Ik had de onderjurk opgeraapt, maar mijn vingers verslapten toen ik die gil hoorde en hij viel uit mijn hand en bleef hangen in een van die braamstruiken.

'Het is gewoon je verbeelding die overuren maakt, Dolores,' zei ik tegen mezelf. 'Dat kleine meisje dat onder haar bed naar haar kleren zoekt en Joe die zo gilt.... je hebt ze je allebei verbeeld. Het ene was een hallucinatie die op de een of andere manier kwam van het opvangen van een vleugje verschaalde lucht uit de put, en het andere was niet meer dan je eigen schuldige geweten. Joe ligt op de bodem van die put met een gebarsten schedel. Hij is dood, en hij zal jou of de kinderen nooit meer lastigvallen.'

In het begin geloofde ik het niet, maar meer tijd ging voorbij en er kwam niet meer geluid, behalve een uil die ergens in een veld riep. Ik herinner me dat ik eraan dacht dat het klonk alsof hij vroeg hoe het kwam dat zijn dienst vandaag zo vroeg was begonnen. Een lichte bries kwam door de braamstruiken en deed ze ritselen. Ik keek naar boven naar de sterren die in de daghemel schenen, toen weer naar beneden naar het putdeksel. Het leek bijna te drijven in de duisternis, en het gat in het midden waar hij doorheen was gevallen zag er voor mij uit als een oog. 20 juli 1963 was mijn dag om overal ogen te zien.

Toen kwam zijn stem weer omhoog gedreven uit de put. 'Help me Duh-lorrrr-isss...'

Ik kreunde en legde mijn handen tegen mijn gezicht. Het hielp helemaal niks om te proberen mezelf te zeggen dat dàt alleen maar mijn verbeelding was of mijn schuldige geweten of iets anders in plaats van wat het was: Joe. Voor mij klonk het alsof hij huilde. 'Help muuuuuh asjebliieeeft.... ASJEBLIIIEEEEEEFT...' jammerde hij.

Ik struikelde om het putdeksel heen en rende terug over het pad dat wij hadden gemaakt in de braamstruiken. Ik was niet in paniek, niet helemaal, en ik zal je vertellen hoe ik dat weet: ik bleef even staan om de reflectiedoos te pakken die ik in mijn hand had gehad toen we in de richting van het braamveld begonnen te lopen. Ik kon me niet herinneren dat ik hem onder het rennen had laten vallen, maar toen ik hem aan een van die takken zag hangen, greep ik hem. Waarschijnlijk verrekte goed ook, als je zag hoe het allemaal verliep met die verrekte dokter McAuliffe... maar dat is nog een paar draaien verder dan waar ik nu ben. Ik stòpte om hem te pakken, dat is het punt, en voor mij zegt dat dat ik nog steeds bij zinnen was. Maar ik voelde hoe de paniek probeerde eronder te komen, zoals een kat probeert zijn poot onder het deksel van een doos te krijgen als hij honger heeft en eten erin ruikt.

Ik dacht aan Selena en dat hielp de paniek weg te houden. Ik kon me haar voor de geest halen daar op het strand van Lake Winthrop met Tanya en veertig of vijftig kleine kampeerders, en al die kampeerdertjes met zijn of haar eigen reflectiedoos die ze hadden gemaakt in de handenarbeidhut, en de meisjes die hun voordeden hoe je precies de eclips erin kon zien. Het was niet zo duidelijk als het visioen dat ik had gehad bij de bron, dat met het kleine meisje dat onder het bed zocht naar haar korte broek en hemd, maar het was duidelijk genoeg voor me om Selena te horen praten tegen de kleintjes met die langzame, vriendelijke stem van haar, terwijl ze de kinderen die bang waren geruststelde. Ik dacht daaraan en dat ik er voor haar en haar broers moest zijn als zij terugkwamen... maar als ik toegaf aan paniek, zou ik er waarschijnlijk niet zijn. Ik was te ver gegaan en had te veel gedaan en er was niemand over op wie ik kon rekenen behalve mezelf.

Ik ging de schuur binnen en vond Joe's grote staaflantaarn met zes batterijen op zijn werktafel. Ik deed hem aan, maar er gebeurde niets; hij had de batterijen leeg laten lopen, wat echt iets voor hem was. Maar de onderste la van zijn tafel hou ik volgepakt met nieuwe, omdat we 's winters zo vaak zonder stroom zitten. Ik pakte er zes uit en probeerde de staaflantaarn weer te vullen. Mijn handen trilden de eerste keer zo erg dat ik de batterijen over de hele vloer liet vallen en ik ze weer bij elkaar moest scharrelen. De tweede keer kreeg ik ze erin, maar in mijn haast moet ik er een of twee achterstevoren ingezet hebben, omdat het licht niet aan wilde gaan. Ik dacht erover het gewoon te laten zitten, want de zon zou tenslotte behoorlijk snel weer te voorschijn komen. Behalve dat het op de bodem van de put, zelfs nadat hij weer te voorschijn wàs gekomen, donker zou zijn, en bovendien zat er een stem helemaal achter in mijn hoofd die me vertelde te blijven klooien zo lang ik wilde – dat ik misschien, als ik er lang genoeg over deed, zou merken dat hij uiteindelijk de geest had gegeven als ik daar terugkwam.

Ten slotte kreeg ik de lantaarn aan de gang. Hij maakte een mooi helder licht en in ieder geval was ik in staat mijn weg terug te vinden naar het putdeksel zonder mijn benen nog erger open te halen dan ze al waren. Ik had niet het minste idee hoeveel tijd er voorbij was gegaan, maar het was nog steeds duister en er waren nog steeds sterren aan de hemel te zien, dus ik denk dat het nog geen zes uur was en de zon nog steeds voor het grootste deel was bedekt.

Ik wist dat hij niet dood was voor ik halverwege terug was – ik hoorde hem kreunen en mijn naam roepen, me smeken hem eruit te helpen. Ik weet niet of de Jolanders of de Langills of de Carons hem gehoord zouden hebben als ze thuis waren geweest of niet. Ik besloot dat het het beste was het me niet af te vragen; ik had al zat problemen zonder dáár mee bezig te zijn. Ik moest nadenken wat ik met hem moest doen, dat was het belangrijkste, maar ik scheen niet ver te komen. Elke keer dat ik een antwoord probeerde te bedenken, begon die stem binnen in me tegen me te janken. 'Het is niet eerlijk,' gilde die stem. 'Dat was niet de afspraak. Hij hoort dóód zijn, godverdomme. Dóód!'

'Helllp, Duh-lorrrr-isss!' kwam zijn stem naar boven gedreven. Die had een vlak, weergalmend geluid, alsof hij in een grot gilde. Ik deed het licht aan en probeerde naar beneden te kijken, maar ik kon het niet. Het gat in het putdeksel was te ver naar het midden toe, en het enige dat de lantaarn me liet zien, was de bovenkant van de schacht – grote, granieten keien met overal mos erop. Het mos zag er zwart en giftig uit in de straal van de lantaarn.

Joe had het licht gezien. 'Dolores?' riep hij naar boven. 'In godsnaam, help me! Ik ben helemaal gebroken!'

Nu was híj degene die klonk alsof hij met een mond vol modder praatte. Van mij kreeg hij geen antwoord. Ik had het gevoel dat als ik tegen hem moest praten, ik zeker gek zou worden. In plaats daarvan, legde ik de lantaarn opzij, stak mijn arm zover mogelijk naar voren en het lukte me om een van de planken waar hij door-heen was gevallen te pakken te krijgen. Ik trok eraan en hij brak af, net zo makkelijk als een rotte tand.

'Dolores!' gilde hij toen hij dat hoorde. 'O God! O Godzijdank!' Ik gaf geen antwoord, brak gewoon weer een plank af, en weer een en nog een. Toen zag ik dat de dag weer helderder begon te worden, en vogels zongen zoals ze 's zomers doen als de zon op-komt. Toch was de hemel een stuk donkerder dan hij hoorde te zijn op dat uur. De sterren waren weer verdwenen, maar de flik-kerende vliegjes vlogen nog steeds in het rond. Ondertussen bleef ik planken afbreken, steeds dichter naar de zijkant van de put toe waar ik neergeknield zat.

'Dolores!' kwam zijn stem naar boven gedreven. 'Jij mag het geld hebben! Alles! En ik zal Selena nooit meer aanraken, ik zweer in het aangezicht van God Almachtig en alle engelen dat ik het niet doe! Alsjeblieft, lieveling, help me alleen uit dit gat te komen!'

Ik kwam aan de laatste plank toe – ik moest hem uit de braamtak-ken rukken om hem los te krijgen – en wierp hem achter me. Toen scheen ik het licht in de put.

Het eerste dat de straal raakte, was zijn opgeheven gezicht en ik gilde. Het was een kleine, witte cirkel met twee grote zwarte ga-ten erin. Even dacht ik dat hij om de een of andere reden stenen in zijn ogen had geduwd. Toen knipperde hij met zijn ogen en het waren ten slotte gewoon zijn ogen die naar me opstaarden. Ik dacht aan wat die moesten zien – niets behalve de donkere vorm van een vrouwenhoofd achter een heldere cirkel van licht.

Hij zat op zijn knieën en er zat bloed over zijn hele kin en hals en voorkant van zijn hemd. Toen hij zijn mond opendeed en mijn naam gilde, kwam er nog meer bloed uitstromen. Hij had door de val bijna al zijn ribben gebroken, en van beide kanten moesten ze in zijn longen steken als de pennen van een stekelvarken.

Ik wist niet wat ik moest doen. Ik zat daar zo'n beetje ineengedo-ken, terwijl ik de warmte terug in de dag voelde komen, ik voelde die op mijn nek en armen en benen, en het licht naar beneden op hem scheen. Toen bracht hij zijn armen omhoog en wuifde er zo'n beetje mee, alsof hij aan het verdrinken was, en ik kon er niet te-gen. Ik knipte het licht uit en kroop achteruit. Ik ging daar op de rand van de put zitten, ineengedoken tot een kleine bal, terwijl ik mijn bebloede knieën vasthield en huiverde.

'*Alsjeblieft!*' riep hij naar boven. '*Alsjeblieft!*' en '*Assjebliieeeft!*' en ten slotte '*Assssjebliiieeeeeeft, Duh-lorrr-issss!*'

O, het was vreselijk, vreselijker dan iemand zich zou kunnen voorstellen en het ging lange tijd zo door. Het ging door tot ik dacht dat het me gek zou maken. De eclips eindigde en de vogels hielden op met hun goeiemorgen-liedjes en de flikkerende vliegjes hielden op met rondcirkelen (of misschien was het alleen omdat ik ze niet meer kon zien) en verderop in het kanaal kon ik de boten naar elkaar horen toeteren zoals ze soms doen, hi-ha-honde-lul, voornamelijk tweetonig, en nog altijd wilde hij niet ophouden. Soms smeekte hij en noemde me schattebout; hij vertelde me dan alle dingen die hij zou doen als ik hem daar uit liet, hoe hij zou veranderen, hoe hij een nieuw huis voor ons zou bouwen en de Buick voor mij zou kopen waarvan hij dacht dat ik die altijd al wilde hebben. Dan vervloekte hij me en vertelde dat hij me aan een muur zou vastbinden en een hete pook in mijn snee zou douwen en naar me zou kijken hoe ik kronkelde voor hij me uiteindelijk zou vermoorden.

Een keer vroeg hij me of ik die fles whisky naar beneden wilde gooien. Kun je dat geloven? Hij wilde zijn godvergeten fles, en hij vervloekte me en noemde me een smerige, ouwe, opgebruikte kut toen hij inzag dat ik hem die niet zou geven.

Ten slotte begon het weer donker te worden – ècht donker – dus het moet minstens half negen zijn geweest, misschien zelfs negen uur. Ik begon weer naar auto's te luisteren op East Lane, maar tot dusver was er niets. Dat was goed, maar ik kon niet verwachten dat mijn geluk eeuwig zou duren.

Een tijdje later rukte ik mijn hoofd los van mijn borst en besefte dat ik ingedut was. Het kon niet lang zijn geweest, omdat er nog steeds een baan licht in de lucht zat, maar de vuurvliegjes waren terug, gewoon bezig als altijd, en de uil was weer met zijn geoehoe begonnen. Het klonk wat geruststellender deze tweede keer.

Ik ging iets verzitten en moest mijn tanden op elkaar bijten door de spelden en naalden die begonnen te prikken zodra ik bewoog; ik had zo lang neergeknield gezeten dat mijn benen vanaf mijn knieën naar beneden sliepen. Maar ik hoorde niets uit de put komen, en ik begon te hopen dat hij eindelijk dood was – dat hij weggesukkeld was terwijl ik lag te dutten. Toen hoorde ik schuifelende geluidjes, en kreunen, en een geluid alsof hij huilde. Dat was het ergste, hem te horen huilen omdat bewegen hem zoveel pijn deed.

Ik steunde mezelf op mijn linkerhand en scheen het licht weer in de put. Het was verrekte moeilijk om mezelf daartoe te brengen, vooral nu het bijna helemaal donker was. Op de een of andere manier was het hem gelukt overeind te komen en ik zag de straal van de zaklantaarn terugkaatsen van drie of vier natte plekken rond de werklaarzen die hij droeg. Het deed me denken aan de manier waarop ik de eclips had gezien in die gebroken stukken getint glas nadat hij er genoeg van had gekregen mijn keel dicht te knijpen en ik op de veranda viel.

Toen ik naar beneden keek, begreep ik eindelijk wat er was gebeurd – waarom hij na een val van negen of tien meter alleen maar zwaar toegetakeld was, en niet meteen dood. De bron was niet helemaal droog meer, begrijp je. Hij was niet weer volgelopen – ik denk dat als dat was gebeurd, hij verdronken zou zijn als een rat in een regenton – maar de bodem was helemaal nat en drassig. Die had zijn val iets gebroken en waarschijnlijk had het hem ook geen kwaad gedaan dat hij dronken was.

Hij stond met zijn hoofd naar beneden en zwaaide heen en weer, terwijl hij met zijn handen tegen de stenen muren steunde om niet weer te vallen. Toen keek hij op, zag me en grijnsde. Die grijns joeg een huivering door mijn hele lijf heen, Andy, omdat het de grijns van een dode was – een dode met bloed over zijn hele gezicht en hemd, een dode met wat leek op stenen die in zijn ogen waren gedrukt.

Toen begon hij tegen de wand op te klimmen.

Ik zag het en toch kon ik het niet geloven. Hij dreef zijn vingers tussen twee van de grote keien die uit de zijkant staken en trok zichzelf op tot hij een van zijn voeten schrap kon zetten tussen twee andere. Daar rustte hij een ogenblik, en toen zag ik een van zijn handen weer boven zijn hoofd tasten. Het zag eruit als een dikke, witte kever. Hij vond een volgende steen om zich aan vast te houden, verstevigde zijn greep en bracht zijn andere hand erbij omhoog. Toen trok hij zich weer op. Toen hij stopte om de volgende keer te rusten, draaide hij zijn bebloede gezicht naar boven in de straal van mijn licht, en ik zag stukjes mos van de steen, waar hij zich aan vasthield, loskruimelen en op zijn wangen en schouders neervallen.

Hij grijnsde nog steeds.

Kan ik nog wat te drinken krijgen, Andy? Nee, niet de Beam – vanavond niet meer. Van nu af aan is water goed genoeg voor me. Dank je. Dank je zeer.

Afijn, hij tastte rond naar zijn volgende houvast toen zijn voet uitgleed en hij viel. Er klonk een modderig, zuigend geluid toen hij op zijn reet terechtkwam. Hij schreeuwde en greep naar zijn borst zoals ze op de tv doen als ze een hartaanval moeten spelen, en toen viel zijn hoofd voorover.

Ik kon er niet meer tegen. Struikelend liep ik de braambossen uit en rende terug naar huis. Ik ging naar de badkamer en kotste mijn ingewanden eruit. Toen liep ik de slaapkamer in en ging liggen. Ik trilde helemaal, en ik bleef maar denken: Wat als hij nu nòg niet dood is? Wat als hij de hele nacht blijft leven, als hij dágen blijft leven, terwijl hij het neersiepelende water van tussen de stenen drinkt of van wat omhoog komt uit de modder? Wat als hij om hulp blijft gillen tot een van de Carons of Langills of Jolanders hem hoort en Garrett Thibodeau erbij roept? Of wat als iemand morgen naar ons huis komt – een van zijn drinkmakkers of iemand die hem bij de bemanning van zijn boot wil hebben of een motor wil laten repareren – en gegil hoort komen uit de braambossen? Wat dan, Dolores?

Er was een andere stem die al die vragen beantwoordde. Ik denk dat hij toebehoorde aan het inwendige oog, maar voor mij klonk hij heel wat meer als Vera Donovan dan als Dolores Claiborne; hij klonk helder en droog en als kus-mijn-reet-als-het-je-niet-bevalt. 'Natuurlijk is hij dood,' zei die stem, 'en zelfs als hij het niet is, is hij het gauw. Hij gaat dood aan shock en kou en geperforeerde longen. Waarschijnlijk zijn er mensen die niet zouden geloven dat een man kan sterven van de kou in een julinacht, maar dat zijn mensen die nooit een paar uur negen meter onder de grond hebben gezeten boven op de vochtige bodem van het eiland. Ik weet dat dit allemaal niet plezierig is om aan te denken, Dolores, maar in ieder geval betekent het dat je kunt ophouden met je zorgen maken. Ga wat slapen en als je weer naar buiten gaat, zal je het zien.'

Ik wist niet of die stem zinnig was of niet, maar hij léék zinnig en ik probeerde ook wat te gaan slapen. Maar het lukte me niet. Elke keer dat ik wegzakte, dacht ik dat ik Joe naderbij kon horen stommelen langs de schuur op weg naar de achterdeur en elke keer dat het huis kraakte, schoot ik overeind.

Uiteindelijk kon ik het niet meer verdragen. Ik trok mijn jurk uit, deed een spijkerbroek aan en een trui (als het kalf verdronken is, zou je kunnen zeggen), en greep de lantaarn van de badkamervloer naast de wc waar ik hem had laten vallen toen ik neerknielde om te kotsen. Toen ging ik weer naar buiten.

Het was donkerder dan ooit. Ik weet niet of er iets van maan was die nacht, maar dat zou niets hebben uitgemaakt omdat de wolken zich weer hadden verzameld. Hoe dichter ik bij de wirwar van braamstruiken achter de schuur kwam, hoe zwaarder mijn voeten werden. Tegen de tijd dat ik het putdeksel weer kon zien in de straal van de lantaarn, leek het alsof ik ze nauwelijks meer op kon tillen.

Toch lukte het – ik dwong mezelf er helemaal naartoe te lopen. Ik bleef daar ongeveer vijf minuten staan luisteren en ik hoorde geen ander geluid dan de krekels, en de wind die door de braamstruiken ritselde en de uil die ergens oehoede... waarschijnlijk precies dezelfde die ik eerder had gehoord. O, en ver weg naar het oosten, hoorde ik de golven tegen de landtong slaan, alleen is dat een geluid waar je op het eiland zo aan gewend bent, dat je het nauwelijks meer hoort. Ik stond daar met Joe's staaflantaarn in mijn hand, de straal gericht op het gat in het putdeksel, terwijl ik me vies voelde, en plakkerig zweet van mijn hele lichaam droop en in de sneden en krabben prikte die de braamdorens hadden gemaakt, en ik tegen mezelf zei neer te knielen en in de put te kijken. Want was dat eigenlijk niet de reden dat ik hier naartoe was gekomen?

Dat was zo, maar toen ik daar eenmaal was, kon ik het niet. Het enige dat ik kon, was trillen en een hoog jammerend geluid in mijn keel maken. Mijn hart sloeg ook niet echt, maar fladderde in mijn borst als de vleugels van een kolibrie.

En toen schoot een witte hand, helemaal besmeurd met vuil en bloed en mos uit de put en greep mijn enkel.

Ik liet de lantaarn vallen. Hij viel in de struiken aan de rand van de put, wat een geluk voor me was; als hij in de put zou zijn gevallen, zou ik echt behoorlijk in de rotzooi hebben gezeten. Maar ik dacht niet aan de lantaarn of mijn geluk, omdat de rotzooi waar ik op dat moment in zat, al erg genoeg was, en het enige waar ik aan dacht was de hand om mijn enkel, de hand die me naar het gat trok. Dat en een tekst uit de bijbel. Die galmde in mijn hoofd als een grote ijzeren klok: *Ik heb een kuil gegraven voor mijn vijanden, en ik val er zelf in.* Ik schreeuwde en probeerde me los te rukken, maar Joe had me zo stevig vast dat het voelde alsof zijn hand in cement was gedoopt. Mijn ogen waren voldoende aan de duisternis gewend om hem te kunnen zien, zelfs met de straal van de lantaarn die de verkeerde richting op wees. Het was hem toch bijna gelukt uit de put te klimmen. God mag weten hoeveel keren hij teruggevallen moet zijn, maar uiteindelijk was hij tot bijna bovenaan gekomen. Ik denk dat hij het waarschijnlijk helemaal gehaald zou hebben als ik niet was teruggekomen.

Zijn hoofd was niet meer dan een halve meter onder wat er was overgebleven van het putdeksel. Hij grijnsde nog steeds. Zijn ondergebit stak een stukje uit zijn mond – dat kan ik nog steeds net zo duidelijk zien als ik jou nu tegenover me zie zitten, Andy – en het zag eruit als paardetanden die naar je grijnzen. En een paar tanden zagen zwart door het bloed dat erop zat.

'*Duh-lorrrr-isss*,' hijgde hij en bleef aan me trekken. Ik gilde en viel op mijn rug en ging glijdend in de richting van dat vervloekte gat in de grond. Ik hoorde de braamdorens langs mijn spijkerbroek schuren terwijl ik eroverheen gleed. '*Duh-lorrr-issss, vuil sssekreeeeet*,' zegt hij, maar toen leek het meer alsof hij tegen me zong. Ik herinner me dat ik dacht: 'Als je niet uitkijkt, begint hij zo met 'Moonlight Cocktail'.

Ik greep naar de struiken en kreeg een hand vol stekels en vers bloed. Ik schopte naar zijn hoofd met de voet die hij niet vasthield, maar zijn hoofd was net iets te laag om te raken; een paar keer scheerde ik met de hak van mijn sportschoen over zijn haar, maar dat was zo ongeveer alles.

'*Kom op, Duh-lorrrr-issss*,' zei hij alsof hij me mee uit wilde nemen voor ergens een ijsje eten of misschien dansen op countrymuziek bij Fudgy's.

Mijn kont bleef hangen aan een van de planken die nog steeds opzij van de put lagen en ik wist dat als ik niet meteen wat deed, we samen naar beneden zouden vallen en daar zouden blijven, waarschijnlijk in elkaars armen. En als we gevonden werden, zouden er mensen zijn – imbecielen als Yvette Anderson voornamelijk – die zouden zeggen dat het zo was om te laten zien hoeveel we van elkaar hielden.

Dat deed het. Ik vond wat extra kracht en gaf een laatste ruk naar achteren. Bijna hield hij vast, maar toen gleed zijn hand los. Mijn schoen moet hem in het gezicht hebben geraakt. Hij gilde, zijn hand sloeg een paar keer tegen mijn voet, en toen was die voorgoed verdwenen. Ik wachtte om hem naar de bodem te horen vallen, maar dat deed hij niet. De klootzak gaf nóóit op. Als hij op dezelfde manier had geleefd als dat hij stierf, weet ik niet of we ooit enige problemen gehad zouden hebben, hij en ik.

Ik kwam op mijn knieën overeind en zag hem naar achteren hellen boven het gat... maar op de een of andere manier wist hij zich vast te houden. Hij keek naar me op, schudde een bloederige sliert haar uit zijn ogen en grijnsde. Toen kwam zijn hand weer uit de put en greep in de grond.

'*Dul-OOH-RUSS,*' kreunde hij zo'n beetje. '*Dul-oooh-russ, Dul-oooh-russ, Dul-ooooohhh-russs!*' En toen begon hij eruit te klimmen.

'Sla zijn hersens in, imbeciel,' zei Vera Donovan toen. Niet in mijn hoofd, zoals de stem van het kleine meisje dat ik eerder had gezien. Begrijp je wat ik zeg? Ik hoorde die stem net zoals jullie drieën mij nu horen, en als de bandrecorder van Nancy Bannister daar was geweest, zou je die stem steeds maar weer af hebben kunnen spelen. Dat weet ik net zo zeker als ik weet hoe ik heet.

Hoe dan ook, ik greep een van de stenen die aan de rand van de put in de grond waren gezet. Hij klauwde zo'n beetje naar mijn pols, maar ik rukte de steen los voor hij me vast kon grijpen. Het was een grote kei, helemaal begroeid met droog mos. Ik bracht hem boven mijn hoofd. Hij keek ernaar op. Zijn hoofd was toen uit de put en het leek alsof zijn ogen op steeltjes stonden. Ik liet de kei met al mijn kracht op hem neerkomen. Ik hoorde dat ondergebit van hem breken. Het geluid was als van een porseleinen bord dat stukvalt op een bakstenen haard. En toen was hij verdwenen, viel terug in de put en de kei ging met hem mee.

Ik viel toen flauw, ik kan me niet herinneren dat ik flauwviel, ik lag daar gewoon en keek omhoog naar de lucht. Er was daar niets te zien door de wolken, dus ik sloot mijn ogen... alleen toen ik ze weer opendeed was de lucht weer vol sterren. Het duurde even voor ik besefte wat er was gebeurd: ik was flauwgevallen en de wolken waren weggewaaid terwijl ik buiten bewustzijn was.

De staaflantaarn lag nog steeds in de braamstruiken naast de put en de straal was nog steeds helder en sterk. Ik raapte hem op en scheen ermee in de put. Joe lag op de bodem, zijn hoofd opzij geknakt op een schouder, zijn handen in zijn schoot en zijn benen gespreid. De kei waarmee ik hem de hersens had ingeslagen lag ertussenin.

Ik hield het licht vijf minuten op hem gericht, en wachtte om te kijken of hij bewoog, maar dat deed hij niet. Toen kwam ik overeind en liep terug naar huis. Ik moest twee keer stoppen omdat de wereld wazig voor me werd, maar uiteindelijk haalde ik het. Ik liep de slaapkamer in, trok onderwijl mijn kleren uit en liet ze gewoon liggen waar ze neervielen. Ik stapte onder de douche en bleef daar zo'n tien minuten alleen maar staan onder een straal die zo heet was als ik kon verdragen, zonder mezelf in te zepen of mijn haar te wassen, en ik stond daar met mijn gezicht omhoog gewend zodat het water eroverheen spoelde. Ik denk dat ik daar onder de douche gewoon in slaap zou zijn gevallen, als het water niet was begonnen af te koelen. Snel waste ik mijn haar, voor het water helemaal steenkoud zou worden en stapte eronder vandaan. Mijn armen en benen zaten helemaal onder de krabben en mijn keel deed nog steeds zeer als de pest, maar ik dacht niet dat ik daaraan dood zou gaan. Het kwam geen moment in me op wat iemand van al die krabben zou denken, laat staan van die blauwe plekken op mijn keel als Joe eenmaal was gevonden in de put. In ieder geval toen niet.

Ik trok mijn nachtpon aan, liet me op het bed vallen en viel diep in slaap met het licht aan. Ik werd minder dan een uur later gillend wakker met Joe's hand op mijn enkel. Ik voelde even opluchting toen ik besefte dat het maar een droom was, maar toen dacht ik: wat als hij weer tegen de zijkant van de put omhoog klimt? Ik wist dat hij dat niet deed – ik had hem voorgoed afgemaakt toen ik hem raakte met die kei en hij de tweede keer viel – maar voor een deel was ik er zeker van dat hij het wèl deed en dat hij elk moment eruit kon komen. En als hij dat deed, zou hij voor mij komen.

Ik probeerde daar te liggen wachten tot het voorbijging, maar ik kon het niet – dat beeld van hem dat hij omhoog klom langs de wand van de put werd almaar helderder en mijn hart sloeg zo hard dat ik het gevoel kreeg dat het kon ontploffen. Ten slotte trok ik mijn schoenen aan, pakte de lantaarn weer en rende in mijn nachtpon naar buiten. Die keer króóp ik naar de rand van de put; het lukte me niet om te lopen, voor geen prijs. Ik was te bang dat zijn witte hand omhoog uit de duisternis zou schieten en me vast zou grijpen.

Ten slotte scheen ik het licht naar beneden. Hij lag daar precies zoals eerder, met zijn handen in zijn schoot en zijn hoofd schuin naar opzij. De kei lag nog steeds op dezelfde plek, tussen zijn gespreide benen. Ik bleef heel lang kijken, en toen ik die keer terugliep naar huis, begon ik te weten dat hij echt dood was.

Ik kroop in bed, deed de lamp uit en redelijk snel dobberde ik weg in slaap. Ik herinner me, dat het laatste waaraan ik dacht was: nu gaat het verder goed met me, maar dat was niet zo. Ik werd een paar uur later wakker en wist zeker dat ik iemand in de keuken hoorde. Ik wist zeker dat ik Jóe in de keuken hoorde. Ik probeerde uit bed te springen en mijn voeten raakten verward in de dekens en ik viel op de vloer. Ik kwam overeind en begon rond te tasten naar de schakelaar van de lamp, terwijl ik zeker wist dat ik zijn handen om mijn keel zou voelen voor ik die kon vinden.

Dat gebeurde natuurlijk niet. Ik knipte het licht aan en liep het hele huis door. Het was leeg. Toen trok ik mijn sportschoenen aan en greep de lantaarn en rende terug naar buiten, naar de put. Joe lag nog steeds op de bodem met zijn handen in zijn schoot en zijn hoofd op zijn schouder. Maar ik moest lang naar hem kijken voor ik mezelf ervan kon overtuigen dat het op dezèlfde schouder lag. En één keer dacht ik dat ik zijn voet zag bewegen, hoewel dat hoogstwaarschijnlijk alleen maar een bewegende schaduw was. Die waren daar zat, omdat de hand die de lantaarn vasthield allesbehalve vast was, laat me je dat wel vertellen.

Terwijl ik daar neerhurkte met mijn haar naar achteren gebonden en er waarschijnlijk uitzag als de vrouw op het White Rock-label, kreeg ik een heel rare aandrang – ik kreeg het gevoel gewoon zover op mijn knieën voorover te gaan leunen dat ik in de put zou vallen. Ze zouden ons samen vinden – niet de ideale manier om te eindigen wat mij betrof – maar in ieder geval zou ik niet gevonden worden met zijn armen om me heen... en ik zou niet steeds maar weer wakker hoeven worden met het idee dat hij bij me in de kamer was, of met het gevoel dat ik weer naar buiten moest rennen met de staaflantaarn om te controleren of hij nog steeds dood was.

Toen sprak Vera's stem weer, alleen wàs hij deze keer in mijn hoofd. Ik weet dat, net zoals ik weet dat hij de eerste keer recht in mijn oor sprak. 'De enige plek waar jij intuimelt, is je eigen bed,' zei die stem tegen me. 'Ga wat slapen, en als je wakker wordt is de eclips echt voorbij. Je zult verbaasd zijn hoeveel beter de dingen eruit zullen zien als de zon op is.'

Dat klonk als een goede raad en ik besloot die op te volgen. Maar ik sloot beide buitendeuren af, en voor ik echt in bed stapte, deed ik iets wat ik nooit eerder of daarna heb gedaan: ik klemde een stoel onder de deurknop. Ik schaam me om dat te bekennen – mijn wangen voelen helemaal warm, dus ik denk dat ik bloos – maar het moet geholpen hebben, want ik sliep al op het moment dat mijn hoofd het kussen raakte. Toen ik de volgende keer mijn ogen opende, stroomde daglicht door het raam naar binnen. Vera had me gezegd de dag vrij te nemen – ze zei dat Gail Lavesque toezicht kon houden op het op orde brengen van het huis na het feest dat ze had gepland op de avond van de twintigste – en ik was me daar blij!

Ik stond op en nam weer een douche en kleedde me toen aan. Het kostte me een half uur om al die dingen te doen omdat ik zo gemangeld was. Het was voornamelijk mijn rug; het is altijd mijn zwakke plek geweest sinds de avond dat Joe me tegen mijn nieren sloeg met dat eind hout en ik was er behoorlijk zeker van dat ik het daar weer geforceerd had toen ik eerst die kei waarmee ik hem die dreun had gegeven uit de grond lostrok, en hem daarna boven mijn hoofd tilde. Hoe dan ook, ik kan je vertellen dat het behoorlijk zeer deed.

Toen ik eindelijk mijn kleren aan had, ging ik aan de keukentafel zitten in het heldere zonlicht en dronk een kop zwarte koffie en dacht aan de dingen die ik moest doen. Dat waren er niet zoveel, ook al was niets precies zo verlopen als ik had bedoeld, maar ze moesten goed worden gedaan. Als ik iets vergat of iets over het hoofd zag, zou ik in de gevangenis terechtkomen. Joe St. George was niet zo geliefd op Little Tall, en er waren niet zoveel mensen die me kwalijk zouden hebben genomen wat ik had gedaan, maar ze spelden je geen medaille op of houden een parade voor je als je iemand hebt vermoord, ook al was hij een waardeloos stuk vreten.

Ik schonk een nieuwe bak pleur in en liep ermee naar buiten, naar de achterveranda, om die daar op te drinken... en om een blik om me heen te werpen. Beide reflectiedozen en een van de kijkers zaten weer in de kruidenierszak die Vera me had gegeven. De stukken van de andere kijker lagen nog precies waar zij waren terechtgekomen toen Joe plotseling was opgesprongen en die van zijn schoot was gegleden en op de planken van de veranda aan stukken was gevallen. Ik dacht lang over die stukken glas na. Ten slotte liep ik naar binnen, pakte stoffer en blik en veegde ze op. Ik besloot dat zoals ik was en zoals zo veel mensen op het eiland wìsten dat ik was, het veel verdachter zou zijn als ik ze liet liggen.

Ik was begonnen met het idee dat ik zou zeggen dat ik Joe de hele middag niet had gezien. Ik had bedacht dat ik de mensen zou vertellen dat hij weg was toen ik thuiskwam van Vera, zonder zelfs een briefje achter te laten waarop stond waar hij naartoe was gegaan en dat ik die dure fles whisky op de grond had leeggegoten omdat ik kwaad op hem was. Als zij proeven gingen doen die aantoonden dat hij dronken was toen hij in de put viel, zou het me niks deren; Joe kon drank op veel plaatsen hebben gekregen, inclusief uit ons eigen gootsteenkastje.

Een blik in de spiegel overtuigde me ervan dat dat niet zou werken – als Joe niet thuis was geweest om die blauwe plekken op mijn hals te veroorzaken, zouden ze willen weten wie ze daar dan wèl had veroorzaakt, en wat moest ik dan zeggen? De kerstman heeft het gedaan? Gelukkig had ik voor mezelf een uitweg gelaten – ik had Vera gezegd dat als Joe de boerenlul ging uithangen, ik hem waarschijnlijk alleen zou laten om hem in zijn eigen sop gaar te laten koken en op East Head naar de eclips zou kijken. Toen ik die woorden zei, had ik geen enkel plan in mijn hoofd gehad, maar nu zegende ik ze.

East Head zelf zou niet goed zijn – daar waren mensen geweest, en die zouden weten dat ik daar niet bij hen was geweest – maar Russian Meadow is op weg naar East Head, en het heeft een goed uitzicht op het westen en daar was helemaal niemand geweest. Ik had dat zelf gezien vanaf mijn stoel op de veranda, en ook toen ik onze borden afwaste. De enige echte vraag...

Wat, Frank?

Nee, ik maakte me er helemaal geen zorgen over dat zijn vrachtwagen nog bij het huis stond. Hij had in '59 een stuk of drie, vier waarschuwingen voor dronken rijden pal achter mekaar gekregen, begrijp je, en uiteindelijk raakte hij voor een maand zijn rijbewijs kwijt. Edgar Sherrick, die toen onze politieman was, kwam langs en vertelde hem dat hij, als hij wilde, kon drinken tot hij omviel, maar dat als hij de volgende keer werd gepakt wegens rijden onder invloed, hij hem voor het gerecht zou slepen en zou proberen zijn rijbewijs voor een jaar ingetrokken te krijgen. Edgar en zijn vrouw waren destijds in 1948 of '49 een dochtertje kwijtgeraakt door een dronken chauffeur, en hoewel hij voor de rest een gemakkelijke man was, was hij een ramp voor dronkelappen achter het stuur. Joe wist dat, en meteen nadat hij en Edgar die babbel op onze veranda hadden, reed hij niet meer als hij meer dan twee drankjes op had. Nee, toen ik terugkwam van Russian Meadow en merkte dat Joe weg was, dacht ik dat een van zijn vrienden was langsgekomen en dat ze ergens naartoe waren gegaan om de Dag van de Eclips te vieren – dat was het verhaal dat ik wilde vertellen.

Wat ik begon te zeggen, was dat ik die ene vraag nog had: wat moest ik doen met die whiskyfles? Mensen wisten dat ik de laatste tijd drank voor hem kocht, maar dat was prima; ik wist dat ze dachten dat ik dat deed opdat hij me niet zou slaan. Maar waar zou die fles uiteindelijk terecht zijn gekomen, als het verhaal dat ik aan het fabriceren was een waar verhaal was geweest? Misschien dat het niks uitmaakte, maar aan de andere kant misschien weer wel. Als je een moord hebt gepleegd, weet je nooit wat er later kan terugkomen om je te achtervolgen. Het is de beste reden die ik weet om het niet te doen. Ik verplaatste mezelf in Joe – het was niet zo moeilijk als je misschien denkt – en wist meteen dat Joe nergens naartoe zou zijn gegaan met wie ook als er ook maar een drup van die whisky in de fles was achtergebleven. Die moest samen met hem in de put en daar gìng hij ook naartoe... dat wil zeggen, behalve de dop. Die gooide ik bij het afval, boven op het kleine stapeltje gebroken, getint glas.

Ik liep naar buiten naar de put met de laatste whisky klotsend in de fles, terwijl ik dacht: hij zoop van die drank en dat was prima, dat was niet meer dan ik verwachtte, maar toen verwarde hij mijn hals zo'n beetje met een pompzwengel en dat wàs niet prima, dus pakte ik mijn reflectiedoos en ging in m'n eentje naar Russian Meadow, de impuls vervloekend dat ik om te beginnen al was gestopt om die fles Johnnie Walker voor hem te kopen. Toen ik terugkwam, was hij weg. Ik wist niet waarheen of met wie, en het kon me niet schelen. Ik ruimde gewoon zijn rotzooi op en hoopte dat hij in een beter humeur zou zijn als hij terugkwam. Dat klonk keurig genoeg, dacht ik, en het zou ermee door moeten kunnen.

Ik denk dat het vervelendste aan het kwijtraken van die godvergeten fles was, dat het inhield dat ik terug moest die kant op en weer naar Joe moest kijken. Toch, wat ik wel of niet leuk vond, maakte toen niet heel erg veel uit.

Ik maakte me zorgen over hoe de braamstruiken eruit zouden zien, maar ze waren niet zo erg vertrappeld als ik vreesde, en sommige waren alweer teruggesprongen. Ik veronderstelde dat er helemaal niets meer aan te zien zou zijn tegen de tijd dat ik Joe als vermist opgaf.

Ik hoopte dat de put er niet zo eng uit zou zien bij daglicht, maar dat deed hij wel. Het gat in het midden van het deksel zag er zelfs nog enger uit. Het zag er niet zozeer uit als een oog nu die paar planken waren weggetrokken, maar dat hielp ook niet. In plaats van een oog, zag het eruit als een lege oogkas waar iets ten slotte zo erg verrot was geraakt dat het er volledig uit was gevallen. En ik rook die dompige, koperachtige geur. Die deed me aan het meisje denken dat ik vluchtig in mijn gedachten had gezien, en ik vroeg me af hoe het met háár ging op de ochtend erna.

Ik wilde me omdraaien en teruggaan naar huis, maar in plaats daarvan liep ik recht op de put af, zonder zelfs ook maar te treu-

zelen. Ik wilde wat nu kwam zo snel mogelijk achter me hebben...
en niet achteromkijken. Vanaf dat moment moest ik alleen nog
maar aan mijn kinderen denken, Andy, en vooruit blijven kijken,
wat er ook gebeurde.

Ik hurkte neer en keek naar beneden. Joe lag daar nog steeds met
zijn handen in zijn schoot en zijn hoofd opzij op een schouder. Er
renden torren over zijn gezicht rond, en toen ik die zag, wist ik
voor eens en voor altijd dat hij echt dood was. Ik hield de fles op
met een zakdoek om de hals gewikkeld – het was geen kwestie
van vingerafdrukken, ik wilde hem gewoon niet aanraken – en
liet hem vallen. Hij kwam in de modder naast hem neer, maar
brak niet. Maar de torren schoten uit elkaar, ze renden langs zijn
hals de boord van zijn hemd in. Ik ben dat nooit vergeten.

Ik kwam overeind om weg te gaan – het gezicht van die torren die
naar dekking doken had me weer het gevoel gegeven dat ik moest
kotsen – toen mijn ogen op de door elkaar liggende planken vielen, die ik los had getrokken zodat ik die eerste keer een goed
zicht op hem kon krijgen. Het was niet goed ze daar zo te laten
liggen; als ik dat deed, zouden er allerlei vragen over komen.

Ik dacht er een tijdje over na en toen, toen ik me realiseerde dat de
ochtend aan me ontglipte en dat er elk moment iemand langs kon
komen om te praten over de eclips of over Vera's grote feest, zei
ik krijg de kolere en wierp ze in de put. Toen ging ik terug naar
huis. Ik wèrkte me terug naar huis, moet ik eigenlijk zeggen, omdat er allemaal stukjes van mijn jurk en onderjurk aan de doornen
hingen, en ik er zoveel mogelijk afplukte. Later die dag ging ik terug om die drie of vier die ik had laten hangen, eraf te halen. Ook
hingen er pluisjes van Joe's flanellen hemd, maar die liet ik zitten.
Laat Garrett Thibodeau daar maar iets van maken, als hij kan,
dacht ik. Laat iederéén er maar iets van maken, als ze dat kunnen.
Het zal er hoe dan ook op lijken dat hij dronken is geworden en in
de put is gevallen, en met de reputatie die Joe hier heeft, zal wat ze
er ook over mogen zeggen, hoogstwaarschijnlijk in mijn voordeel
uitvallen.

Maar die stukjes stof gingen niet bij het afval met het gebroken
glas en de dop van de Johnnie Walker; die gooide ik later die dag
in zee. Ik liep door de tuin en wilde net de trap naar de veranda
opgaan toen ik me ineens iets bedacht. Joe had zich vastgegrepen

aan het stuk onderjurk dat achter me aan sleepte – stel je voor dat hij nog stééds een stuk had? Stel je voor dat het in een van zijn handen geklemd zat die opgekruld lagen in zijn schoot op de bodem van de put?

Ik bleef plompverloren staan.... en plompverloren is precies wat ik bedoel. Ik stond daar in de tuin onder die hete julizon, mijn rug een en al prikkels en ijskoud tot op het bot, zoals in een gedicht stond dat ik op de middelbare school had gelezen. Toen hoorde ik Vera weer in mijn hoofd. 'Aangezien je er niets mee kunt, Dolores,' zegt ze, 'geef ik je de raad het te vergeten.' Het leek me een goede raad, dus ik liep de trap op en ging naar binnen.

Het grootste deel van de ochtend liep ik door het huis en buiten op de veranda te zoeken naar... nou, ik weet het niet. Ik weet niet waar ik precies naar zocht. Misschien verwachtte ik dat het inwendige oog ergens toevallig op zou vallen wat gedaan of geregeld moest worden, zoals was gebeurd met dat stapeltje planken. Maar wat dan ook, ik zag niks.

Rond elf uur deed ik de volgende stap, dat was Gail Lavesque bellen op Pinewood. Ik vroeg haar wat ze dacht van de eclips en alles, en vroeg haar toen hoe de zaken er voorstonden bij Hare Kale Neterigheid.

'Nou,' zegt ze. 'Ik mag niet klagen, aangezien ik niemand anders heb gezien dan die ouwe heer met dat kale hoofd en die tandenborstel-snor – weet je wie ik bedoel?'

Ik zei dat ik dat wist.

'Hij komt om ongeveer half tien naar beneden, ging de achtertuin in, liep langzaam en min of meer met moeite, maar in ieder geval wáárdig, wat meer is dan je kunt zeggen van de rest van hen. Toen Karen Jolander hem vroeg of hij een glas vers uitgeperst sinaasappelsap wilde hebben, rende hij naar de rand van de veranda en kotste in de petunia's. Je had hem moeten horen, Dolores – *Bleeeeeee-ahhh!*'

Ik lachte tot ik bijna huilde, en nooit heb ik lachen prettiger gevonden.

'Ze moeten een behoorlijk feest hebben gehad toen ze terugkwamen van de pont,' zegt Gail. 'Als ik een dubbeltje had gekregen voor elke sigarettepeuk die ik vanochtend heb weggegooid – gewoon een dùbbeltje, moet je voorstellen – zou ik een splinternieu-

we Chevrolet kunnen kopen. Maar ik heb het huis pico bello tegen de tijd dat mevrouw Donovan haar kater langs de trap naar
beneden sleept, daar kun je op rekenen.'
'Ik weet het,' zeg ik, 'en als je hulp nodig hebt, weet je wie je moet
bellen, nietwaar?'
Gail liet daarop een lach horen. 'Laat maar,' zegt ze. 'Je hebt je de
afgelopen week kapot gewerkt – en mevrouw Donovan weet dat
net zo goed als ik. Voor morgenochtend wil ze je niet zien en ik
ook niet.'
'Goed,' zeg ik, en ik nam toen een kleine pauze. Ze verwachtte dat
ik gedag zou zeggen, en als ik in plaats daarvan iets anders zei,
zou ze er speciaal aandacht aan schenken... wat precies de bedoeling was. 'Je hebt Joe niet daar gezien, wel?' vroeg ik haar.
'Joe?' zegt ze. 'Jóuw Joe?'
'Zekers.'
'Nee – ik heb hem hier trouwens nog nooit gezien. Waarom vraag
je dat?'
'Hij is vannacht niet thuisgekomen.'
'O, Dolores,' zegt ze, terwijl ze tegelijkertijd verschrikt en geïnteresseerd klinkt. 'Gedronken?'
'Tuurlijk,' zeg ik. 'Niet dat ik me echt zorgen maak – dit is niet de
eerste keer dat hij de hele nacht is weggebleven om tegen de maan
te huilen. Die komt wel weer, ongewenst komt altijd.'
Toen hing ik op met het gevoel dat ik behoorlijk goed werk had
afgeleverd met het planten van het eerste zaadje.
Ik maakte een gebakken kaasboterham voor mezelf als lunch, kon
hem toen niet eten. De geur van kaas en gebakken brood deed
mijn maag omdraaien. In plaats daarvan nam ik twee aspirines en
ging liggen. Ik dacht niet dat ik in slaap zou vallen, maar deed het
wel. Toen ik wakker werd was het bijna vier uur en weer tijd om
een paar zaadjes te planten. Ik belde Joe's vrienden – dat wil zeggen die paar die telefoon hadden – en vroeg aan allemaal of ze
hem gezien hadden. Hij was de afgelopen nacht niet thuisgekomen, zei ik, en hij was nog stééds niet thuis en ik begon me zorgen
te maken. Ze vertelden me allemaal nee, natuurlijk, en ze wilden
allemaal de bloederige details weten, maar de enige die ik wat vertelde, was Tommy Anderson – waarschijnlijk omdat ik wist dat
Joe eerder tegen Tommy had opgesneden over hoe hij zijn vrouw

in het gareel hield, en arme simpele Tommy slikte het allemaal. Zelfs met hem was ik voorzichtig het er niet al te dik op te leggen; ik zei alleen maar dat ik en Joe een woordenwisseling hadden gehad en dat Joe hoogstwaarschijnlijk woedend was vertrokken. Die avond pleegde ik nog een paar telefoontjes, inclusief aan een paar mensen die ik al had gebeld en was tevreden te merken dat de verhalen al de ronde begonnen te doen.

Die nacht sliep ik niet zo goed; ik had vreselijke dromen. Een ging over Joe. Hij stond op de bodem van de put, keek naar me op met zijn witte gezicht en die donkere cirkels boven zijn neus, die hem eruit deden zien alsof hij stukken kool in zijn ogen had gedrukt. Hij zei dat hij eenzaam was en bleef me smeken naar beneden in de put te springen om hem gezelschap te houden.

De andere was erger, omdat die over Selena ging. Ze was ongeveer vier jaar oud en droeg de roze jurk die haar grootmoeder Trisha voor haar had gekocht net voor ze stierf. Selena kwam naar me toe door de tuin en ik zag dat ze mijn naaischaar in haar hand hield. Ik stak mijn hand ernaar uit, maar ze schudde alleen maar haar hoofd. 'Het is mijn fout en ik moet ervoor boeten,' zei ze. Toen bracht ze de schaar naar haar gezicht en knipte haar eigen neus ermee af – knip. Hij viel in het stof tussen haar kleine, zwarte lakleren schoenen en ik werd gillend wakker. Het was pas vier uur, maar ik had voor die nacht genoeg geslapen, en was niet zo slaapdronken dat ik dat niet wist.

Om zeven uur belde ik Vera weer. Deze keer nam haar huislulhannes op – Kenopensky. Ik vertelde hem dat ik wist dat Vera me die ochtend verwachtte, maar ik kon niet komen, in ieder geval niet tot ik wist waar mijn echtgenoot was. Ik zei dat hij al twee nachten vermist werd en één nacht wegblijven wegens drank was tot dusver altijd zijn limiet geweest.

Tegen het eind van ons gesprek, nam Vera zelf op haar toestel op en vroeg me wat er aan de hand was. 'Ik schijn mijn man niet meer terug te kunnen vinden,' zei ik.

Even zei ze niets en ik had een stuiver willen geven voor haar gedachten. Toen sprak ze en zei dat als zij in mijn plaats was geweest ze er helemaal niet mee zou zitten als ze Joe niet meer terug kon vinden.

'Nou,' zeg ik, 'we hebben drie kinderen, en ik ben min of meer

aan hem gewend. Ik kom later, als hij opduikt.'
'Dat is goed,' zegt ze en dan: 'Ben je er nog steeds, Ted?'
'Ja, Vera,' zegt hij.
'Nou, ga iets mannelijks doen,' zegt ze. 'Sla iets in mekaar of gooi iets om. Het kan me niet schelen wat.'
'Ja, Vera,' herhaalt hij en er volgde een klikje op de lijn toen hij ophing.
Vera bleef toch nog een paar ogenblikken stil. Toen zegt ze: 'Misschien heeft hij een ongeluk gehad, Dolores.'
'Ja,' zeg ik, 'het zou me niets verbazen. Hij drinkt behoorlijk de laatste paar weken en toen ik op de dag van de eclips tegen hem probeerde te praten over het geld van de kinderen, wurgde hij me verdomme bijna.'
'O – echt?' zegt ze. Weer gingen een paar seconden voorbij en toen zei ze: 'Geluk, Dolores.'
'Bedankt,' zeg ik. 'Ik zal het nodig hebben.'
'Als er iets is wat ik kan doen, laat het me weten.'
'Dat is heel vriendelijk,' zei ik tegen haar.
'Helemaal niet,' zegt ze terug. 'Ik zou het eenvoudig haten je kwijt te raken. Het is moeilijk tegenwoordig hulp te vinden die het vuil niet onder de kleden veegt.'
Om maar te zwijgen van hulp die zich kan herinneren de welkommatten in de juiste richting terug te leggen, dacht ik, maar zei niets. Ik bedankte haar alleen maar en hing op. Ik wachtte nog een half uur en belde toen Garrett Thibodeau. Niets mooiers en moderners in die dagen dan een politiechef op Little Tall; Garrett was de stadsdiender. Hij nam de baan over toen Edgar Sherrick in 1960 zijn beroerte kreeg.
Ik vertelde hem dat Joe de afgelopen twee dagen niet thuis was geweest en dat ik me zorgen begon te maken. Garrett klonk behoorlijk duf – ik denk niet dat hij al lang genoeg op was om voorbij zijn eerste kop koffie te komen – maar hij zei dat hij contact zou opnemen met de politie op het vasteland en het zou natrekken bij een paar mensen op het eiland. Ik wist dat dat dezelfde mensen zouden zijn die ik al had gebeld – twee keer in sommige gevallen – maar ik zei het niet. Garrett hing op met de woorden dat hij er zeker van was dat Joe tegen het middageten thuis zou zijn. Zeker weten, ouwe lul, dacht ik, en hing op, en vogels zullen rokjes dra-

gen. Ik denk dat die man wèl genoeg verstand had om onder het schijten 'Yankee Doodle' te zingen, maar ik betwijfel het of hij alle woorden had kunnen onthouden.

Het duurde een hele verrekte week voor ze hem vonden en tegen die tijd was ik half buiten zinnen. Selena kwam terug op woensdag. Ik belde haar dinsdag laat in de middag om haar te zeggen dat haar vader vermist werd en dat het er ernstig uit begon te zien. Ik vroeg haar of ze naar huis wilde komen en ze zei dat ze dat zou doen. Melissa Caron – de moeder van Tanya, weet je – ging haar halen. Ik liet de jongens waar ze waren – Selena was al moeilijk genoeg om mee te beginnen. Ze sprak me aan in mijn kleine groentetuin op donderdag, nog steeds twee dagen voor ze Joe uiteindelijk vonden en ze zegt: 'Mamma, je moet me iets vertellen.'

'Goed, schat,' zeg ik. Ik denk dat ik kalm genoeg klonk, maar ik had een behoorlijk goed idee wat er ging komen – o ja zeker.

'Heb je hem iets aangedaan?' vraagt ze.

Plotseling kwam mijn droom bij me terug – Selena toen ze vier was in haar mooie roze jurk die mijn naaischaar omhoog brengt en haar eigen neus eraf knipt. En ik dacht – bad – 'God, alsjeblieft, help me tegen mijn dochter te liegen. Alsjeblieft, God, ik zal Je nooit meer iets vragen als Je me gewoon helpt tegen mijn dochter te liegen, zodat ze me zal geloven en nooit twijfelt.'

'Nee,' zeg ik. Ik droeg mijn tuinhandschoenen, maar ik trok ze uit zodat ik mijn blote handen op haar schouders kon leggen. Ik keek haar recht in de ogen. 'Nee, Selena,' zei ik tegen haar. 'Hij was dronken en lelijk en hij kneep mijn keel hard genoeg dicht om deze blauwe plekken te veroorzaken, maar ik heb hem niks aangedaan. Het enige wat ik deed was weggaan en ik deed dat omdat ik bang was om te blijven. Dat kun je begrijpen, hè? Begrijpen zonder het me kwalijk te nemen? Je weet hoe het is, om bang voor hem te zijn. Toch?'

Ze knikte, maar ze bleef me strak aankijken. Haar ogen waren van een donkerder blauw dan ik ze ooit had gezien – de kleur van de oceaan net voor een koufront. In mijn geestesoog zag ik de bladen van de schaar opflitsen en haar kleine knop van een neus viel knip in het stof. En ik zal je zeggen wat ik denk – ik denk dat God mijn bede voor de helft beantwoordde die dag. Zoals Hij gewoonlijk doet, heb ik gemerkt. Geen leugen die ik later over Joe vertelde, was beter dan die ik Selena vertelde op die warme julimiddag tussen de bonen en komkommers... maar geloofde ze me? Geloofde ze me en twijfelde ze nooit? Hoezeer ik zou willen denken dat het antwoord daarop ja is, ik kan het niet. Het was twijfel die haar ogen zo donker maakte, toen en altijd daarna.

'Het ergste waar ik schuldig aan ben,' zeg ik, 'is een fles drank voor hem kopen – proberen hem om te kopen om aardig te zijn – toen ik beter had moeten weten.'

Ze keek me nog minstens een minuut langer aan, bukte zich toen en pakte de zak komkommers die ik had geplukt. 'Goed,' zei ze. 'Ik zal deze voor jou naar huis brengen.'

En dat was alles. We spraken nooit meer over hem, niet voor ze hem vonden en niet daarna. Ze moet zat praatjes over mij hebben gehoord, zowel op het eiland als op school, maar we spraken er nooit meer over. Maar toen begon de kou binnen te komen, die middag in de tuin. En toen verscheen de eerste scheur in de muur die families tussen hunzelf en de rest van de wereld optrekken tussen ons. Sinds die tijd is hij alleen maar breder en breder geworden. Ze belt en schrijft me net zo regelmatig als een uurwerk, daar is ze goed in, maar toch zijn we uit elkaar. We zijn vervreemd. Wat ik deed, heb ik voornamelijk voor Selena gedaan, niet voor de jongens of om het geld dat haar pa probeerde te stelen. Het was voornamelijk voor Selena dat ik hem naar zijn dood leidde, en haar diepste gevoel van liefde voor mij raakte ik kwijt door haar te beschermen tegen hem. Ik hoorde mijn eigen vader een keer zeggen dat God Zich beklaagde op de dag dat Hij de wereld maakte, en door de jaren heen ben ik gaan begrijpen wat hij bedoelde. En weet je wat het ergste ervan is? Soms is het grappig. Soms is het zo grappig dat je wel moet lachen zelfs terwijl alles om je heen in duigen valt.

Ondertussen waren Garrett Thibodeau en zijn billenmaatjes druk doende Joe niet te vinden. Het kwam tot het punt waar ik dacht dat ik er gewoon zelf over moest struikelen, hoe weinig het idee me ook aanstond. Als het niet om de poen was gegaan, zou ik hem met veel liefde daarbeneden hebben laten liggen tot het laatste bazuingeschal. Maar het geld was ginder in Jonesport, stond op een bankrekening op zijn naam, en ik was niet van plan om zeven jaar te wachten tot hij wettig doodverklaard zou worden voor ik het terug kon krijgen. Selena zou over iets meer dan twee jaar naar de universiteit gaan en zij zou wat van dat geld nodig hebben om een begin voor haarzelf te maken.

Het idee dat Joe misschien met zijn fles het bos achter het huis ingegaan zou zijn en in een val was getrapt of gevallen terwijl hij dronken naar huis kwam lopen in het donker, begon eindelijk de ronde te doen. Garrett beweerde dat het zíjn idee was, maar dat vind ik vreselijk moeilijk te geloven, aangezien ik met hem op school heb gezeten. Hoe dan ook. Hij plakte donderdagmiddag een oproep op de deur van het stadhuis en op zaterdagochtend – een week na de eclips, was dat – trok hij erop uit met een zoekteam van veertig of vijftig man.

Ze vormden een lijn bij het East Head-gedeelte van Highgate Woods en liepen zo richting het huis, eerst door het bos, dan over Russian Meadow. Ik zag ze rond één uur in een lange lijn het weiland oversteken, lachend en grappen makend, maar de grappen hielden op en het vloeken begon toen zij ons land bereikten en in de wirwar van braamstruiken kwamen.

Ik stond in de deuropening en zag ze komen, terwijl mijn hart in mijn keel klopte. Ik herinner me dat ik eraan dacht dat Selena in ieder geval niet thuis was – ze was naar Laurie Langill gegaan – en dat was een zegen. Toen begon ik te denken dat al die bramen ervoor zouden zorgen dat zij zouden zeggen: de kolere en met hun zoektocht zouden stoppen voor ze ook maar in de buurt van de oude put kwamen. Maar ze bleven naderbij komen. Plotseling hoorde ik Sonny Benoit gillen: 'Hé, Garrett! Hierheen. *Kom hierheen!*' en ik wist dat, in voor- en tegenspoed, Joe gevonden was.

Er kwam natuurlijk een autopsie. Ze deden die op dezelfde dag dat ze hem vonden en ik denk dat ze er nog steeds mee bezig waren toen Jack en Alicia Forbert rond de schemering de jongens terug kwamen brengen. Pete huilde, maar hij zag er totaal in de war uit – ik denk niet dat hij echt begreep wat er met zijn pa was gebeurd. Maar Joe Junior wel en toen hij mij terzijde nam, dacht ik dat hij mij dezelfde vraag zou stellen als die Selena had gesteld en ik harde mezelf om dezelfde leugen te vertellen. Maar hij vroeg iets heel anders.

'Ma,' zegt hij, 'als ik blij was dat hij dood was, zou God me dan naar de hel sturen?'

'Joey, een mens kan weinig aan zijn gevoelens doen en ik denk dat God dat weet,' zei ik.

Toen begon hij te huilen, en hij zei iets dat mijn hart brak. 'Ik probéérde van hem te houden,' vertelde hij me. 'Ik heb het altíjd geprobeerd, maar hij wilde het me niet toestaan.'

Ik trok hem in mijn armen en omhelsde hem zo stevig als ik kon, ik denk dat ik hier in die hele zaak het dichtst in de buurt van huilen kwam... maar natuurlijk moeten jullie in gedachten houden dat ik niet al te goed had geslapen en nog steeds geen idee had hoe de zaken zich zouden ontwikkelen.

Er zou op dinsdag een gerechtelijk onderzoek komen en Lucien Mercier die destijds het enige mortuarium op Little Tall had, vertelde me dat ik eindelijk toestemming had gekregen Joe op woensdag op The Oaks te begraven. Maar op maandag, de dag voor het onderzoek, belde Garrett me op en vroeg me of ik voor een paar minuten naar zijn kantoor wilde komen. Het was het telefoontje dat ik had verwacht en gevreesd, maar er stond me niets anders te doen dan te gaan, dus vroeg ik Selena of zij voor de lunch van de jongens wilde zorgen en vertrok. Garrett was niet alleen. Dokter John McAuliffe was bij hem. Dat had ik ook min of meer verwacht, maar mijn hart zonk iets in mijn borst.

McAuliffe was de districtslijkschouwer destijds. Hij stierf drie jaar later toen een sneeuwruimer zijn Volkswagen Kever raakte. Toen McAuliffe stierf, nam Henry Briarton de baan over. Als Briarton de districtsman was geweest in '63 zou ik heel wat geruster zijn geweest over onze babbel die dag. Briarton is slimmer dan die arme, ouwe Garrett Thibodeau, maar maar een beetje. Maar John McAuliffe... hij had een geest als zo'n vuurtorenlamp van Battiscan Light.

Hij was zo'n raszuivere Schot zoals die in deze contreien verschenen direct na het eind van de Tweede Wereldoorlog, hé, man, brouwend en wel. Ik denk dat hij een Amerikaans staatsburger was aangezien hij zowel als dokter werkte als een districtsfunctie bekleedde, maar hij was beslist niet als de mensen uit deze buurt. Niet dat het voor mij uitmaakte, ik wist dat ik hem moest overbluffen of hij nu Amerikaan, Schot of een Koeterwaal was.

Hij had sneeuwwit haar, ook al kon hij niet ouder dan vijfenveertig geweest zijn en zijn blauwe ogen waren zo helder en scherp dat zij eruitzagen als boorkoppen. Als hij je aankeek, kreeg je het gevoel alsof hij recht in je hoofd keek en de gedachten die hij daar zag in alfabetische volgorde legde. Zo gauw ik hem zag zitten naast Garretts bureau en de deur naar de rest van het Stadskantoorgebouw dicht hoorde klikken achter mij, wist ik dat wat de volgende dag op het vasteland zou gebeuren geen flikker meer uitmaakte. Het echte onderzoek zou daar gebeuren, in dat politiebureautje met een kalender van Weber Oil aan een muur en een foto van Garretts moeder aan een andere.

'Het spijt me je lastig te vallen in je tijd van verdriet, Dolores,' zei Garrett. Hij wreef zijn handen over elkaar, nogal zenuwachtig, en hij deed me denken aan meneer Pease toen op de bank. Maar Garrett moest wat meer eelt op zijn handen hebben gehad, omdat het geluid dat zij maakten terwijl hij ze heen en weer wreef, was als fijn schuurpapier over een droge plank. 'Maar dokter McAuliffe hier heeft een paar vragen die hij je graag zou willen stellen.'

Maar ik zag aan de vragende uitdrukking waarmee Garrett naar de dokter keek, dat hij niet wist wat voor vragen dat konden zijn, en dat maakte me nog banger. Het idee beviel me niet dat die slimme Schot dacht dat de zaken zo ernstig waren dat hij zelf een zitting moest houden zonder die arme Garrett Thibodeau ook maar een kans te geven de zaken te verneuken.

'Mijn diepste medeleven, mevrouw St. George,' zei McAuliffe met dat dikke Schotse accent van hem. Hij was een kleine man, maar wat dat betreft compact en goedgebouwd. Hij had een keurig tandenborstel-snorretje dat even wit was als het haar op zijn hoofd, hij droeg een driedelig wollen pak en hij zag er net zo weinig uit als de mensen van hier als hij klonk. Die blauwe ogen begonnen zich in mijn voorhoofd te boren, en ik zag dat hij geen greintje sympathie voor me voelde, wat hij ook zei. Maar waarschijnlijk ook niet voor iemand anders... inclusief zichzelf. 'Uw smart en ongeluk spijten me heel, heel erg.'

Natuurlijk, en als ik dat geloof, dan kan ik het krijgen, dacht ik. De laatste keer dat je echt iets speet, dok, was de laatste keer dat je de betaal-wc moest gebruiken en het draadje aan je lievelingsdubbeltje brak. Maar op dat moment besloot ik dat ik hem niet zou laten merken hoe bang ik was. Misschien had hij me, maar misschien ook niet. Je moet je herinneren dat, wat mij betrof, hij me zou vertellen dat toen ze Joe op de tafel daarbeneden in de kelders van het Districtsziekenhuis legden en zijn handen openmaakten, er een stukje wit nylon uitviel: een flard van een vrouwenonderjurk. Dat was mogelijk, inderdaad, maar ik zou hem nog steeds niet de bevrediging geven dat ik onder zijn blik zou kruipen. En hij was eraan gewènd dat mensen kropen als hij naar ze keek; hij was dat als zijn recht gaan zien en hij vond het leuk.

'Dank u zeer,' zei ik.

'Zou u willen gaan zitten, mevrouw?' vroeg hij, alsof het zijn kantoor was in plaats van dat van de arme ouwe, verwarde Garrett.

Ik ging zitten en hij vroeg me of ik zo vriendelijk wilde zijn hem toestemming te geven om te roken. Ik zei hem dat wat mij betrof het sein op groen stond. Hij grinnikte, alsof ik een grappig... maar zijn ógen grinnikten niet. Hij haalde een grote, oude, zwarte pijp uit zijn jaszak, een bruyèrepijp, en stak de brand erin. En zijn ogen bleven op me gericht terwijl hij ermee bezig was. Zelfs nadat hij hem tussen zijn tanden had geklemd en de rook opsteeg uit de kop, nam hij zijn ogen niet van me af. Ze gaven me de kriebels, zoals ze door de rook heen naar me staarden, en deden me weer denken aan Battiscan Light – ze zeggen dat die lichten wel drie kilometer ver schijnen, zelfs op een nacht dat de mist dik genoeg is om er met je handen strepen in te trekken.

Ik begon onder zijn blik ineen te krimpen ondanks al mijn goede voornemens en toen dacht ik aan Vera Donovan die zei: 'Onzin – elke dag sterven er echtgenoten, Dolores.' Het kwam me voor dat McAuliffe naar Vera kon blijven staren tot zijn ogen eruit vielen zonder haar ook maar zo ver te krijgen dat ze haar benen andersom over elkaar heen sloeg. Daaraan denken stelde me iets op mijn gemak en ik werd weer rustig, vouwde alleen maar mijn handen boven op mijn handtas en wachtte af.

Ten slotte, toen hij zag dat ik niet gewoon uit mijn stoel op de grond zou vallen en de moord op mijn echtgenoot zou bekennen – door een gordijn van tranen zou hij het gewild willen hebben, stelde ik me voor – nam hij de pijp uit zijn mond en zei: 'U vertelde de agent dat uw echtgenoot die blauwe plekken in uw hals heeft veroorzaakt?'

'Zekers,' zeg ik.

'Dat u en hij op de veranda zaten om naar de eclips te kijken, en dat daar een twistgesprek begon.'

'Zekers.'

'En waar, als ik mag vragen, ging dat twistgesprek over?'

'Om te beginnen over geld,' zeg ik, 'drank kwam daarna.'

'Maar uzelf kocht de drank waar hij die dag dronken van is geworden, mevrouw St. George! Is dat zo?'

'Zekers,' zeg ik. Ik kon voelen dat ik iets meer wilde zeggen, om mezelf te verklaren, maar ik deed het niet, zelfs al had ik het gekund. Dat wilde McAuliffe, begrijp je – dat ik vooruitliep. En mezelf net zover verklaarde dat ik ergens in een gevangeniscel terechtkwam.

Ten slotte gaf hij het wachten op. Hij draaide met zijn vingers alsof hij verveeld was, vestigde toen die vuurtorenogen van hem weer op me. 'Na dat wurgincident, liet u uw echtgenoot achter; u ging naar Russian Meadow, op weg naar East Head, om in uw eentje de eclips te zien?'

'Zekers.'

Hij leunde plotseling naar voren, zijn kleine handen op zijn kleine knieën en zegt: 'Mevrouw St. George, weet u uit welke richting de wind die dag kwam?'

Het was net als die dag in november '62 toen ik de oude put vond door er bijna in te vallen – ik scheen hetzelfde krakende geluid te horen en dacht: voorzichtig aan, Dolores Claiborne; o zo voorzichtig aan. Tegenwoordig heb je overal putten, en deze man weet waar al deze godvergeten putten liggen.

'Nee,' zeg ik, 'weet ik niet. En als ik niet weet uit welke hoek de wind komt, betekent dat gewoonlijk dat de dag rustig is.'

'Eigenlijk was het niet veel meer dan een bries...' begon Garrett, maar McAuliffe bracht zijn hand omhoog en sneed hem af als een scheermes.

'Hij kwam uit het westen,' zei hij. 'Een westenwind, een westenbries, als u daar de voorkeur aan geeft, tien tot twaalf kilometer per uur, met vlagen tot twintig. Het komt me vreemd voor, mevrouw St. George, dat de wind niet uw echtgenoots kreten bij u bracht als u daar op Russian Meadow stond, nog geen achthonderd meter verderop.'

Minstens drie seconden zei ik niets. Ik had besloten dat ik in gedachten tot drie zou tellen voor ik wèlke vraag dan ook van hem zou beantwoorden. Door dat te doen kon ik mezelf ervan weerhouden te snel te reageren en ervoor te boeten door in een van de kuilen te vallen die hij voor me had gegraven. Maar McAuliffe moet gedacht hebben dat hij mij vanaf het begin uit mijn evenwicht had, want hij leunde naar voren in zijn stoel en ik durf onder ede te verklaren dat een paar ogenblikken zijn ogen van blauwheet naar witheet veranderden.

'Dat verbaast me niets,' zeg ik. 'Om te beginnen is tien kilometer per uur niet veel meer dan een zuchtje wind op een drukkende dag. Bovendien lagen er ongeveer duizend boten in het kanaal, die allemaal naar elkaar toeterden. En hoe weet u eigenlijk dat hij heeft geroepen? U heeft hem verrekte zeker niet gehoord?'

Hij leunde naar achteren en zag er een beetje teleurgesteld uit. 'Het was een redelijke deductie,' zegt hij. 'We weten dat de val zelf hem niet heeft gedood en de autopsie geeft sterke aanwijzingen dat hij op zijn minst een lange tijd bij bewustzijn is geweest. Mevrouw St. George, als ú in een ongebruikte put viel en merkte dat u een gebroken scheenbeen had, een gebroken enkel, vier gebroken ribben en een verstuikte pols, zou ú dan niet om hulp en bijstand geroepen hebben?'

Ik gaf het drie seconden met 'en-twintig' tussen elke tel en zei toen: 'Ik ben niet in de put gevallen, dokter McAuliffe. Maar Joe, en hij had gedronken.'

'Ja,' repliceert dokter McAuliffe. 'U kocht een fles whisky voor hem, ook al zegt iedereen met wie ik heb gesproken dat u het haatte als hij dronk, en ook al werd hij onplezierig en ruziezoekerig als hij dronk; u kocht een fles whisky voor hem en hij had niet alleen maar gedronken, hij was dronken. Hij was héél erg dronken. Zijn mond zat ook vol bloed en zijn hemd was bedekt met bloed helemaal tot aan zijn riem. Als u het feit van het bloed combineert met de wetenschap dat de gebroken ribben als bijverschijnsel longkwetsuren kunnen veroorzaken, weet u wat dat dan wil zeggen?'

Een, en-twintig... twee, en-twintig... drie, en-twintig. 'Nee,' zeg ik.

'Een aantal gebroken ribben had zijn longen doorboord. Zulke kwetsuren resulteren altijd in bloedingen, maar zelden in bloedingen van dit formaat. Dit soort bloedingen werd waarschijnlijk veroorzaakt, maak ik eruit op, door herhaaldelijk schreeuwen van de overledene om hullup.' Zo zei hij het, Andy – hullup.

Het was geen vraag, maar toch telde ik tot drie voor ik zei: 'U denkt dat hij daarbeneden om hulp stond te roepen. Daar komt het allemaal op neer, niet?'

'Nee, mevrouw,' zegt hij. 'Ik dènk dat niet alleen. Ik weet het zo goed als zéker.'

Deze keer nam ik niet de tijd om te wachten. 'Dokter McAuliffe,' zeg ik, 'denkt u dat ik mijn echtgenoot in die put heb geduwd?'

Dat bracht hem even van zijn à propos. Die vuurtorenogen van hem knipperden niet alleen, even werden ze ook vager. Hij frummelde en frutselde nog iets met zijn pijp, stak hem toen terug in zijn mond en trok eraan, terwijl hij al de tijd probeerde te besluiten hoe hij dàt aan zou pakken.

Voor hij het kon, sprak Garrett. Zijn gezicht was zo rood geworden als een radijs. 'Dolores,' zegt hij, 'ik weet zeker dat niemand denkt... dat wil zeggen, dat niemand ook maar het idee in overwéging heeft genomen dat...'

'Zeker,' onderbrak McAuliffe hem. Ik had zijn gedachtengang voor een paar ogenblikken op een zijspoor gekregen, maar ik zag dat hij die zonder echte moeite weer op het hoofdspoor kreeg. 'Ik heb het in overweging genomen. U zult begrijpen, mevrouw St. George, dat mijn taak voor een deel...'

'O, laat dat mevrouw St. George toch zitten,' zeg ik. 'Als u me gaat beschuldigen dat ik eerst mijn echtgenoot in de put heb geduwd en vervolgens boven ben blijven staan terwijl hij om hulp gilde, ga dan uw gang maar en noem me gewoon Dolores.'

Ik was niet echt aan het probéren hem paf te laten staan die keer, Andy, maar ik mag doodvallen als ik het toch niet had gedaan – voor de tweede keer in evenveel minuten. Ik betwijfel het of hij ooit zo hard was aangepakt sinds zijn medicijnenstudie.

'Niemand beschùldigt u van wat ook, mevrouw St. George,' zegt hij, helemaal stijfjes, en wat ik in zijn ogen zag, was: 'Nog niet, in ieder geval.'

'Nou, dat is goed,' zeg ik. 'Omdat het idee dat ik Joe in de put geduwd zou hebben, gewoon dwaas is, weet u. Hij was minstens twintig kilo zwaarder dan ik – waarschijnlijk nog behoorlijk wat meer. De afgelopen paar jaar werd hij behoorlijk vet. Ook was hij niet bang zijn vuisten te gebruiken als iemand hem dwarszat of hem voor de voeten liep. Ik zeg u dat als iemand die zestien jaar met hem getrouwd is geweest en u zult zat mensen vinden die u hetzelfde zullen zeggen.'

Natuurlijk had Joe me een heel lange tijd niet geslagen, maar ik heb nooit geprobeerd de algehele indruk op het eiland dat hij er een gestage zaak van maakte, te corrigeren, en op dat moment, terwijl McAuliffes blauwe ogen probeerden door mijn voorhoofd te boren, was ik er verrekte blij om.

'Niemand zegt dat u hem de put induwde,' zei de Schot. Hij bond nu snel in. Ik kon aan zijn gezicht zien dat hij wist dat hij het deed, maar geen idee had hoe dat gebeurde. Zijn gezicht zei dat ìk degene was die verondersteld werd in te binden. 'Maar hij moet geroepen hebben, weet u. Hij moet dat een tijdje hebben gedaan – misschien uren – en heel hard ook.'

Een, en-twintig.... twee, en-twintig.. drie. 'Misschien begrijp ik u nu,' zeg ik. 'Misschien denkt u dat hij per ongeluk in de put is gevallen en ik hem hoorde schreeuwen en net deed alsof m'n neus bloedde. Bedoelt u dat?'

Aan zijn gezicht zag ik dat dat precíes was wat hij bedoelde. Ik zag ook dat hij kwaad was dat de dingen niet zo liepen als hij had verwacht, zoals ze altijd eerder waren gelopen toen hij deze kleine verhoren had. Een balletje helderrode kleur verscheen op elke wang. Ik was blij die te zien, omdat ik wilde dat hij kwaad was. Een man als McAuliffe is makkelijker te manipuleren als hij kwaad is, omdat mensen als hij eraan gewend zijn hun kalmte te bewaren, terwijl andere mensen die van hun verliezen.

'Mevrouw St. George, het zal erg moeilijk zijn om hier tot iets zinnigs te komen als u mijn vragen blijft beantwoorden met vragen van uzelf.'

'Nou en, u stèlde geen vraag, dokter McAuliffe,' zeg ik, mijn ogen wijd opensperrend in onschuld. 'U vertelde me dat Joe geschreeuwd moet hebben – "geroepen" was wat u eigenlijk zei – dus ìk vroeg gewoon of -'

'Goed, goed,' zegt hij en legt zijn pijp zo hard in Garretts asbak neer dat die galmde. Nu spogen zijn ogen vuur en hij had een rode streep gekregen op zijn voorhoofd bij de kleurballetjes op zijn wangen. 'Hóórde u hem om hulp roepen, mevrouw St. George?'

Een, en-twintig... twee, en-twintig...

'John, ik denk nauwelijks dat er enige reden is de vrouw te sàrren,' onderbrak Garrett, ongemakkelijker klinkend dan ooit, en verdomd als dat niet wéér de concentratie van die kleine opgedirkte Schot verbrak. Ik lachte bijna hardop. Dat zou slecht voor me zijn geweest als ik het had gedaan, daar twijfel ik niet aan, maar het was toch op het randje.

McAuliffe draaide zich bliksemsnel om en zegt tegen Garrett: 'Jij was het ermee eens dat ik het afhandelde.'

De arme ouwe Garrett schoot zo snel naar achteren in zijn stoel dat die bijna kantelde en ik weet zeker dat hij een spier verrekte. 'Goed, goed, maar dat is nog geen reden om zo uit te vallen,' mompelt hij.

McAuliffe draaide zich weer naar mij om, klaar om de vraag te herhalen, maar ik nam niet de moeite het hem te laten doen. Tegen die tijd had ik alle tijd gehad om in de buurt van de tien te komen met tellen.

'Nee,' zeg ik, 'ik hoorde alleen maar mensen buiten in het kanaal die de toeters van hun boten lieten klinken en als gekken schreeuwden toen ze eenmaal konden zien dat de eclips begon te gebeuren.'

Hij wachtte tot ik nog iets meer zei – zijn oude truc van gewoon afwachten tot mensen zo doorrennen dat ze het bos ingaan – en de stilte rekte zich tussen ons uit. Ik hield gewoon mijn handen gevouwen boven op mijn handtas en liet die rekken. Hij keek naar me en ik keek terug naar hem.

'Jij gaat tegen me praten, vrouw,' zeiden zijn ogen. 'Jij gaat me alles vertellen wat ik wil horen... twee keer, als ik dat wil.'

En mijn eigen ogen zeiden terug: 'Nee, mooie meneer, dat doe ik niet. Jij kunt daar op me zitten boren met die diamanten hemelsblauwe ogen van je tot de hel een schaatsbaan is en je krijgt nog geen woord uit me tenzij je je mond open doet en het me vraagt.'

We gingen op die manier bijna een verrekte volle minuut door, duellerend met onze ogen, zou je kunnen zeggen, en tegen het eind voelde ik mezelf zwakker worden; ik wilde iets tegen hem zeggen, ook al was het alleen maar: 'Heeft je moeder je nooit geleerd dat staren niet zo beleefd is?' Toen sprak Garrett – of eerder zijn maag deed het. Die liet een lang *koiiiinnnngg* geluid ontsnappen.

McAuliffe keek naar hem, zo bescheten als de pest, en Garrett haalde zijn zakmes te voorschijn en begon zijn vingernagels schoon te maken. McAuliffe haalde een aantekenboekje uit de binnenzak van zijn wollen jas (wòl! in júli!), keek naar iets erin, stak het toen terug.

'Hij probeerde eruit te klimmen,' zegt hij ten slotte, even achteloos als een man die had kunnen zeggen: 'Ik heb een lunchafspraak.'

Ik voelde alsof iemand een vleeshaak onder in mijn rug stak, waar Joe me had geslagen die keer met het eind hout, maar ik probeerde het niet te laten merken. 'O, werkelijk?' zeg ik.

'Ja,' zegt McAuliffe. 'De schacht van de put is afgezet met grote keien (alleen zei hij "kaien", Andy, zoals ze dat doen) en we vonden bloederige handafdrukken op een aantal ervan. Het schijnt dat hij overeind wist te komen en toen langzaam naar boven begon te klimmen, hand voor hand. Het moet een Hercules-inspanning zijn geweest, ondanks een pijn die folterender is dan ik me kan voorstellen.'

'Het spijt me te horen dat hij geleden heeft,' zei ik. Mijn stem was zo kalm als wat – in ieder geval dat dacht ik – maar ik kon het zweet voelen uitbreken in mijn oksels en ik herinner me dat ik bang was dat het op mijn voorhoofd zou verschijnen of in de kleine holtes van mijn slapen waar hij het kon zien. 'Arme ouwe Joe.'

'Ja, zeg dat wel,' zegt McAuliffe, terwijl zijn vuurtorenogen bleven boren en flitsen. 'Arme... ouwe.... Joe. Ik denk dat hij er eigenlijk zelf uit had kunnen komen. Hij zou waarschijnlijk snel daarna gestorven zijn als het hem was gelukt, maar ja, ik denk dat hij er uit had kunnen komen. Maar iets hield hem tegen.'

'Wat was het?' vroeg ik.

'Hij had een ingeslagen schedel,' zei McAuliffe. Zijn ogen stonden helderder dan ooit, maar zijn stem klonk net zo zacht als een snorrende kat. 'We vonden een grote kei tussen zijn benen. Die was bedekt met het bloed van uw echtgenoot, mevrouw St. George. En in dat bloed vonden we een aantal kleine stukjes porselein. Weet u wat ik hieruit afleid?'

Een... twee... drie.

'Klinkt alsof die kei ook zijn valse gebit kapot heeft gemaakt, net als zijn hoofd,' zeg ik. 'Heel jammer – Joe was er gek mee en ik weet niet hoe Lucien Mercier hem zonder dat kan klaarmaken voor het afscheid.'

McAuliffes lippen trokken naar achteren toen ik dat zei en ik kreeg een goede blik op zíjn tanden. Geen gebit daar. Ik denk dat de bedoeling was dat het er als een glimlach uitzag, maar dat was niet zo. Helemaal niet.

'Ja,' zegt hij, terwijl hij me beide rijen keurige kleine tanden helemaal tot aan het tandvlees laat zien. 'Ja, dat is ook mijn conclusie... die porseleinen schilfers zijn van zijn ondergebit. Welnu, mevrouw St. George – heeft u enig idee hoe die kei uw echtgenoot heeft kunnen raken net toen hij op het punt stond uit de put te komen?'

Een... twee... drie.

'Nee,' zeg ik. 'U wel?'

'Ja,' zegt hij. 'Ik denk eigenlijk dat iemand die uit de grond heeft getrokken en hem daarmee wreed en met kwaadaardige voorbedachten rade in zijn omhoog gewende, smekende gezicht heeft geslagen.'

Daarna zei niemand meer iets. Ik wílde wel, God weet dat ik dat wilde. Ik wilde er in springen zo snel als ik kon en zeggen: 'Ik was het niet. Misschien dat iemand het heeft gedaan, maar ik was het niet.' Maar ik kon het niet, omdat ik weer terug in die braamstruiken zat en deze keer zaten er overal van die kloteputten.

In plaats van te praten bleef ik daar gewoon naar hem zitten kijken, maar ik kon het zweet weer voelen uitbreken en ik kon voelen hoe mijn samengeknepen handen zich aan elkaar wilden vastgrijpen. En dan zouden de vingernagels wit worden... en hij zou het zien. McAuliffe was een man die erop was gebóuwd dat soort dingen te zien; het zou het zoveelste gat zijn waarop hij zijn versie van de Battiscan vuurtoren kon richten. Ik probeerde aan Vera te denken, en hoe zij naar hem gekeken zou hebben – alsof hij maar een beetje hondenpoep was op een van haar schoenen – maar met zijn ogen die in mij boorden zoals ze op dat moment deden, scheen het weinig te helpen. Ervoor had het geleken alsof ze bijna samen met mij in het vertrek was, maar zo was het niet langer. Nu had je alleen maar mij en die keurige kleine Schotse dokter die waarschijnlijk zichzelf zag als een van die amateur-detectives in de tijdschriftenverhalen (en wiens getuigenis inmiddels al meer dan tien mensen langs de hele kust naar de gevangenis had gestuurd, merkte ik later), en ik voelde dat ik steeds dichter bij het punt kwam mijn mond open te willen doen om er iets uit te braken. En het verrekte ervan was, Andy, dat ik niet het minste idee had wat het zou wezen als het uiteindelijk kwam. Ik kon de klok op het bureau van Garrett horen tikken – die had een groot, hol geluid.

En ik zóu ook iets gezegd hebben als niet in plaats daarvan die ene persoon die ik was vergeten – Garrett Thibodeau – sprak. Hij sprak met een bezorgde, snelle stem en ik besefte dat híj ook die stilte niet langer kon verdragen – hij moet gedacht hebben dat die voort zou blijven duren tot iemand ging gillen, gewoon om de spanning te breken.

'Kom, John,' zegt hij, 'ik dacht dat we overeengekomen waren dat als Joe gewoon goed aan die kei had getrokken, die vanzelf los had kunnen komen en...'

'*Man, kun je je bek niet houden!*' schreeuwde McAuliffe tegen hem met een hoge, gefrustreerd soort van stem en ik ontspande me. Het was allemaal voorbij. Ik wist het, en ik geloof dat de kleine Schot het ook wist. Het leek alsof wij met z'n tweeën in een zwarte kamer hadden gezeten en hij mijn gezicht had gekieteld met iets wat een scheermes had kunnen zijn... en toen stootte de onhandige ouwe agent Thibodeau zijn teen, viel tegen het raam en de zonwering ging met een knal en veel geratel omhoog waardoor het daglicht binnen kon vallen en ik zag dat waarmee hij mijn gezicht had gekieteld, uiteindelijk maar een veertje was.

Garrett mompelde iets over dat McAuliffe niet zo tegen hem hoefde te schreeuwen, maar de dok besteedde geen aandacht aan hem. Hij wendde zich weer tot mij en zei: 'Nou, mevrouw St. George?' op een harde manier, alsof hij me in een hoek had, maar toen wisten we allebei wel beter. Het enige wat hij kon doen was hopen dat ik een fout zou maken... maar ik had drie kinderen om aan te denken en kinderen hebben maakt je voorzichtig.

'Ik heb u verteld wat ik weet,' zeg ik. 'Hij werd dronken terwijl we op de eclips zaten te wachten. Ik maakte een sandwich voor hem, met de gedachte dat die hem iets nuchterder zou maken, maar dat was niet zo. Hij begon te schreeuwen, toen kneep hij mijn keel dicht en sloeg me in het rond, dus ik ging naar Russian Meadow. Toen ik terugkwam, was hij weg. Ik dacht dat hij vertrokken was met een van zijn vrienden, maar hij zat al de tijd in de put. Ik neem aan dat hij probeerde een stuk af te snijden naar de weg. Misschien was hij mij wel aan het zoeken, wilde hij zijn verontschuldigingen maken. Dat zal ik nooit weten... misschien is dat wel zo goed.' Ik schonk hem een goede, harde blik. 'Zoiets zou u ook eens kunnen proberen, dokter McAuliffe.'

'Laat uw raad maar zitten, mevrouw,' zegt McAuliffe en die gekleurde vlekken op zijn wangen brandden hoger en warmer dan ervoor. 'Bent u blij dat hij dood is? Vertel me dat eens!'

'Wat in de heilige sodemieterij heeft dat te maken met wat er met hem is gebeurd?' vroeg ik. 'Jezus Christus, wat is er met u aan de hànd?'

Hij gaf geen antwoord – pakte alleen maar zijn pijp in een hand die een ietsie pietsie trilde en begon er weer de brand in te steken. Hij stelde geen enkele andere vraag meer, de laatste vraag die mij die dag werd gesteld, kwam van Garrett Thibodeau. McAuliffe stelde hem niet, omdat het niet uitmaakte, in ieder geval niet voor hem. Maar het maakte iets uit voor Garrett, en het maakte nog meer uit voor mij, omdat er nergens een eind aan zou komen als ik die dag het Stadskantoor uitliep; in sommige opzichten was als ik naar buiten liep, dat gewoon pas het begin. Die laatste vraag en de manier waarop ik die beantwoordde maakten een boel uit, omdat het gewoonlijk de dingen zijn die geen drol in een rechtszaal betekenen waarover het meest wordt gefluisterd bij schuttingen als vrouwen hun was ophangen of op de kreeftenboten terwijl mannen met hun ruggen tegen de stuurhut zitten en hun lunch eten. Die dingen sturen je dan misschien niet naar de gevangenis, maar ze kunnen je hangen in de ogen van de stad.

'Waarom heb je om te beginnen in godsnaam een fles drank voor hem gekocht?' jammerde Garrett min of meer. 'Wat voer er in je, Dolores?'

'Ik dacht dat hij me met rust zou laten als hij iets te drinken had,' zei ik. 'Ik dacht dat we rustig bij elkaar konden zitten en naar de eclips kijken en hij me met rust zou laten.'

Ik huilde niet, niet echt, maar ik voelde een traan langs mijn wang naar beneden rollen. Soms denk ik dat die de reden is dat ik in staat was de dertig jaar erna door te gaan met leven op Little Tall – die ene enkele traan. Als die het niet was, hadden ze me misschien weggejaagd met hun gefluister en gezeur en wijzen naar me vanachter hun handen vandaan – zekers, uiteindelijk hadden ze het misschien gedaan. Ik ben taai, maar ik weet niet of iemand taai genoeg is om zich te weer te stellen tegen dertig jaar roddel en anonieme briefjes waarop dingen staan als: 'Je hebt ongestraft een moord gepleegd.' Daar heb ik er een paar van gekregen – en ik heb een behoorlijk idee wie ze me stuurde ook, hoewel nu na al die jaren maakt het allemaal niks meer uit – maar ze hielden op tegen de tijd dat de school die herfst weer begon. Dus ik denk dat je zou kunnen zeggen dat ik de rest van mijn leven, inclusief dit gedeelte hier, te danken heb aan die enkele traan... en aan Garrett die rondvertelde dat ik uiteindelijk niet zo keihard was dat ik niet huilde om Joe. Er zat niets berekenends in ook, en ga niet denken dat het wel zo was. Ik dacht eraan dat het me speet dat Joe zo geleden had zoals die kleine opgedirkte Schot me had gezegd. Ondanks alles wat hij had gedaan en hoe ik hem ook was gaan haten sinds ik er achter kwam wat hij met Selena probeerde, had ik nooit de bedoeling gehad hem te laten lijden. Ik had gedacht dat de val hem zou doden, Andy – ik zweer in de naam van God dat ik dacht dat de val hem direct zou doden.

Arme ouwe Garrett Thibodeau werd zo rood als een stoplicht. Hij frummelde een prop Kleenex uit de doos van hem op zijn bureau en stak die me min of meer tastend toe zonder te kijken – ik stel me voor dat hij dacht dat die eerste traan een stortvloed zou beginnen – en verontschuldigde zich ervoor mij in 'zo'n gespannen ondervraging' te brengen. Ik wed dat dat zo ongeveer de moeilijkste woorden waren die hij kende.

McAuliffe liet daarop een *humpf!* geluid horen, zei iets over hoe hij zou zijn bij het onderzoek als mijn verklaring werd opgenomen en vertrok toen – beende naar buiten eigenlijk en sloeg de deur zo hard achter zich dicht dat het glas rinkelde. Garrett gaf hem tijd om te verdwijnen en bracht me toen naar de deur, steunde me aan mijn arm, maar keek me nog steeds niet aan (het was om eerlijk te zijn nogal komisch) en mompelde al die tijd. Ik weet niet zeker waaróver hij mompelde, maar ik veronderstel dat wat het ook was, het eigenlijk Garretts manier van zeggen was dat het hem speet. Die man had een gevoelig hart en kon er niet tegen als iemand ongelukkig was, dat moet ik hem nageven... en ik zal nog iets anders zeggen over Little Tall: waar anders zou een man als hij niet alleen voor bijna twintig jaar een agent kunnen zijn, maar ook nog een diner krijgen ter ere van hem compleet met een staande ovatie aan het eind toen hij ten slotte met pensioen ging? Ik zal je zeggen wat ik denk – een plek waar een zachtmoedig mens kan slagen als wetsdienaar is niet zo'n slechte plek om je leven door te brengen. Helemaal niet. Desondanks was ik nooit blijer een deur achter me te horen sluiten dan toen die van Garrett die dag dichtklikte.

Dat was dus de heavy stuff, en het gerechtelijk onderzoek de volgende dag was daarbij vergeleken niets. McAuliffe stelde me veel van dezelfde vragen en het waren moeilijke vragen, maar ze hadden geen macht meer over me, en we wisten het allebei. Mijn ene traan was helemaal prima, maar de vragen van McAuliffe – plus het feit dat iedereen kon zien dat hij razend op me was als een beer met een zere klauw – hielpen een hoop bij de praatjes die sindsdien op het eiland de ronde hebben gedaan. O nou, er zouden hoe dan ook altijd wel praatjes zijn geweest, ja toch?

De uitspraak was dood door ongeluk. Het beviel McAuliffe helemaal niet en aan het eind las hij zijn conclusie op een vlakke toon, zonder ook maar één keer op te kijken, maar wat hij zei was officieel genoeg: Joe viel in de put terwijl hij dronken was, had waarschijnlijk een behoorlijke tijd om hulp geroepen zonder antwoord te krijgen, probeerde er toen op eigen houtje uit te klimmen. Hij haalde het bijna tot bovenaan, maar zette toen zijn gewicht op de verkeerde kei. Die kwam los en raakte hem hard genoeg tegen zijn hoofd om zijn schedel te kraken (om maar te zwijgen van zijn gebit) en daardoor viel hij weer terug naar de bodem, en daar stierf hij.

Misschien was wel het belangrijkste – en ik besefte dit pas later – dat zij geen motief konden vinden om me aan vast te pinnen. Natuurlijk, de mensen in de stad (en dokter McAuliffe ook, daar twijfel ik niet aan) dachten dat als ik het had gedaan, ik het deed om een eind te maken aan het feit dat hij me sloeg, maar op zichzelf was dat niet ernstig genoeg. Alleen Selena en meneer Pease wisten hoeveel motief ik werkelijk had, en niemand, zelfs niet de slimme ouwe dokter McAuliffe, dacht eraan om meneer Pease te ondervragen. Hij kwam ook niet op eigen gelegenheid naar voren. Als hij het had gedaan, zou ons babbeltje in The Chatty Buoy uitgekomen zijn en hij zou hoogstwaarschijnlijk problemen hebben gekregen met de bank. Ik had hem tenslotte weten over te halen de regels te overtreden.

Wat Selena betreft... nou, ik denk dat Selena me in haar eigen rechtszaal veroordeeld heeft. Zo nu en dan zag ik haar ogen op me gericht, donker en betrokken en in mijn gedachten hoorde ik haar vragen: 'Heb je hem iets aangedaan? Heb je dat, mamma? Is het mijn schuld? Ben ik degene die moet boeten?'

Ik denk dat ze er voor geboet hééft – dat is nog het ergste. Het kleine eilandmeisje dat nooit buiten de staat Maine was geweest tot ze naar Boston ging voor een zwemwedstrijd toen ze achttien was, is een slimme, succesvolle carrièrevrouw geworden in New York City – twee jaar geleden stond er een artikel over haar in de New York *Times*, wisten jullie dat? Ze schrijft voor al die tijdschriften en vindt nog steeds tijd om me een keer per week te schrijven... maar ze voelen aan als plichtmatige brieven, net als de telefoontjes twee keer per maand het gevoel geven van plichtmatige telefoontjes. Ik denk dat de telefoontjes en de babbelbriefjes de manier zijn om haar hart te kalmeren over waarom ze nooit meer hier terugkomt, over hoe ze haar banden met me heeft doorgesneden. Ja, ik denk dat zij ervoor heeft geboet, inderdaad; ik denk dat degene die de minste schuld had, het meest heeft geboet, en dat ze nog steeds boet.

Ze is vierenveertig jaar, ze is nooit getrouwd, ze is te mager en ik denk dat ze drinkt – ik heb het vaker dan eens in haar stem gehoord als ze belde. Ik heb het idee dat het een van de redenen is dat ze niet meer naar huis komt, ze wil niet dat ik zie dat ze drinkt zoals haar vader dronk. Of misschien omdat ze bang is over wat ze misschien zegt als ze er een te veel op heeft en ik net in de buurt ben. Wàt ze misschien vraagt.

Maar het geeft niet; het is nu allemaal gepraat achteraf. Ik ging vrijuit, dat is het belangrijkste. Als er een verzekering was geweest, of Pease had zijn mond niet gehouden, weet ik niet zeker of ik vrijuit was gegaan. Van die twee zou een vette verzekeringspremie de ergste zijn geweest. Het laatste op Gods ronde wereld dat ik nodig had, was de een of andere slimme verzekeringsagent die samen met die slimme kleine Schotse dokter aan de gang ging, die al hartstikke kwaad was door het idee verslagen te zijn door een onwetende eilandvrouw. Nee, als ze met z'n tweeën zouden zijn geweest, denk ik dat ze me misschien te pakken hadden gekregen. Dus wat gebeurde er? Nou, wat ik me voorstel dat er altíjd gebeurt in dat soort gevallen, als er een moord is gepleegd die niet kan worden bewezen. Het leven ging verder, dat is alles. Niemand verscheen op het laatste moment met informatie, zoals in de film. Ik heb niet geprobeerd iemand anders te vermoorden, en God trof me niet met een bliksemschicht. Misschien had Hij het gevoel dat mij raken met de bliksem voor mensen als Joe St. George een verspilling van elektriciteit zou zijn geweest. Ik neem aan dat dat blasfemie is, maar naar mijn gevoel is het ook niets dan de waarheid.

Het leven ging gewoon verder. Ik ging terug naar Pinewood en naar Vera. Selena nam haar oude vriendschappen weer op toen ze die herfst weer naar school ging, en soms hoorde ik haar lachen aan de telefoon. Toen het nieuws ten slotte tot hen doordrong, had Little Pete het er moeilijk mee... en Joe Junior ook. Om eerlijk te zijn had Joe het er moeilijker mee dan ik verwachtte. Hij verloor wat gewicht en had wat nachtmerries, maar tegen de zomer erna leek hij voornamelijk weer in orde. Het enige dat echt veranderde tijdens de rest van 1963 was dat ik Seth Reed over liet komen om een cementen deksel op de oude put te laten maken.

Zes maanden na Joe's dood, werd zijn nalatenschap geregeld in het districtskantoor. Ik was er zelfs niet bij. Een week of zo later kreeg ik een papier waarin stond dat alles van mij was – ik kon het verkopen, ruilen of in de diepblauwe zee gooien. Toen ik klaar was met door de dingen heen te gaan die hij had nagelaten, dacht ik dat de laatste van die keuzes me de beste leek. Ik ontdekte echter iets verrassends, en dat is, als je echtgenoot plotseling overlijdt, dat het heel handig kan zijn als al zijn vrienden net zulke idioten zijn als die van Joe. Ik verkocht de oude kortegolfradio waar hij tien jaar aan geprutst had aan Norris Pinette voor vijfentwintig dollar en de drie ouwe roestbakken die in de achtertuin stonden aan Tommy Anderson. Die idioot was meer dan blij om ze te hebben en ik gebruikte het geld om een '59 Chevy te kopen die piepende kleppen had maar verder goed reed. Ook kreeg ik Joe's spaarbankboekje naar me overgemaakt en ik heropende de studierekeningen van de kinderen.

O, en een ander ding – in januari van 1964 nam ik mijn meisjesnaam weer aan. Ik maakte er niet bijzonder veel ophef over, maar ik mocht doodvallen als ik St. George voor de rest van mijn leven achter me aan zou slepen, als een blik dat is vastgeknoopt aan de staart van een hond. Ik denk dat je zou kunnen zeggen dat ik het touw heb doorgesneden waar het blik aan vastzat... maar ik kwam niet zo makkelijk van hèm af als ik van zijn naam afkwam, dat kan ik je wel vertellen.

Niet dat ik dat verwachtte; ik ben vijfenzestig en ik weet minstens al vijftig jaar dat het meeste wat menszijn inhoudt, is dat je keuzes maakt en de rekening betaalt als die gepresenteerd wordt. Sommige keuzes zijn behoorlijk verdomde gemeen, maar dat geeft een mens nog geen permissie er gewoon van weg te lopen – vooral niet als die persoon anderen heeft die van hem afhankelijk zijn om voor ze te doen wat ze niet zelf kunnen doen. In zo'n geval moet je gewoon de beste keuze maken die je kunt en dan de prijs betalen. Voor mij was de prijs een heleboel nachten dat ik wakker werd in het koude zweet van nare dromen en zelfs nog vaker als ik helemaal niet in slaap kon komen. Dat en het geluid dat de kei maakte toen die hem in het gezicht trof, zijn schedel kraakte en zijn gebit – dat geluid als een porseleinen bord op een bakstenen haard. Ik heb het dertig jaar gehoord. Soms is het dat wat me wakker maakt en soms is het dat wat me uit mijn slaap houdt, en soms verrast het me overdag. Ik kan thuis de veranda vegen en bij Vera het zilver poetsen of zitten lunchen met de tv aan op de Oprah Winfrey-show en dan plotseling hoor ik het. Dat geluid. Of de plof als hij de bodem raakt. Of zijn stem die uit de put omhoog komt: 'Duh-lorrrr-isss...'

Ik geloof niet dat de geluiden die ik soms hoor veel verschillen van wat het ook was dat Vera echt zag wanneer ze gilde over de draden in de hoeken of de stofpluizen onder het bed. Er waren momenten, vooral toen ze echt achteruit begon te gaan, dat ik bij haar in bed kroop en haar tegen me aan drukte en dacht aan het geluid dat de kei maakte, en dan mijn ogen sloot en een porseleinen bord zag dat tegen een bakstenen haard sloeg en helemaal aan stukken ging. Wanneer ik dat zag, dan drukte ik haar tegen me aan alsof ze mijn zus was, of alsof ze mezelf was. Dan lagen we in dat bed, ieder met zijn eigen angst, en ten slotte doezelden we dan samen weg – zij met mij om de stofpluizen weg te houden en ik met haar om het geluid van het porseleinen bord weg te houden – en soms voor ik in slaap viel dacht ik dan: Zo is het nou. Zo betaal je ervoor dat je een kreng bent. En het heeft geen zin te zeggen dat als je geen kreng was geweest je niet had hoeven betalen, want soms word je door de wereld tot een kreng gemáákt. Wanneer het buiten allemaal doem en duisternis is en jij binnen alleen bent om eerst licht te maken en het dan brandend te houden, dan móet je wel een kreng zijn. Maar o, de prijs. De verschrikkelijke prijs.

Andy, denk je dat ik nog één heel klein slokje uit die fles van je zou kunnen krijgen? Ik zal het geen mens vertellen.

Dank je. En jíj ook bedankt, Nancy Bannister, dat je zoveel geduld hebt met zo'n langdradig oud wijf als ik. Hoe gaat het met je vingers?

Wel goed? Mooi. Verlies nou maar niet de moed, ik ben van de hak op de tak bezig geweest, dat weet ik, maar ik denk dat ik eindelijk bij het deel aangekomen ben waar jullie echt over willen horen. Dat is mooi, want het is laat en ik ben moe. Ik heb mijn hele leven gewerkt, maar ik kan me niet herinneren dat ik ooit zo moe ben geweest als nu.

Ik was gisterochtend – het lijkt wel zes jaar geleden, maar het was nog maar gisteren – de was aan het ophangen en Vera had een van haar heldere dagen. Daarom was het allemaal zo onverwacht, en voor een deel waarom ik zo zenuwachtig was. Als ze haar heldere dagen had, werd ze soms krengerig, maar dat was de eerste en laatste keer dat ze kránkzinnig werd.

Ik was dus beneden in de tuin aan de zijkant en zij zat boven in haar rolstoel om toezicht te houden op het werk zoals ze graag deed. Af en toe brulde ze dan naar beneden: 'Zes knijpers, Dolores! Zes knijpers op al die lakens, stuk voor stuk! Probeer je er niet van af te maken met maar vier, want ik hou je in de gaten!'

'Jawel,' zeg ik, 'dat weet ik en ik wed dat jij alleen maar zou willen dat het twintig graden kouder was en dat het ijzel hagelde.'

'Wàt?' krast ze van boven tegen me. 'Wàt zei je daar, Dolores Claiborne?'

'Ik zei dat iemand waarschijnlijk zijn tuin aan het bemesten is,' zeg ik, 'want het stinkt hier meer naar kouwe kak dan anders.'

'Zijn we weer bijdehand, Dolores?' roept ze terug met die gebarsten, onvaste stem van haar.

Ze klonk zo'n beetje zoals iedere dag wanneer er wat meer zonnestralen dan gewoonlijk in haar zolderkamer binnendrongen. Ik wist dat ze later op de dag wel eens streken zou kunnen krijgen, maar dat kon me niet veel schelen – op dat moment was ik gewoon blij dat ze zo helder was. Om je de waarheid te zeggen, het was net als vroeger. Ze had zich al drie of vier maanden een zere duim zitten tellen en het was eigenlijk wel fijn dat ze terug was... tenminste, zoveel van de oude Vera als er ooit zou terugkomen, als je begrijpt wat ik bedoel.

'Nee, Vera,' riep ik naar boven. 'Als ik bijdehand was geweest, werkte ik al lang niet meer voor je.'

Ik verwachtte dat ze van boven nog iets terug zou roepen, maar dat deed ze niet. Dus ik ging door met het ophangen van haar lakens en haar luiers en haar washandjes en zo. Toen, terwijl ik de halve mand nog moest doen, hield ik op. Ik had een naar gevoel. Ik kan niet zeggen waarom, of zelfs maar waar het begon. Ineens was het er gewoon – echt een naar gevoel. En heel even kreeg ik een heel vreemd idee: 'Dat meisje heeft problemen... dat meisje dat ik zag op de dag van de eclips, dat meisje dat mij zag. Ze is nu helemaal volwassen, bijna van Selena's leeftijd, maar ze zit vreselijk in de nesten.'

Ik draaide me om en keek naar boven, ik verwachtte bijna een volwassen versie te zien van dat meisje met haar vrolijke, gestreepte jurk en roze lippenstift, maar ik zag niemand en dat was fout. Het was fout omdat Véra daar had moeten zijn, zo ongeveer aan het dak naar buiten hangend om zich ervan te vergewissen dat ik het juiste aantal wasknijpers gebruikte. Maar ze was weg, en ik begreep niet hoe dat kon, want ik had haar zelf in haar stoel gezet en hem op de rem gezet toen ik hem eenmaal bij het raam had zoals ze dat graag wilde.

Toen hoorde ik haar gillen.

'*Duh-looo-russs!*'

Er ging zo'n koude rilling over mijn rug toen ik dat hoorde, Andy! Het was alsof Joe was teruggekomen. Een ogenblik stond ik gewoon aan de grond genageld. Toen gilde ze weer en die tweede keer hoorde ik dat zij het was.

'*Duh-looo-russs! Er zijn stofpluizen! Ze zitten overal! O-lieve-God! O-lieve-God! Duh-looo-russs, help! Help me!*'

Ik draaide me om om naar het huis te rennen, struikelde over die verdomde wasmand en dook languit in de lakens die ik net had opgehangen. Ik raakte erin verward en moest me er op de een of andere manier uit worstelen. Een ogenblik was het net alsof de lakens handen hadden gekregen en probeerden me te wurgen, of gewoon tegen te houden. En al die tijd bleef Vera gillen en ik dacht aan de droom die ik die ene keer had gehad, die droom van dat stofhoofd met al die lange, vooruitstekende stoftanden. Alleen wat ik voor mijn geestesoog zag, was Joe's gezicht op dat hoofd en de ogen waren helemaal donker en leeg, alsof iemand twee stukken kool in een wolk stof had gedrukt, en daar hingen ze nu te drijven.

'*Dolores, o, alsjeblieft, kom gauw! O, alsjeblieft, kom gauw! De stofpluizen! OVERAL ZITTEN STOFPLUIZEN!*'

Toen gilde ze alleen nog maar. Het was afschuwelijk. Je zou in je wildste dromen nooit hebben geloofd dat zo'n dik oud wijf als Vera Donovan zo hard zou kunnen schreeuwen. Het was als moord en brand en het eind van de wereld allemaal bij elkaar.

Ik worstelde me op de een of andere manier uit de lakens en toen ik opstond, voelde ik een van de bandjes van mijn onderjurk knappen, net als op de dag van de eclips, toen Joe me bijna vermoordde voor ik met hem af had kunnen rekenen. En kennen jullie het gevoel dat je krijgt wanneer het lijkt alsof je ergens eerder bent geweest en weet wat de mensen allemaal gaan zeggen voordat ze het zeggen? Ik kreeg dat gevoel zo sterk, dat het was alsof er overal om me heen geesten waren, die me kietelden met vingers die ik niet echt kon zien.

En weet je wat? Ze voelden aan als stòffige geesten.

Ik rende door de keukendeur naar binnen en stormde de trap op, zo snel als mijn benen me konden dragen, en de hele tijd was ze aan het gillen, gillen, gillen. Mijn onderjurk begon af te zakken en toen ik op de overloop van de trap aan de achterkant kwam, keek ik om, ervan overtuigd dat ik Joe achter me aan zou zien komen stommelen, graaiend naar de zoom.

Toen keek ik weer de andere kant op en zag Vera. Ze was al voor driekwart door de gang in de richting van de trap aan de voorkant, voortwaggelend met haar rug naar me toe en al maar gillend. Er zat een grote, bruine vlek op het zitvlak van haar nachtjapon waar ze zich had bevuild – nu niet uit gemeenheid of krengerigheid, maar uit pure, kille angst.

Haar rolstoel zat klem in de deuropening van haar slaapkamer. Ze moest hem van de rem hebben gezet toen ze zag wat het ook was dat haar zo bang maakte. Alle keren daarvoor dat ze de stuipen had gekregen, was het enige wat ze kon, blijven zitten of liggen waar ze was, en brullen om hulp, en er zijn mensen zat die jullie zullen vertellen dat ze zich niet op eigen kracht kòn voortbewegen, maar dat deed ze gisteren wel, ik zweer dat ze dat deed. Ze had haar rolstoel van de rem gehaald, hem omgedraaid en hem door de kamer gereden, wist er toen op de een of andere manier uit te komen toen hij vast kwam te zitten in de deuropening en was weggewankeld door de gang.

Ik bleef daar de eerste paar seconden gewoon als aan de grond genageld staan, terwijl ik toekeek hoe ze slingerend verder liep en me afvroeg wat ze gezien had dat zó verschrikkelijk was, dat ze deed wat ze deed, dat ze liep nadat haar dagen van lopen voorbij hadden moeten zijn – wat dat voor iets was wat ze alleen maar de stofpluizen wist te noemen.

Maar ik had gezien waar ze naartoe ging – rechtstreeks naar de trap aan de voorkant.

'Vera!' schreeuwde ik naar haar. 'Vera, hou nou op met die malligheid! Je zult vallen! Stòp!'

Toen rende ik gewoon zo hard als ik kon. Dat gevoel dat dit alles voor de tweede keer gebeurde, kwam weer over me, alleen had ik deze keer het gevoel alsof ik Joe was, dat ik degene was die probeerde in te halen en te pakken te krijgen.

Ik weet niet of ze me niet hoorde, of dat ze me wel hoorde en in haar arme verwarde hoofd dacht dat ik vóór haar was, in plaats van achter haar. Het enige wat ik zeker weet, is dat ze bleef gillen – *'Dolores, help! Help me, Dolores! De stofpluizen!'* – en wat sneller voortwaggelde.

Ze was net zo ongeveer aan het eind van de gang. Ik rende langs de deur van haar kamer en knalde verdomd hard met mijn enkel tegen een van de voetsteunen van de rolstoel – hier, je kunt de blauwe plek zien zitten. Ik liep zo hard ik kon, en ik riep: 'Stop, Vera! Stop!' tot ik een rauwe keel had.

Ze stak de overloop over en zette één voet in de lege ruimte. Ik zou haar toen in geen geval meer hebben kunnen redden – ik had mezelf alleen maar door haar naar omlaag kunnen laten trekken – maar in zo'n situatie heb je niet de tijd om na te denken of het risico af te wegen. Ik sprong op haar af, juist toen die voet van haar omlaag kwam in het niets en zij naar voren begon te hellen. Ik ving even een laatste glimp van haar gezicht op. Ik denk niet dat ze wist dat ze zou vallen; er was alleen maar verbijsterde paniek te zien. Ik had die blik eerder gezien, hoewel nooit zo intens, en ik kan jullie wel zeggen dat het niets te maken had met angst om te vallen. Ze dacht aan wat achter haar was, niet wat voor haar lag.

Ik greep in de lucht en kreeg alleen maar een heel klein plooitje van haar nachthemd te pakken tussen de wijs- en middelvinger van mijn linkerhand. Het gleed er als een zucht doorheen.

'Duh-looo...' gilde ze en toen klonk er een zware, vlezige plof. Mijn bloed stolt in mijn aderen als ik aan dat geluid denk; het was net als dat wat Joe maakte toen hij op de bodem van de put neerkwam. Ik zag haar een radslag maken en hoorde toen iets breken. Het geluid was zo helder en hard als wanneer je een stuk aanmaakhout op je knie breekt. Ik zag bloed uit de zijkant van haar hoofd spuiten en meer wilde ik niet zien. Ik wendde me zo snel af dat mijn voeten in de knoop raakten en ik op mijn knieën viel. Ik staarde door de gang naar haar kamer en wat ik zag deed me gillen. Het was Joe. Even zag ik hem net zo duidelijk als ik jou nu zie, Andy; ik zag zijn stoffige, grijnzende gezicht naar me loeren vanonder de rolstoel, door de stalen spaken van het wiel dat in de deuropening was blijven haken.

Toen was het weg en ik hoorde haar jammeren en huilen.

Ik kon het niet geloven dat ze de val had overleefd, ik kan het nog steeds niet geloven. Joe was natuurlijk ook niet meteen dood geweest, maar híj was een man in de bloei van zijn leven geweest en zij was een kwabbige, oude vrouw die een zestal lichte beroertes had gehad en minstens drie zware. Ook was er geen modder en troep om haar val te breken zoals er voor hem wel waren geweest. Ik wilde niet naar haar toe, wilde niet zien waar ze gebroken was en bloedde, maar daar was geen sprake van natuurlijk. Ik was de enige daar, en dat betekende dat ik wel moest. Toen ik overeind kwam (ik moest me ophijsen aan de stijl boven aan de trapleuning om dat voor elkaar te krijgen, zo slap waren mijn knieën), trapte ik met mijn voet op de zoom van mijn onderjurk. Het andere bandje knapte en ik trok mijn jurk wat op, zodat ik hem uit kon trekken... en dàt was ook net als de vorige keer. Ik herinner me dat ik naar beneden naar mijn benen keek of ze geschramd waren en bloedden van de doorns in de braamstruiken, maar natuurlijk was er niets van dat alles.

Ik voelde me koortsig. Als je ooit echt ziek bent geweest en je temperatuur was heel hoog opgelopen, dan weet je wat ik bedoel, je hebt niet echt het gevoel dat je van de wereld bent, maar verdomd dat je ook niet het gevoel hebt dat je er middenin staat. Het is alsof alles van glas was geworden en er niets meer is waar je stevig houvast aan hebt; alles is glibberig. Zo voelde ik me toen ik daar op de overloop stond, terwijl ik de bovenkant van de trapleuning in een doodsgreep hield en keek naar waar ze terecht was gekomen.

Ze lag iets lager dan halverwege de trap, met allebei haar benen zo ver onder zich gedraaid dat je ze nauwelijks kon zien. Langs één kant van haar arme, oude gezicht liep bloed. Toen ik de trap afstommelde naar haar toe, terwijl ik me aan de leuning vastklampte alsof mijn leven ervan afhing, draaide een van haar ogen omhoog in zijn kas om me aan te kijken. Het was de blik van een dier dat vastzat in een val.

'Dolores,' fluisterde ze. 'Die klootzak heeft me al die jaren achtervolgd.'

'Sst,' zei ik. 'Probeer niet te praten.'

'Ja, dat heeft hij wel,' zei ze alsof ik haar had tegengesproken. 'O, de schoft. De geile schoft.'

'Ik ga naar beneden,' zeg ik. 'Ik moet de dokter bellen.'

'Nee,' zegt ze terug. Ze stak een hand omhoog en greep mijn pols. 'Geen dokter. Geen ziekenhuis. Stofpluizen... ook daar. Overàl.'

'Het komt wel goed, Vera,' zeg ik, terwijl ik mijn hand lostrek.

'Zo lang je maar stil blijft liggen en je niet verroert, komt alles prima in orde.'

'Dolores Claiborne zegt dat alles príma in orde komt,' zegt ze, en het was die droge, felle stem die ze altijd opzette voordat ze die beroertes had en helemaal troebel werd in haar hoofd. 'Wat een opluchting een deskundige mening te horen!'

Die stem te horen na al die jaren dat ze weg was geweest, was als een klap in mijn gezicht. Hij hielp me met een schok van mijn paniek af, en ik keek haar voor het eerst echt in het gezicht zoals je naar iemand kijkt die precies weet wat hij zegt en ieder woord ervan meent.

'Ik ben zo goed als dood,' zegt ze, 'en dat weet je net zo goed als ik. Mijn rug is denk ik gebroken.'

'Dat weet je niet, Vera,' zeg ik, maar ik was niet meer zo happig om naar de telefoon te rennen als eerst. Ik denk dat ik wist wat er aankwam, en als ze ging vragen wat ik dacht dat ze zou gaan vragen, zag ik niet in hoe ik haar dat kon weigeren. Ik stond bij haar in het krijt, al vanaf die regenachtige herfstdag in 1962 toen ik op haar bed zat te brullen met mijn schort voor mijn gezicht en de Claibornes hebben altijd hun schulden betaald.

Toen ze weer tegen me sprak, was ze net zo helder van geest als ze dertig jaar geleden was geweest, destijds toen Joe nog leefde en de kinderen nog thuis waren. 'Ik weet dat er nog maar één ding het besluiten waard is,' zegt ze, 'en dat is of ik op mijn eigen moment zal sterven of op dat van het ziekenhuis. Hun moment duurt me te lang. Mijn moment is nu, Dolores. Ik ben het zat het gezicht van mijn man in de hoeken te zien wanneer ik zwak en in de war ben. Ik ben het zat om te zien hoe ze die Corvette in het maanlicht uit de steengroeve takelen, hoe het water uit het open raampje van het rechterportier stroomt...'

'Vera, ik weet niet waar je het over hebt,' zeg ik.

Ze bracht haar hand omhoog en wuifde er een paar seconden mee op die oude, ongeduldige manier van haar; toen plofte hij weer naast haar op de trap. 'Ik ben het zat mijn benen nat te pissen en een half uur nadat ze weg zijn gegaan te vergeten wie me is komen opzoeken. Ik wil het gehad hebben. Wil je me helpen?'

Ik knielde naast haar neer, pakte de hand die op de trap was gevallen en drukte die tegen mijn boezem. Ik dacht aan het geluid

dat de kei had gemaakt toen die Joe in het gezicht raakte – het geluid als van een porseleinen bord dat aan scherven gaat tegen een
bakstenen haard. Ik vroeg me af of ik dat geluid nog eens zou
kunnen horen zonder mijn verstand te verliezen. En ik wist dat
het net zo zóu klinken, want zij had als hij geklonken toen ze mijn
naam riep, ze had net als hij geklonken toen ze viel en op de trap
terechtkwam, helemaal aan diggelen vallend zoals ze altijd zo
bang was geweest dat de meiden het fijne, kostbare glaswerk zouden breken dat ze in de salon had, en mijn onderjurk lag boven op
de overloop als een balletje wit nylon met allebei de bandjes gebroken, en dat was ook net als de vorige keer. Als ik haar van
kant maakte, zou het net zo klinken als toen ik hem van kant
maakte, en dat wist ik. Zekers. Dat wist ik net zo zeker als ik weet
dat East Lane uitkomt op die gammele, oude trap die langs East
Head omlaag gaat.
Ik hield haar hand vast en dacht erover na hoe de wereld in elkaar
zit – hoe nare mannen soms een ongeluk krijgen en goede vrouwen in krengen veranderen. Ik keek naar de afschuwelijke, hulpe-
loze manier waarop ze haar ogen draaide zodat ze me in mijn gezicht kon kijken, en ik merkte hoe het bloed uit de snee in haar
hoofdhuid door de diepe rimpels in haar wang omlaag liep, zoals
de lenteregen door ploegvoren langs de helling van een heuvel omlaag loopt.
Ik zeg: 'Als je dat wilt, Vera, zal ik je helpen.'
Toen begon ze te huilen. Het was de enige keer dat ze niet helemaal suf en idioot was dat ik haar dat ooit zag doen. 'Ja,' zegt ze.
'Ja, dàt wil ik. God zegene je, Dolores.'
'Maak je maar geen zorgen,' zeg ik. Ik bracht haar oude, gerim-
pelde hand naar mijn lippen en kuste die.
'Haast je, Dolores,' zegt ze. 'Als je me echt wilt helpen, haast je
dan, alsjeblieft.'
'Voordat we allebei de moed verliezen,' leken haar ogen te zeggen.
Ik kuste haar hand nog een keer, legde die toen op haar buik en
stond op. Dit keer kostte het me geen moeite, de kracht was weer
in mijn benen teruggekeerd. Ik liep de trap af naar de keuken. Ik
had de bakspullen klaargezet voordat ik buiten de was was gaan
ophangen; ik had in mijn hoofd dat het een goede dag zou zijn om

brood te bakken. Ze had een deegroller, een groot, zwaar ding van zwart, geaderd grijs marmer. Hij lag op het aanrecht naast de gele, plastic meelbus. Ik pakte hem op, nog steeds met het gevoel dat ik droomde of hoge koorts had, en liep door de salon terug naar de gang aan de voorkant. Terwijl ik door die kamer kwam met haar mooie, oude spulletjes, dacht ik aan al die keren dat ik die truc met de stofzuiger met haar had uitgehaald, en hoe ze me dat een tijdje betaald zette. Maar uiteindelijk kreeg ze het in de gaten en was zij het die het betaald ging zetten... is het niet daarom dat ik hier ben?

Ik kom uit de salon op de gang, loop vervolgens de trap op naar haar toe, terwijl ik die deegroller bij een van de houten handvatten vasthoud. Toen ik kwam waar ze lag, met haar hoofd omlaag en haar benen onder zich gedraaid, was ik niet van plan nog te wachten; ik wist dat als ik dat deed, ik het helemaal niet meer zou kunnen. Er zou niet meer gepraat worden. Als ik bij haar was, was ik van plan me op één knie te laten zakken en haar hersens in te slaan met die marmeren deegroller, zo hard en zo snel ik kon. Misschien zou het eruitzien als iets wat haar was overkomen toen ze viel en misschien niet, maar ik was van plan het toch te doen. Toen ik naast haar neerknielde, zag ik dat het niet nodig was, ze had het toch zelf gedaan, zoals ze de meeste dingen zelf had gedaan in haar leven. Toen ik in de keuken was om de deegroller te pakken, of misschien toen ik terugkwam door de salon, had ze gewoon haar ogen gesloten en was ertussenuit geknepen.

Ik ging naast haar zitten, legde de deegroller op de trap, pakte haar hand op en hield hem in mijn schoot. Je hebt van die momenten in je leven dat er geen echte minuten zijn, zodat je ze niet kunt tellen. Ik weet alleen maar dat ik een tijdje bij haar zat. Ik weet niet of ik wat zei of niet. Ik geloof van wel – ik geloof dat ik haar bedankte dat ze het los had gelaten, dat ze míj los had gelaten, me het niet allemáál nog eens had laten doormaken – maar misschien dacht ik die dingen alleen maar. Ik herinner me dat ik haar hand tegen mijn wang drukte, hem toen omdraaide en de palm kuste. Ik herinner me dat ik ernaar keek en dacht hoe roze en schoon die was. De lijnen waren er bijna helemaal uit weggetrokken en hij zag eruit als een babyhandje. Ik wist dat ik op moest staan en iemand bellen, vertellen wat er was gebeurd, maar ik was moe – zo moe. Het leek makkelijker om daar gewoon maar te zitten en haar hand vast te houden.

Toen ging de deurbel. Als dat niet was gebeurd, zou ik daar nog heel wat langer hebben gezeten, denk ik. Maar je weet hoe het met deurbellen is – je hebt het gevoel dat je open moet doen, hoe dan ook. Ik stond op en liep tree voor tree de trap af, als een vrouw tien jaar ouder dan ik (de waarheid is, ik vóelde me tien jaar ouder), het hele eind met mijn hand om de leuning geklemd. Ik herinner me dat ik nog steeds het gevoel had dat de wereld helemaal van glas was, en ik moest verdomde goed oppassen dat ik er niet op uitgleed en mezelf sneed toen ik de leuning los moest laten om door de hal naar de deur te lopen.

Het was Sammy Marchant, met zijn postbodepet op die dwaze manier van hem schuin achterop zijn hoofd – hij denkt waarschijnlijk dat hij, als hij zijn pet zo draagt, eruitziet als een rockster. Hij had de gewone post in de ene hand en zo'n gewatteerde envelop die altijd zo ongeveer elke week aangetekend uit New York kwam in de andere – nieuws over hoe het met haar financiën stond, natuurlijk. Het was een vent die Greenbush heette, die haar geld beheerde, heb ik je dat verteld?

Ja? Goed – bedankt. Er is al zoveel gekletst, dat ik me nauwelijks kan herinneren wat ik jullie heb verteld en wat niet.

Soms zaten er papieren in die aangetekende brieven die moesten worden getekend en meestal kon Vera dat als ik haar arm vasthield, maar een paar keer, toen ze van de wijs was, heb ik zelf haar naam eronder gezet. Er was niets aan, en later werden er nooit vragen gesteld over die brieven die ik had gedaan. De laatste drie of vier jaar was haar handtekening trouwens toch nog maar een krabbel. Dus dat is nog iets waarvoor je me kunt pakken, als je het echt wilt: valsheid in geschrifte.

Sammy wilde de gewatteerde envelop uitsteken op het moment dat ik de deur openmaakte – om mij te laten tekenen, zoals ik altijd voor aangetekende stukken deed – maar toen hij me eens goed bekeek, werden zijn ogen groot en hij deed een stap achteruit op het bordes. Het was eigenlijk meer een schok dan een stap – en aangezien het Sammy Marchant was die het deed, lijkt me dat wel het juiste woord. 'Dolores,' zegt hij. 'Is alles in orde? Je zit onder het bloed!'

'Dat is niet van mij,' zeg ik, en mijn stem was zo kalm als wanneer hij me zou hebben gevraagd waar ik op de tv naar keek, en ik vertelde het hem: 'Het is van Vera. Ze is van de trap gevallen. Ze is dood.'

'Goeie god,' zegt hij, rent dan langs me heen het huis binnen met zijn posttas springend op zijn ene heup. Het kwam geen moment bij me op te proberen hem tegen te houden, en zeg nou zelf: wat voor zin zou het hebben gehad als ik het wel had gedaan?

Ik volgde hem langzaam. Dat glasachtige gevoel begon weg te trekken, maar het was alsof mijn schoenen loden zolen hadden gekregen. Toen ik onder aan de trap kwam, was Sammy al halverwege naar boven en knielde naast Vera neer. Hij had zijn posttas afgedaan voor hij knielde en die was bijna het hele eind weer van de trap afgegleden, en van hier tot zondag lagen overal brieven en Bangor waterrekeningen en L.L. Bean-catalogi.

Ik klom naar hem toe, hees mijn voeten van de ene tree naar de volgende. Ik heb me nooit zo moe gevoeld. Zelfs niet nadat ik Joe had vermoord, voelde ik me zo moe als ik me gisterochtend voelde.

'Die is zeker dood,' zegt hij terwijl hij omkijkt.

'Zekers,' zeg ik terug. 'Dat zei ik toch.'

'Ik dacht dat ze niet kon lopen,' zegt hij. 'Je hebt me altijd verteld dat ze niet kon lopen, Dolores.'

'Nou,' zeg ik, 'dan had ik het mis, denk ik.' Ik voelde me stom zoiets te zeggen terwijl zij daar zo lag, maar wat kon je verdomme ànders zeggen? In sommige opzichten was het makkelijker met John McAuliffe te praten dan met die arme, onnozele Sammy Marchant, omdat ik wel zo'n beetje had gedaan wat McAuliffe vermoedde dat ik had gedaan. Het probleem van onschuldig zijn, is dat je min of meer aan de waarheid vastzit.

'Wat is dìt?' vraagt hij vervolgens en wees naar de deegroller. Ik had hem op de trap laten liggen toen de deurbel ging.

'Wat dènk je dat het is?' vroeg ik meteen daarop. 'Een vogelkooi?'

''t Ziet eruit als een deegroller,' zegt hij.

'Dat is lang niet slecht,' zeg ik. Het leek alsof ik mijn eigen stem van heel ver hoorde komen, alsof die op de ene plek was en de rest van me ergens anders. 'Misschien verras je nog wel eens iedereen, Sammy, en blijk je toch goed genoeg voor de universiteit.'

'Ja, maar wat moet een déégrol op de tràp?' vroeg hij, en plotseling zag ik hoe hij naar me keek. Sammy is geen dag ouder dan vijfentwintig, maar zijn pa zat in het zoekteam dat Joe vond, en plotseling besefte ik dat Duke Marchant Sammy en heel de rest van zijn niet al te snuggere koters had grootgebracht met het idee dat Dolores St. George-Claiborne haar vent van kant had gemaakt. Weet je nog dat ik zei dat je, als je onschuldig bent, min of meer aan de waarheid vastzit? Nou, toen ik zag hoe Sammy me aankeek, besloot ik plotseling dat dit wel eens een moment kon zijn dat min heel wat veiliger was dan meer.

'Ik was in de keuken om brood te gaan bakken toen ze viel,' zei ik. Nog zoiets als je onschuldig bent – iedere leugen die je beslúit te vertellen, is meestal een niet geplande leugen, onschuldige mensen zijn geen uren bezig met het uitdenken van hun verhalen, zoals ik dat van mij had uitgedacht over hoe ik naar Russian Meadow was gegaan om naar de eclips te kijken en mijn echtgenoot nooit meer had gezien tot ik hem in de rouwkapel van Mercier zag. Hetzelfde moment dat die leugen over broodbakken eruit was, wist ik dat ik het waarschijnlijk op mijn boterham zou krijgen, maar als je die blik in zijn ogen had gezien, Andy – tegelijk duister en achterdochtig en bang – zou jij misschien ook wel hebben gelogen.

Hij kwam overeind, maakte aanstalten zich om te draaien, stopte toen op de plaats en keek omhoog. Ik volgde zijn blik. Wat ik zag was mijn onderjurk, tot een bal verfrommeld op de overloop.

'Ik neem aan dat ze haar onderjurk uittrok voordat ze viel,' zei hij terwijl hij me weer aankeek. 'Of sprong. Of wat ze verdomme ook deed. Denk je ook niet, Dolores?'

'Nee,' zeg ik, 'die is van mij.'

'Als je brood aan het bakken was in de keuken,' zegt hij, heel langzaam pratend als een kind dat niet al te slim is en op het schoolbord een som probeert uit te rekenen, 'wat doet je ondergoed dan boven op de overloop?'

Ik kon helemaal niets bedenken. Sammy liep een tree naar beneden, toen nog een, net zo langzaam als hij sprak, met zijn hand op de trapleuning terwijl zijn ogen me geen moment loslieten, en plotseling begreep ik wat hij aan het doen was: hij was afstand tussen ons aan het scheppen. Deed dat omdat hij bang was dat ik het wel eens in mijn hoofd zou kunnen halen hèm een duw te geven zoals ik, volgens hem, haar een duw had gegeven. Dat was het moment dat ik wist dat ik binnen niet al te lange tijd hier zou zitten waar ik nu zit, en zou vertellen wat ik nu vertel. Zijn ogen hadden net zo goed hardop kunnen spreken om te zeggen: 'Jij hebt het één keer geflikt, Dolores Claiborne, en te oordelen naar het soort man dat Joe St. George volgens mijn pa was, was dat misschien wel oké. Maar wat heeft deze vrouw je ooit aangedaan, buiten dat ze je te eten gaf, een dak boven je hoofd en je een loon uitbetaalde om fatsoenlijk van te leven?' En wat zijn ogen vooral zeiden, was dat een vrouw die één keer iemand ongestraft een duw geeft, het best nog wel eens zou kunnen doen, dat ze, gegeven de juiste omstandigheden, het nog wel eens zàl doen. En als de duw niet genoeg is om te bereiken wat ze wil bereiken, ze niet lang zal hoeven nadenken voordat ze besluit het karwei op een andere manier af te maken. Met een marmeren deegroller, bijvoorbeeld.

'Je hebt hier niets mee te maken, Sam Marchant,' zeg ik. 'Je kunt maar beter gewoon aan je werk gaan. Ik moet de ambulance bellen. Zorg er wel voor dat je je post opraapt voor je gaat, omdat je anders een heleboel creditcard-maatschappijen achter je reet aan zal krijgen.'

'Mevrouw Donovan heeft geen ambulance nodig,' zegt hij terwijl hij nog twee treden naar beneden gaat en de hele tijd zijn ogen op me gericht houdt. 'Ik ga nog nergens naartoe. Ik geloof dat je in plaats van de ambulance maar beter eerst Andy Bissette kunt bellen.'

Wat ik, zoals je weet, heb gedaan. Sammy Marchant stond er bovenop en keek toe terwijl ik ermee bezig was. Nadat ik de hoorn op de haak had gelegd, raapte hij de post op die hij had laten vallen (terwijl hij zo nu en dan snel over zijn schouder keek, waarschijnlijk om zichzelf ervan te overtuigen dat ik hem niet van achteren besloop met die deegroller in mijn hand) en bleef toen daar onder aan de trap staan, als een waakhond die een inbreker in het nauw heeft gedreven. Hij zei niets, en ik ook niet. Het kwam even bij me op dat ik door de salon en de keuken naar de trap aan de achterkant kon gaan en mijn onderjurk pakken. Maar wat zou dat voor zin hebben gehad? Hij had hem gezien, nietwaar? En de deegroller lag nog steeds op de trap, nietwaar?

Algauw kwam jij, Andy, samen met Frank, en ik ging met jullie mee naar ons mooie, nieuwe politiebureau en legde een verklaring af. Dat was nog maar pas gistervoormiddag, dus ik denk niet dat het nodig is die prak nog eens op te warmen, wel? Je weet dat ik niets over die onderjurk heb gezegd, en toen je me naar die deeg-roller vroeg, zei ik dat ik niet precies wist hóe die daar was geko-men. Het was het enige wat ik kon bedenken, tenminste, tot er ie-mand langskwam die dat bordje met DEFECT van mijn geest haal-de.

Nadat ik de verklaring had ondertekend, stapte ik in mijn auto en reed naar huis. Het ging allemaal zo snel en rustig – het afleggen van die verklaring en zo, bedoel ik – dat ik mezelf er bijna van overtuigde dat ik me nergens zorgen over hoefde te maken. Per slot hàd ik haar niet vermoord; ze was ècht gevallen. Dat bleef ik mezelf zeggen en tegen de tijd dat ik mijn eigen oprit indraaide, was ik er al een heel eind van overtuigd dat alles in orde zou ko-men.

Dat gevoel duurde net zo lang als het me kostte om van de auto bij mijn achterdeur te komen. Met een punaise was er een briefje opgeprikt. Alleen maar een velletje papier uit een notitieboekje. Er zat een vette veeg op, alsof het uit een boekje kwam dat de een of andere man altijd in zijn broekzak droeg. DIT KEER KOM JE ER NIET ZOMAAR AF stond er op het briefje. Dat was alles. Verdom-me, dat was wel genoeg, vind je niet?

Ik ging naar binnen en zette de keukenramen op een kier om de muffe lucht weg te laten trekken. Ik haat die lucht en tegenwoor-dig schijnt het huis altijd zo te ruiken, of ik het nou lucht of niet. Het komt niet alleen maar omdat ik nu voornamelijk bij Vera woon – of woonde, in ieder geval – hoewel dat er natuurlijk ook mee te maken heeft; het komt voornamelijk omdat het huis dood is... net zo dood als Joe en Little Pete.

Huizen hèbben hun eigen leven dat ze overnemen van de mensen die erin wonen; dat geloof ik echt. Onze kleine gelijkvloerse wo-ning overleefde Joe's dood en de oudste twee kinderen die gingen studeren, Selena naar Vassar op een volledige beurs (haar deel van het studiegeld waar ik me zo'n zorgen over had gemaakt, ging op aan kleren en schoolboeken), en Joe Junior net op weg naar de Universiteit van Maine in Orono. Het overleefde zelfs het nieuws dat Little Pete was gedood bij een explosie in een kazerne in Saigon. Het gebeurde vlak nadat hij daar was aangekomen en minder dan twee maanden voordat het hele zootje voorbij was. Ik zag de laatste helikopters opstijgen van het dak van de ambassade op de tv in Vera's woonkamer en ik huilde en ik huilde alleen maar. Dat kon ik doen zonder bang te zijn voor wat zij ervan zou kunnen zeggen, want ze was uit winkelen in Boston.

Na de begrafenis van Little Pete verdween het leven uit het huis; nadat de laatste gasten waren verdwenen en wij drieën – ik, Selena en Joe Junior – daar met elkaar achterbleven. Joe Junior praatte wat over politiek. Hij was net gemeentesecretaris van Machias geworden, niet slecht voor een jochie met een universiteitsdiploma waarvan de inkt nauwelijks droog was, en hij overwoog zich na een jaar of twee kandidaat te stellen voor de wetgevende macht van de staat.

Selena praatte wat over de lessen die ze op Albany Junior College gaf – dat was voordat ze naar New York City verhuisde en zich geheel aan het schrijven wijdde – en toen werd ze zwijgzaam. Zij en ik waren de vaat aan het doen en plotseling voelde ik wat. Ik draaide me snel om en zag dat ze naar me keek met die donkere ogen van haar. Ik zou je kunnen zeggen dat ik haar gedachten las – ouders kunnen dat soms bij hun kinderen, weet je – maar een feit is dat ik dat niet hoefde; ik wist waar ze aan dacht, ik wist dat het nooit helemaal uit haar gedachten was geweest. Ik zag toen dezelfde vragen in haar ogen als er twaalf jaar daarvoor waren geweest, toen ze in de tuin naar me toe kwam, tussen de bonen de komkommers: 'Heb je hem iets aangedaan?' en 'Is het mijn schuld' en 'Hoe lang moet ik ervoor boeten?'

Ik liep op haar af, Andy, en sloeg mijn armen om haar heen. Zij sloeg ook haar armen om mij heen, maar haar lichaam stond strak tegen dat van mij aan – zo strak als een kachelpook – en toen voelde ik het leven uit het huis verdwijnen. Het ging als de laatste adem van een stervende. Ik denk dat Selena het ook voelde. Joe Junior niet; hij zet de foto van het huis voor op sommige campagnefolders van hem – daardoor lijkt hij als een van de gewone mensen en daar houden de kiezers van, heb ik gemerkt – maar hij heeft het nooit gevoeld toen het stierf, omdat hij er om te beginnen al nooit echt van had gehouden. Waarom zou hij in Jezusnaam ook? Voor Joe Junior was dat huis alleen maar de plek waar hij na school naartoe ging, de plek waar zijn vader hem treiterde en hem een boekenlezend mietje noemde. Cumberland Hall, het studentenhuis waar hij op de universiteit woonde, was voor Joe Junior meer zijn thuis dan het huis aan East Lane ooit is geweest.

Maar voor mij was het thuis, en het was thuis voor Selena. Ik denk dat mijn meisje er nog lang is blijven wonen nadat ze het zand van Little Tall Island van haar voeten had geschud; ik denk dat ze hier woonde in haar herinneringen... in haar hart... in haar dromen. Haar nachtmerries.

Die muffe lucht – die raak je nooit meer kwijt als die er eenmaal echt in zit.

Ik zat een tijdje bij een van de open ramen om wat frisse wind te ruiken, toen ik een raar gevoel kreeg en besloot dat ik de deuren op slot moest doen. De voordeur was makkelijk, maar de grendel op de achterdeur was zo koppig dat ik die pas in beweging kreeg toen ik er een behoorlijke slok kruipolie op had gedaan. Ten slotte schoof hij dicht, en toen realiseerde ik me waarom hij zo koppig was: gewoon roest. Soms bleef ik vijf of zes dagen achtereen op Pinewood, maar toch kon ik me niet herinneren wanneer ik voor het laatst de moeite had genomen het huis af te sluiten.

Die gedachte scheen me alle fut te ontnemen. Ik ging naar de slaapkamer en ging liggen en deed het kussen op mijn hoofd zoals ik altijd deed toen ik een klein meisje was en vroeg naar bed werd gestuurd omdat ik stout was geweest. Ik huilde en huilde en huilde. Het was ongelooflijk hoeveel tranen ik had. Ik huilde om Vera en Selena en Little Pete; ik geloof dat ik zelfs om Joe huilde. Maar ik huilde voornamelijk om mezelf. Ik huilde tot mijn neus verstopt raakte en ik pijn in mijn buik kreeg. Uiteindelijk viel ik in slaap.

Toen ik wakker werd, was het donker en ging de telefoon. Ik stond op en liep tastend naar de woonkamer om hem op te nemen. Zo gauw ik 'hallo' zei, zei iemand – een vrouw: 'Je kunt haar niet vermoorden. Ik hoop dat je dat weet. Als de wet je niet te pakken krijgt, doen wij het. Je bent niet zo slim als je denkt. We hoeven hier niet met moordenaars te leven, Dolores Claiborne;

niet zolang er nog fatsoenlijke christenen hier op het eiland zitten om er iets tegen te doen.'

Mijn hoofd was zo duf dat ik eerst dacht dat ik droomde. Tegen de tijd dat ik erachter kwam dat ik echt wakker was, hing ze op. Ik wilde naar de keuken lopen met de bedoeling de koffiepot op te zetten of misschien een biertje uit de koelkast te pakken, toen de telefoon weer ging. Die keer was het ook een vrouw, maar niet dezelfde. Vuiligheid begon uit haar mond te stromen en ik hing snel op. De aandrang om te huilen bekroop me weer, maar ik verdomde het. In plaats daarvan trok ik de telefoonstekker uit de muur. Ik liep naar de keuken en pakte een biertje, maar het smaakte me niet en ten slotte goot ik het meeste door de gootsteen. Ik denk dat ik eigenlijk een slok whisky wilde, maar sinds Joe's dood heb ik geen druppel sterke drank meer in huis gehad.

Ik nam een glas water en merkte dat ik de geur niet kon verdragen – het rook naar centen die de hele dag in de zweterige vuist van een of ander kind hadden gezeten. Het deed me denken aan die avond in de braamstruiken – hoe ik diezelfde geur op een vleugje wind rook – en dàt deed me denken aan het meisje met de roze lippenstift en de gestreepte jurk. Ik dacht eraan hoe het even door mijn hoofd was gegaan dat de vrouw die ze was geworden in moeilijkheden zat. Ik vroeg me af hoe het met haar was en waar ze was, maar ik vroeg me geen moment af òf ze was, als je begrijpt wat ik bedoel. Ik wìst dat ze bestond. Bestáát. Daar heb ik nooit aan getwijfeld.

Maar dat doet er niet toe; mijn gedachten dwalen weer af en mijn mond volgt gewoon, net als Gods lam. Ik wilde alleen maar zeggen dat het water uit mijn keukenkraan me net zoveel hielp als meneer Budweisers eerste kwaliteit had gedaan – zelfs met een paar ijsklontjes ging die koperachtige smaak niet weg – en ten slotte zat ik naar de een of andere stomme komische serie te kijken en zo'n Hawaiian Punch te drinken die ik achter in de koelkast bewaar voor de tweeling van Joe Junior. Ik maakte een diepvriesmaaltijd voor mezelf klaar, maar ik had geen trek toen hij eenmaal klaar was, en uiteindelijk schraapte ik hem bij het afval. In plaats daarvan nam ik nog maar een Hawaiian Punch – nam hem mee terug naar de woonkamer en ging ermee voor de tv zitten. De komische serie had plaatsgemaakt voor een volgende, maar ik zag geen centje verschil. Ik neem aan dat het kwam omdat ik er niet veel aandacht aan schonk.

Ik probeerde niet te bedenken wat ik zou gaan doen; er is denkwerk dat je beter niet 's nachts kunt doen, want dat is de tijd dat je geest het meest geneigd is je lelijke streken te leveren. Wat je na zonsondergang ook bedenkt, in negen van de tien gevallen moet je het de volgende morgen allemaal weer overdoen. Dus ik zat daar gewoon maar wat en op een gegeven moment nadat het plaatselijke nieuws was afgelopen en *The Tonight Show* was begonnen, viel ik weer in slaap.

Ik had een droom. Hij ging over mij en Vera, alleen was het Vera zoals ze was toen ik haar leerde kennen, destijds toen Joe nog leefde en al onze kinderen, zowel die van haar als die van mij, nog thuis waren en ons voornamelijk voor de voeten liepen. In mijn droom waren we de afwas aan het doen – zij het afwassen en ik het afdrogen. Alleen deden we het niet in de keuken; we stonden voor het gietijzeren houtkacheltje in de woonkamer van mijn huis. En dat was raar, omdat Vera nooit in mijn huis was geweest – niet één keer in haar hele leven.

Maar in die droom was ze er wel. Ze had de vaat in een plastic teil boven op de kachel – niet mijn oude spul, maar haar mooie Spode-porselein. Ze waste een bord en gaf dat dan aan mij en stuk voor stuk glipten ze uit mijn handen en braken ze op de bakstenen waar de houtkachel op staat. Vera zei dan: 'Je moet voorzichtiger zijn, Dolores; wanneer er ongelukken gebeuren en je bent niet voorzichtig, dan krijg je altijd een geweldige bende.'

Ik beloofde haar dan dat ik voorzichtig zou zijn en ik probéérde het ook, maar het volgende bord glipte weer uit mijn vingers, en het volgende, en het volgende, en het volgende.

'Hier deugt helemaal niets van,' zei Vera ten slotte. 'Kijk nou eens wat een bende je maakt!'

Ik keek naar beneden, maar in plaats van stukken van gebroken borden, lagen de bakstenen bezaaid met stukken tand en gebroken steen. 'Geef me er geen meer, Vera,' zei ik, terwijl ik begon te huilen. 'Ik denk dat ik afdrogen niet aankan. Misschien ben ik te oud geworden, ik weet het niet, maar ik wil niet de hele bende en boel breken, dàt weet ik wel.'

Maar toch bleef ze borden aangeven, en ik bleef ze laten vallen en het geluid dat ze maakten wanneer ze de bakstenen raakten werd harder en zwaarder, tot het eerder een dreunend geluid was dan het broze gekraak dat porselein maakt als het iets hards raakt en breekt. Plotseling wist ik dat ik droomde en wist ik dat die dreunen helemaal niets met de droom te maken hadden. Ik schoot wakker, zo hard dat ik bijna uit de stoel op de vloer viel. Er klonk nog een dreun en ditmaal wist ik wat het was – een jachtgeweer. Ik stond op en liep naar het raam. Er kwamen twee open bestelwagens langs over de weg. Er zaten mensen achterin, één in de laadbak van de eerste en twee – denk ik – in de laadbak van de tweede. Het leek wel alsof ze allemaal jachtgeweren hadden, en elke paar seconden loste een van hen een schot in de lucht. Dan was er even een felle flits uit de loop, dan een volgende harde dreun. Door de manier waarop de mannen (ik neem aan dat het mannen waren, hoewel ik dat niet met zekerheid kan zeggen) heen en weer zwaaiden – en zoals de wagens heen en weer slingerden – zou ik zeggen dat de hele bende poepiezat was. Ik herkende ook een van de wagens.

Wat?

Nee, dat vertel ik je níet – ik heb al moeilijkheden genoeg. Ik ben niet van plan iemand anders erin mee te slepen vanwege een beetje dronken geschiet in de nacht. Ik geloof dat ik die wagen tenslotte toch niet herkende.

Afijn, ik schoof het raam omhoog toen ik zag dat ze alleen maar wat gaten in een paar laaghangende wolken maakten. Ik dacht dat ze de ruime plek onder aan onze heuvel zouden gebruiken om te keren, en dat deden ze ook. Een van de twee kwam goddomme nog bijna vast te zitten ook, en wat zou dàt lachen zijn geweest. Ze komen weer naar boven, joelend en toeterend en schreeuwend als gekken. Ik vouwde mijn handen voor mijn mond en gilde: '*Wegwezen hier! Sommige mensen proberen te slapen!*' gewoon zo hard als ik kon. Een van de wagens slingerde nog wat meer opzij en reed bijna de greppel in, dus ik neem aan dat ik ze wel even flink heb laten schrikken. De knaap die achter in de wagen stond (dat was die waarvan ik tot een paar seconden geleden dacht dat ik hem herkende) flikkerde achterover tegen het dashboard. Ik heb een goed stel longen, al zeg ik het zelf en ik kan met de besten meebrullen als ik het wil.

'*Verdwijn van Little Tall Island, vervloekte, moordzuchtige kut!*' schreeuwde een van hen terug, en loste nog een paar schoten in de lucht. Maar dat was alleen maar om me te laten zien wat voor 'n helden het waren, denk ik, want ze kwamen niet nog een keer langs. Ik kon ze horen wegrazen naar de stad – en naar die vervloekte bar die daar eervorig jaar open is gegaan, durf ik te wedden – met mekkerende knalpotten en vlammende uitlaatpijpen bij al dat stoere terugschakelen van ze. Je weet hoe mannen zijn als ze dronken in hun open bestelwagens rijden.

Nou, het deed het ergste van mijn bui wegtrekken. Ik was niet bang meer en verdomd dat ik me niet meer huilerig voelde. Ik was verrekte nijdig, maar niet zo kwaad dat ik niet kon nadenken, of begrijpen waarom mensen deden wat ze deden. Wanneer mijn kwaadheid me over die grens heen probeerde te trekken, liet ik dat niet gebeuren door aan Sammy Marchant te denken, hoe zijn ogen hadden gestaan toen hij daar op de trap geknield zat en eerst naar de deegroller keek en vervolgens op naar mij – zo donker als de oceaan vlak voor een koufront, waren ze, zoals die van Selena die dag in de tuin.

Ik wist inmiddels al dat ik hier terug zou komen, Andy, maar pas nadat de mannen weg waren maakte ik mezelf niet langer wijs dat ik het voor het uitkiezen had wat ik zou vertellen en wat ik zou weglaten. Ik zag in dat ik met alles schoon schip moest maken. Ik ging weer naar bed en sliep rustig tot kwart over negen in de ochtend. Ik was nooit meer zo laat opgestaan sinds voor mijn trouwen. Ik neem aan dat ik helemaal uitgerust wilde zijn om de hele verdomde avond door te kunnen praten.

Toen ik eenmaal op was, was ik van plan het te doen zo gauw ik kon – je kunt de bittere pil maar het beste meteen slikken – maar iets stak een spaak in het wiel voor ik het huis uit kon, anders had ik je dit allemaal al een stuk eerder verteld.

Ik ging in bad en voordat ik me aankleedde, stak ik de stekker van de telefoon weer in de muur. Het was geen avond meer, en ik zat niet langer half en half in een droom. Ik stelde me zo voor dat als iemand me wilde opbellen om me uit te schelden, ik zelf ook een paar lelijke dingen zou uitdelen, te beginnen met 'lafbek' en 'vuile, anonieme gluiperd'. En ja hoor, ik had mijn kousen nog niet aangetrokken of hij gìng al. Ik nam op, klaar om wie dan ook aan de andere kant eens goed van jetje te geven, toen die vrouwenstem zei: 'Hallo? Zou ik met Miz Dolores Claiborne kunnen spreken?' Ik wist meteen dat het interlokaal was, en niet alleen maar door de lichte echo die we hier hebben als het gesprek van ver komt. Ik wist het omdat niemand op het eiland vrouwen Miz noemt. Je kunt juffrouw zijn of mevrouw, maar Miz is het kanaal nog niet overgestoken, behalve een keer per maand op het tijdschriftenrek van de drugstore.

'Spreekt u mee,' zei ik.

'Met Alan Greenbush hier,' zegt ze.

'Grappig,' zeg ik zo bijdehand als wat, 'u klìnkt helemaal niet als een Alan Greenbush.'

'U spreekt met zijn kantóór,' zegt ze, alsof ik zo ongeveer het stomste wezen was dat ze ooit aan de telefoon had gehad. 'Zou u aan de lijn willen blijven voor meneer Greenbush?'

Ze overrompelde me zo dat de naam eerst niet tot me doordrong – ik wist dat ik hem eerder had gehoord, maar ik wist niet waar.

'Waar gaat het over?' vroeg ik.

Er volgde een stilte, alsof ze dat soort informatie eigenlijk niet mocht openbaren, en toen zei ze: 'Ik geloof dat het over mevrouw Vera Donovan gaat. Wilt u een ogenblikje wachten, Miz Claiborne?'

Toen viel het opeens op zijn plaats – Greenbush, die haar al die gewatteerde enveloppen per aangetekende post stuurde.

'Zekers,' zeg ik.

'Pardon?' zegt ze.

'Ik blijf aan de lijn,' zeg ik.

'Dank u,' zegt ze terug. Er volgde een klik en ik bleef daar een tijdje in mijn ondergoed staan wachten. Het duurde niet lang maar het léék lang. Net voor hij aan de lijn kwam, kwam het bij me op dat het moest gaan over die keren dat ik Vera's handtekening had gezet – ze hadden het gemerkt. Het leek helemaal niet onwaarschijnlijk; is het je nooit opgevallen dat als er één ding fout gaat, meteen daarna alles fout schijnt te gaan?

Dan komt hij aan de lijn. 'Miz Claiborne?' zegt hij.

'Ja, met Dolores Claiborne,' zeg ik tegen hem.

'De plaatselijke politiefunctionaris op Little Tall Island belde me gistermiddag op en berichtte me dat Vera Donovan was overleden,' zei hij. 'Het was heel laat toen ik dat telefoontje kreeg en daarom besloot ik tot vanmorgen te wachten om u te bellen.'

Ik dacht erover hem te vertellen dat er op het eiland mensen waren die er niet zo mee zaten hoe laat ze me belden, maar natuurlijk deed ik dat niet.

Hij schraapte zijn keel, zei toen: 'Vijf jaar geleden kreeg ik een brief van mevrouw Donovan, waarin ze me met name instructies gaf u bepaalde informatie te verschaffen betreffende haar nalatenschap binnen vierentwintig uur na haar verscheiden.' Hij schraapte zijn keel weer en zei: 'Hoewel ik haar sindsdien regelmatig over de telefoon heb gesproken, was dat de laatste feitelijke brief die ik van haar kreeg.' Hij had een droog, vaag soort van stem. Het soort stem dat je, wanneer ze je iets vertelt, het niet kunt horen.

'Waar heb je het over, man?' vroeg ik. 'Hou op met al die poespas, vertèl het me!'

Hij zegt: 'Tot mijn genoegen kan ik u zeggen dat u, afgezien van een klein legaat aan The New England Home for Little Wanderers, de enige begunstigde bent in mevrouw Donovans testament.'

Mijn tong plakte tegen mijn gehemelte en het enige waaraan ik kon denken was hoe ze na een tijdje het stofzuigertrucje had doorgekregen.

'Later vandaag ontvangt u een telegram ter bevestiging,' zegt hij. 'Maar ik ben blij dat ik u gesproken heb, ruim voordat het aankomt – mevrouw Donovan was heel pertinent ten aanzien van haar wensen in deze kwestie.'

'Zekers,' zeg ik, 'ze kon inderdaad heel pertinent zijn.'

'U bent ongetwijfeld geschokt door mevrouw Donovans heengaan – wij allemaal – maar u moet weten dat u een heel rijke vrouw zal zijn, en als ik ook maar iets kan doen om u bij te staan in uw nieuwe omstandigheden, zal ik dat met evenveel genoegen doen als ik mevrouw Donovan heb bijgestaan. Natuurlijk zal ik bellen om u op de hoogte te houden van de verificatieprocedure, maar ik verwacht eigenlijk geen problemen of oponthoud. In feite...'

'Hooo hé, wacht even, maat,' zeg ik, en het kwam als een soort gekwaak naar buiten. Leek heel erg als een kikker in een droge vijver. 'Over hoeveel geld heb je het hier?'

Natuurlijk wist ik dat ze in goeden doen was, Andy; het feit dat ze de laatste paar jaren alleen maar flanellen nachtjaponnen droeg en op een vast dieet van Campbell's soep en Gerber's babyvoeding leefde, veranderde daar niets aan. Ik zag het huis, ik zag de auto's, en soms keek ik naar een ietsiepietsie meer van die papieren die in die gewatteerde enveloppen binnenkwamen dan alleen maar naar de streep voor de handtekening. Sommige waren overdrachtsakten voor aandelen, en ik weet dat je wanneer je tweeduizend aandelen Upjohn verkoopt en vierduizend aandelen Mississippi Valley Light and Power koopt, je niet bepaald op weg naar het armenhuis bent.

Ik vroeg het ook niet zodat ik creditcards aan kon gaan vragen en dingen uit de Sears-catalogi kon bestellen – denk dat nou niet. Ik had een betere reden. Ik wist dat het aantal mensen dat dacht dat ik haar had vermoord, hoogstwaarschijnlijk zou stijgen met elke dollar die ze me naliet, en ik wilde weten hoe hard de klap aan zou komen. Ik dacht dat het wel eens zestig- of zeventigduizend dollar zou kunnen zijn... hoewel hij hàd gezegd dat ze wat geld had nagelaten aan een weeshuis, en ik nam aan dat het daardoor wel wat minder zou worden.

Er was ook nog iets anders wat me stak – me stak als zo'n horzel in juni, wanneer hij neerstrijkt in je nek. Er was iets mis aan de hele zaak. Maar ik kon er mijn vinger niet op leggen – net zomin als ik mijn vinger erop kon leggen wie precies Greenbush was toen zijn secretaresse voor het eerst zijn naam noemde.

Hij zei iets wat ik niet helemaal kon verstaan. Het klonk als *blab-dabbe-dab-buurt-van-de-dertig-miljoen-dollar.*

'Wat zei u, meneer?' vroeg ik.

'Dat het totaal na successierechten, juridische kosten en nog een paar kleine inhoudingen in de buurt van de dertig miljoen dollar zou moeten liggen.'

Mijn hand om de hoorn begon hetzelfde gevoel te krijgen als hij 's ochtends heeft, wanneer ik wakker word en me realiseer dat ik er het grootste deel van de nacht op heb geslapen... verdoofd in het midden en langs de kanten helemaal tintelig. Mijn voeten waren ook helemaal tintelig, en plotseling leek de wereld weer van glas te zijn.

'Het spijt me,' zeg ik. Ik kon mijn mond volkomen duidelijk en helder horen praten, maar ik scheen helemaal niets te maken te hebben met de woorden die eruit kwamen. Hij klepperde maar wat, als een luik bij harde wind. 'Deze verbinding is niet erg goed. Ik dacht dat u iets zei met het woord mìljoen erin.' Toen lachte ik, gewoon om te laten zien dat ik wist hoe dwaas dat was, maar ergens moet ik hebben geweten dat het helemaal niet dwaas was, want dat was het nepperigste lachje dat ik ooit van mezelf had gehoord – *huh-huh-huh*, zo klonk het.

'Ik zéi ook miljoen,' zei hij. 'Ik zei eigenlijk dèrtig miljoen.' En weet je, ik denk dat hij gegrinnikt zou hebben als het niet door Vera Donovans lijk was geweest dat ik dat geld kreeg. Ik denk dat hij òpgewonden was – dat hij onder die droge, preutse stem zo opgewonden als de pest was. Ik denk dat hij zich een soort John Bearsford Tipton voelde, die rijke vent die altijd zo maar voor de lol een miljoen weggaf in dat oude tv-programma. Hij wilde mijn zaakwaarnemer worden, natuurlijk, daar had het natuurlijk mee te maken – ik kreeg het gevoel dat geld voor dat soort gozers net zoiets is als een elektrische trein, en hij wilde niet graag zien dat zo'n allemachtig groot fortuin als dat van Vera van hem af werd genomen – maar ik denk dat de meeste lol voor hem was mij gewoon zo te horen wauwelen.

'Ik snap het niet,' zeg ik, en nu was mijn stem zo zwak, dat ik hem zelf nauwelijks meer kon horen.

'Ik denk dat ik begrijp hoe u zich voelt,' zegt hij. 'Het is een heel groot bedrag en natuurlijk zult u daar even aan moeten wennen.'

'Hoeveel is het ècht?' vroeg ik hem, en deze keer grìnnikte hij ook. Als hij ergens was geweest waar ik hem te pakken had kunnen krijgen, Andy, geloof ik dat ik hem een schop onder zijn kont zou hebben gegeven. Echt waar.

Hij zei het me nog een keer, *dertig miljoen dollar*, en ik dacht steeds maar dat als mijn hand nog verder verdoofd raakte, ik de hoorn zou laten vallen. En ik begon een paniekerig gevoel te krijgen. Het was alsof er iemand binnen in mijn hoofd zat die steeds maar een stalen kabel rondzwaaide. Steeds dacht ik: *dertig miljoen dollar*, maar dat waren maar woorden. Wanneer ik probeerde te begrijpen wat die betekenden, dan kon ik in mijn hoofd alleen maar een beeld oproepen zoals die in de Dagobert Duck-strips die Joe Junior altijd aan Little Pete voorlas toen Pete vier of vijf was. Dan zag ik een geweldige kluis vol munten en bankbiljetten, alleen zag ik niet Dagobert Duck met die slobkousen om zijn zwempoten en dat ronde brilletje op zijn snavel erin ronddobberen, maar zag ik het mezèlf doen in mijn slaapkamersloffen. Toen vervaagde dat beeld en dacht ik aan hoe Sammy Marchants ogen hadden gekeken toen ze van de deegroller naar mij gingen en toen weer terug naar de deegroller. Ze zagen eruit zoals die van Selena eruit hadden gezien die dag in de tuin, helemaal donker en vol vragen. Toen dacht ik aan de vrouw die had opgebeld en gezegd dat er nog altijd fatsoenlijke christenen op het eiland waren die niet met een moordenaar samen hoefden te leven. Ik vroeg me af wat die vrouw en haar vrienden zouden denken als ze ontdekten dat Vera's dood me evenzogoed dertig miljoen dollar rijker had gemaakt... en van die gedachte raakte ik bijna in paniek.

'Dat kun je niet doen!' zeg ik, wat verwilderd. 'Versta je? Je kunt me niet dwingen het aan te nemen!'

Toen was het zíjn beurt om te zeggen dat hij het niet helemaal kon verstaan – dat er ergens op de lijn iets met de verbinding mis moest zijn. Het verbaasde me ook niets. Wanneer een man als Greenbush iemand hoort zeggen dat-ie geen schep geld van dertig miljoen dollar wil hebben, dan denken ze dat de apparatuur naar de klote móet zijn. Ik deed mijn mond open om hem nog eens te zeggen dat hij het terug moest nemen, dat hij iedere cent aan The New England Home for Little Wanderers mocht geven, toen ik plotseling begreep wat er allemaal fout was hiermee. Het kwam niet zomaar ineens bij me op; het kwam op mijn hoofd neer als een lading bakstenen.

'Donald en Helga!' zeg ik. Ik moet hebben geklonken als een kandidaat in een tv-quiz die in de laatste paar seconden van de bonusronde met het juiste antwoord komt.

'Pardon?' zegt hij, een soortement van voorzichtig.

'Haar kìnderen!' zeg ik. 'Haar zoon en haar dochter! Dat geld is van hen, niet van mij! Zij zijn famílie! Ik ben niets anders dan een omhooggevallen huishoudster!'

Er volgde zo'n lange stilte dat ik ervan overtuigd was dat de verbinding was verbroken, en het speet me niks. Ik voelde me zwakjes, om je de waarheid te zeggen. Ik wilde net neerleggen toen hij op die vlakke, rare toon van hem zei: 'U weet het niet.'

'Ik weet wàt niet!' schreeuwde ik tegen hem. 'Ik weet dat ze een zoon heeft die Donald heet en een dochter die Helga heet! Ik weet dat ze zich te verrekte goed voelden om haar hier op te komen zoeken, hoewel ze altijd plaats voor ze vrij hield, maar ik neem aan dat ze er niet te goed voor zullen zijn om zo'n smak geld te verdelen als waar u het over heeft, nu ze dood is!'

'U weet het niet,' zei hij weer. En vervolgens, alsof hij zichzelf vragen stelde in plaats van mij, zegt hij: 'Zou het kùnnen dat u het niet weet, na al die tijd die u voor haar hebt gewerkt? Zou het kùnnen? Zou Kenopensky het u niet hebben verteld?' En voordat ik er een woord tussen kon krijgen, begon hij zijn eigen verdomde vragen te beantwoorden. 'Natuurlijk is het mogelijk. Afgezien van een paar regeltjes op een binnenpagina van een plaatselijke krant de volgende dag, hield ze de hele zaak buiten de publiciteit – dat kon dertig jaar geleden, als je bereid was voor het voorrecht te betalen. Ik weet niet eens zeker of er wel een overlijdensbericht was.' Hij zweeg even, zegt vervolgens zoals een man dat doet wanneer hij juist iets nieuws – iets enòrms – ontdekt over iemand die hij al zijn hele leven kent: 'Ze sprak over hen alsof ze lééfden, hè? Al die jaren?'

'Wat kakel je nou toch?' schreeuwde ik tegen hem. Het was alsof er een lift omlaag ging in mijn maag en ineens begonnen er allerlei dingen – kleine dingen – in mijn hoofd in elkaar te passen. Ik wilde het niet, maar het gebeurde toch. 'Natúúrlijk praatte ze over hen alsof ze leefden? Ze léven toch? Hij heeft een makelaarskantoor in Arizona – Golden West Associates! Zij ontwerpt kleding in San Francisco... Gaylord Fashions!'

Behalve dat ze altijd van die grote paperbacks met historische romans las, waarin vrouwen met laag uitgesneden jurken mannen met ontbloot bovenlijf kusten, en de naam van die uitgaven was Golden West – ieder boek had bovenaan een zilveren strookje waar dat op stond. En het kwam plotseling in mijn hoofd op dat ze was geboren in een plaatsje in Missouri dat Gaylord heette. Ik wilde graag geloven dat het iets anders was – Galen, of misschien Galesburg – maar ik wist dat het niet zo was. Toch zou het best kunnen dat haar dochter haar kledingzaak naar de plaats waar haar moeder was geboren, had genoemd... althans, dat maakte ik mezelf wijs.

'Miz Claiborne,' zegt Greenbush op een zachte, soortement van bekommerde toon, 'mevrouw Donovans echtgenoot is omgekomen bij een tragisch ongeval toen Donald vijftien was en Helga dertien...'

'Dat weet ik!' zeg ik, alsof ik hem wilde doen geloven dat als ik dat wist, ik alles moest weten.

'... en dat er dientengevolge een hoop kwaad bloed was tussen mevrouw Donovan en de kinderen.'

Ik besloot dat ik dat ook had geweten. Ik herinner me dat mensen er opmerkingen over hadden gemaakt dat de kinderen zo stil waren geweest toen ze op Memorial Day in 1961 verschenen voor hun gebruikelijke zomer op het eiland, en hoe een aantal mensen het erover had gehad dat je hun drieën nooit meer samen leek te zien, wat vooral vreemd was gezien meneer Donovans plotselinge dood het jaar ervoor; gewoonlijk brengt zoiets mensen dichter bij elkaar... hoewel ik aanneem dat stadslui over dat soort dingen een beetje anders kunnen zijn. En toen herinnerde ik me nog iets, iets wat Jimmy DeWitt me vertelde in de herfst van dat jaar.

'Ze hadden een denderende ruzie in een restaurant vlak na de Vierde Juli in '61,' zeg ik. 'De jongen en het meisje vertrokken de volgende dag. Ik herinner me dat die lulhannes – Kenopensky, bedoel ik – ze overzette naar het land in de grote motorsloep die ze toentertijd hadden.'

'Ja,' zei Greenbush. 'Toevallig wist ik van Ted Kenopensky waar die ruzie over ging. Donald had die lente zijn rijbewijs gehaald en mevrouw Donovan had een auto voor hem gekocht voor zijn verjaardag. Het meisje Helga zei dat zíj ook een auto wilde. Vera – mevrouw Donovan – probeerde het meisje kennelijk uit te leggen dat het een idioot plan was, ze had niets aan een auto zonder rijbewijs en dat zou ze pas kunnen krijgen als ze vijftien was. Helga zei dat dat dan in Maryland zo mocht zijn, maar dat dit in Maine niet het geval was – dat ze er daar een kon krijgen op haar veertiende... wat ze was. Zou dat waar geweest kunnen zijn, Miz Claiborne, of was het gewoon de fantasie van een puber?'

'Het wàs waar, in die tijd,' zeg ik, 'hoewel ik geloof dat je nu minstens vijftien moet zijn. Meneer Greenbush, de auto die ze voor de verjaardag van haar zoon had gekocht... was dat een Corvette?'

'Ja,' zei hij, 'ja. Hoe wist u dat, Miz Claiborne?'

'Ik moet er een keer een foto van hebben gezien,' zeg ik, maar ik hoorde nauwelijks mijn eigen stem. De stem die ik hoorde, was die van Vera. 'Ik ben het zat om te zien hoe ze die Corvette in het maanlicht uit de steengroeve takelen,' zei ze tegen me toen ze stervend op de trap lag. 'Ik ben het zat te zien hoe het water uit het open raampje van het rechterportier stroomt.'

'Het verbaast me dat ze er een foto van bewaarde,' zei Greenbush. 'Donald en Helga Donovan kwamen in die auto om het leven, begrijpt u. Het gebeurde in oktober 1961, bijna op de dag af een jaar nadat hun vader stierf. Het schijnt dat het meisje aan het stuur zat.'

Hij praatte door, maar ik hoorde hem nauwelijks, Andy – ik was druk bezig voor mezelf de lege plekken in te vullen en deed het zo snel dat ik, denk ik, moet hebben geweten dat ze dood waren... ergens diep in mijn hart moet ik het altijd al hebben geweten. Greenbush zei dat ze hadden gedronken en meer dan honderdzestig moesten hebben gereden in die Corvette toen het meisje een bocht miste en de steengroeve in ging; hij zei dat beiden waarschijnlijk al dood waren lang voordat de luxe two-seater naar de bodem zonk.

Hij zei ook dat het een ongeluk was, maar misschien wist ik een beetje meer van ongelukken af dan hij.

Misschien Vera ook wel, en misschien had ze altijd geweten dat de ruzie die ze die zomer hadden geen flikker te maken had met of Helga al dan niet een rijbewijs van de staat Maine zou krijgen; dat was gewoon het meest voor de hand liggende appeltje dat er te schillen viel. Toen McAuliffe me vroeg waar Joe en ik ruzie over hadden voordat hij me begon te wurgen, zei ik hem dat het geld voorop kwam maar dat het onderliggende drank was. De buitenkant van ruzies tussen mensen is veelal heel verschillend van wat er onder ligt, heb ik gemerkt, en het zou kunnen zijn dat waar ze wèrkelijk over aan het ruziën waren die zomerdag, was wat er was gebeurd met Michael Donovan het jaar ervoor.

Zij en die lulhannes hebben de man vermoord, Andy – ze heeft het me bijna met zoveel woorden verteld. En ze werd ook nooit gepakt, maar soms zijn er mensen binnen een gezin die stukjes van de legpuzzel hebben die de wet nooit ziet. Mensen zoals Selena bijvoorbeeld... en misschien ook mensen zoals Donald en Helga

Donovan. Ik vraag me af hoe ze die zomer naar haar hebben gekeken, voordat ze die ruzie in The Harborside Restaurant hadden en voor de laatste maal Little Tall Island verlieten. Ik heb telkens weer geprobeerd me te herinneren hoe hun ogen waren wanneer ze naar haar keken, of ze net zo waren als die van Selena toen ze naar mij keek, en het lukt me gewoon niet. Misschien te zijner tijd, maar dat is niet iets waar ik werkelijk naar uitkijk, als je begrijpt wat ik bedoel.

Ik weet wèl dat zestien jong was voor een kleine duivel als Don Donovan om een rijbewijs te hebben – veel te verdomde jong – en wanneer je daar die felle auto bij optelt, nou, dan heb je het recept voor een ramp. Vera was slim genoeg om dat te weten en ze moet ziek van angst zijn geweest; ze heeft de vader misschien dan wel gehaat, maar ze hield van de zoon als van het leven zelf. Ik weet het. Maar toch gaf ze hem die. Hard als ze was, stopte ze hem die raket in handen, en ook in die van Helga, zoals later bleek, toen hij nog maar op de middelbare school zat en zich waarschijnlijk nog maar net begon te scheren. Ik denk dat het schuldgevoel was, Andy. En misschien wil ik geloven dat het alléén dat was, omdat ik niet graag wil geloven dat angst ermee te maken had dat een stel rijke kinderen als zij hun moeder zouden kunnen chanteren met de dood van hun vader om gedaan te krijgen wat ze wilden. Ik denk het níet echt... maar het is mogelijk, weet je; het ìs mogelijk. In een wereld waarin een man maanden bezig kan zijn om te proberen zijn eigen dochter in bed te krijgen, is alles mogelijk, denk ik.

'Ze zijn dood,' zei ik tegen Greenbush. 'Dat wilt u me vertellen.'

'Ja,' zegt hij.

'Ze zijn al làng dood, al meer dan dertig jaar,' zeg ik.

'Ja,' zegt hij weer.

'En alles wat ze me over ze vertelde,' zeg ik, 'was een leugen.'

Hij schraapte weer zijn keel – die man is een van de grootste keelschrapers ter wereld, als mijn praatje met hem vandaag ook maar enigszins exemplarisch is – en toen hij weer sprak, klonk hij verdomd bijna menselijk. 'Wàt vertelde ze u over hen, Miz Claiborne?' vroeg hij.

En toen ik erover nadacht, Andy, realiseerde ik me dat ze me verrekte veel had verteld, te beginnen in de zomer van 1962 toen ze verscheen en er tien jaar ouder en tien pond lichter uitzag dan het jaar ervoor. Ik herinner me dat ze me vertelde dat Donald en Helga misschien in augustus zouden komen en dat ik ervoor moest zorgen dat we genoeg Quaker havermout hadden, wat het enige was dat zij als ontbijt wilden hebben. Ik herinner me dat ze terugkwam in oktober – dat was die herfst dat Kennedy en Chroestsjov erover bezig waren of ze nou wel of niet de hele klotewereld zouden opblazen – en me vertelde dat ik haar in de toekomst heel wat vaker zou zien. 'Ik hoop dat je de kinderen ook zult zien,' had ze gezegd, maar er was iets in haar stem, Andy... en in haar ogen... Ik dacht voornamelijk aan haar ogen toen ik daar zo met de hoorn in mijn hand stond. Ze vertelde me door de jaren heen allerlei dingen met haar mònd, over waar ze naar school gingen, wat ze deden, met wie ze omgingen (Donald was getrouwd en had twee kinderen, volgens Vera; Helga was getrouwd en gescheiden), maar ik realiseerde me dat al vanaf de zomer van 1962 haar ogen me maar één ding vertelden, telkens weer: ze waren dood. Zekers... maar misschien niet helemáál dood. Niet zolang er een schriele huishoudster met een onopvallend gezicht was op een eiland voor de kust van Maine die nog altijd geloofde dat ze leefden.

Daarvandaan sprongen mijn gedachten verder naar de zomer van 1963 – de zomer dat ik Joe vermoordde, de zomer van de eclips. Ze was gefascineerd geweest door die eclips, maar niet alleen maar omdat het een eens-in-je-leven-gebeurtenis was. O nee. Ze was er weg van, omdat ze dacht dat die gebeurtenis Donald en Helga terug zou brengen naar Pinewood. Dat vertelde ze me keer op keer op keer. En dat ding in haar ogen, dat ding dat wist dat zij dood waren, verdween voor een tijdje in de lente en het begin van de zomer van dat jaar, Andy.

Weet je wat ik denk? Ik denk dat Vera Donovan tussen maart of april 1963 en midden juli krankzinnig was; ik denk dat ze die paar maanden ècht geloofde dat ze leefden. Ze zette het beeld van die Corvette die uit de steengroeve kwam waarin hij terecht was gekomen, uit haar hoofd; ze geloofde ze door pure wilskracht weer tot leven. Gelóófde ze weer tot leven? Nee, dat is niet helemaal juist. Ze eclipséérde ze weer tot leven.

Ze werd krankzinnig en ik denk dat ze krankzinnig wilde

blíjven – en misschien omdat ze ze zo terug kon krijgen, misschien om zichzelf te straffen, misschien allebei tegelijk – maar uiteindelijk bezat ze te veel gezond verstand en kon ze het niet. In de laatste week of tien dagen voor de eclips, begon het allemaal uit elkaar te vallen. Ik herinner me die tijd, toen wij voor haar werkten om voorbereidingen te treffen voor die onchristelijke zonsverduisteringsexpeditie en het feest daarna, als de dag van gisteren. De hele maand juni en begin juli was ze in een goed humeur geweest, maar omstreeks de tijd dat ik mijn kinderen wegstuurde, ging alles gewoon naar de klote. Dat was toen Vera zich begon te gedragen als de Rode Koningin in *Alice in Wonderland*; ze schreeuwde tegen mensen als die haar ook maar even scheef aankeken, terwijl ze links en rechts personeel ontsloeg. Ik denk dat toen haar laatste poging ze weer tot leven te wensen in duigen viel. Ze wist dat ze dood waren, toen en voor altijd, maar toch ging ze door met het feest dat ze had gepland. Kun je je voorstellen wat een moed daarvoor nodig was? De pure, instinctieve, hartstochtelijke móed?

Ik herinner me ook iets wat ze zei – dat was nadat ik me tegen haar verzette over het ontslag van dat meisje Jolander. Toen Vera later naar me toe kwam, dacht ik echt dat ze me zou ontslaan. In plaats daarvan gaf ze me een zakvol bullen om naar de eclips te kijken en maakte wat – voor Vera Donovan althans – een verontschuldiging was. Ze zei dat een vrouw soms een arrogant kreng moest zijn. 'Soms,' zei ze tegen mij, 'is een kreng zijn het enige waar een vrouw zich aan vast kan houden.'

Zekers, dacht ik. Als er niets anders meer over is, heb je dat nog. Altijd heb je dat nog.

'Miz Claiborne?' zei een stem in mijn oor, en toen herinnerde ik me dat hij nog altijd aan de lijn was; ik was hem helemaal vergeten. 'Miz Claiborne, bent u daar nog?'

'Nog steeds,' zeg ik. Hij had me gevraagd wat ze me over hun had verteld, en meer was er niet voor nodig om me terug te laten denken aan die trieste oude tijd... maar ik zag niet in hoe ik hem dat kon vertellen, niet aan zo'n man uit New York die helemaal niet weet hoe wij hier op Little Tall leven. Hoe zíj op Little Tall leefde. Om het anders te zeggen, hij wist allemachtig veel van Upjohn en Mississippi Valley Light and Power, maar geen ene mallemoer van draden in de hoeken.

Of van stofpluizen.

Hij begint met: 'Ik vroeg wat ze u vertelde...'

'Ze zei me dat ik moest zorgen dat hun bedden opgemaakt waren en dat er genoeg Quaker havermout in de provisiekast was,' zeg ik. 'Ze zei dat ze voorbereid wilde zijn omdat ze ieder moment konden besluiten te komen.' En dat was dicht genoeg in de buurt van hoe het werkelijk was, Andy – dicht genoeg voor Greenbush in ieder geval.

'Nee maar, dat is verbazingwekkend!' zei hij, en het was alsof je de een of andere grappenmaker van een dokter hoorde zeggen: 'Nee maar, dat is een hersentumor!'

We praatten daarna nog wat, maar ik weet niet zo goed meer wat we zeiden. Ik geloof dat ik hem weer vertelde dat ik het niet wilde hebben, zelfs geen rooie cent ervan, en ik weet door de manier waarop hij tegen me sprak – vriendelijk en prettig, een beetje op me in pratend – dat toen hij met jou sprak, Andy, jij hem niets hebt doorgegeven van de nieuwsflitsen waarop Sammy Marchant je waarschijnlijk trakteerde en verder iedereen op Little Tall die maar wilde luisteren. Ik neem aan dat jij vond dat het hem niets aanging, nog niet tenminste.

Ik herinner me dat ik hem zei àlles aan de Little Wanderers te geven, en dat hij zei dat hij dat niet kon doen. Hij zei dat ìk het kon doen, zo gauw het testament was erkend (hoewel de grootste idioot ter wereld had kunnen vertellen dat hij niet geloofde dat ik zoiets zou doen wanneer ik eenmaal begreep wat er was gebeurd), maar híj kon er geen mallemoer mee doen.

Uiteindelijk beloofde ik hem dat ik hem terug zou bellen als ik me 'wat helderder in m'n hoofd voelde' zoals hij het stelde, en legde toen neer. Ik bleef daar een hele tijd staan – moet wel een kwartier of meer zijn geweest. Ik voelde me... akelig. Ik had het gevoel dat ik helemaal onder het geld bedolven zat, dat het aan me vastgekleefd zat zoals er altijd insekten vastzaten aan de vliegenvangers die mijn pa iedere zomer in onze buitenplee hing toen ik nog klein was. Ik was bang dat het me steeds steviger te pakken zou krijgen wanneer ik eenmaal in beweging kwam, dat het me zou inpakken tot ik geen schijn van een kans meer had om er ooit meer van af te komen.

Tegen de tijd dat ik in beweging kwàm, was ik alles vergeten over dat ik naar het politiebureau zou komen om jou te spreken, Andy. Om je de waarheid te zeggen, ik vergat bijna me aan te kleden. Uiteindelijk trok ik een oude spijkerbroek en een trui aan, hoewel de jurk die ik aan had willen doen keurig op het bed klaar lag (en daar waarschijnlijk nog steeds ligt, tenzij iemand heeft ingebroken en met de jurk heeft gedaan wat ze met de persoon die erin hoort te zitten graag hadden willen doen). Ik trok mijn oude overschoenen erbij aan en vond het best zo.

Ik liep om de grote witte kei achter de schuur en de braamstruiken, stopte daar even om erin te kijken en te luisteren naar de wind die door al die doornige takken ritselde. Ik kon nog net het wit van het betonnen putdeksel zien. De aanblik gaf me een huiverig gevoel, zoals je hebt als je een flinke kou of griep hebt opgelopen. Ik nam de korte weg over Russian Meadow en liep toen door tot waar de Lane bij East Head uitkomt. Ik bleef daar een tijdje staan, en liet de zeewind mijn haar naar achteren waaien en me schoonwassen, zoals die het altijd doet, en toen ging ik de trap af. O, kijk niet zo bezorgd, Frank – het touw bovenaan en dat waarschuwingsbord zijn er allebei nog; het was gewoon dat ik me niet zo'n zorgen maakte over die gammele trap na alles wat ik had moeten doorstaan.

Ik liep helemaal naar beneden, dan weer naar links, dan weer naar rechts, tot ik de rotsen aan de voet bereikte. De oude stadshaven – wat de oudjes vroeger Simmons Dock noemden – was daar, weet je, maar er is nu niets meer van over dan een paar palen en twee grote, ijzeren ringen die in het graniet zijn geslagen, helemaal roestig en schilferend. Ze zien eruit zoals ik me voorstel dat de oogkassen in de schedel van een draak eruit zouden zien, als er echt zulke beesten bestonden. Ik heb vaak aan die haven zitten vissen toen ik klein was, Andy, en ik denk dat ik dacht dat hij daar altijd zou zijn, maar uiteindelijk neemt de zee alles.

Ik ging op de onderste tree zitten en liet mijn overschoenen bungelen, en daar bleef ik de volgende zeven uur. Ik keek naar het getij toen het afnam en voor het grootste gedeelte weer opkwam, voor ik genoeg had van die plek.

Eerst probeerde ik over het geld na te denken, maar ik kon er met mijn verstand niet bij. Misschien dat mensen die hun hele leven al zoveel hebben gehad, dat kunnen, maar ik niet. Iedere keer dat ik het probeerde, zag ik alleen maar Sammy Marchant die eerst naar de deegroller keek... en dan omhoog naar mij. Dat was alles wat het geld toen voor me betekende, Andy, en het is alles wat het nu voor me betekent – Sammy Marchant die naar me opkijkt met die donkere dreiging en zegt: 'Ik dacht dat ze niet kon lopen. Je hebt me altijd verteld dat ze niet kon lopen, Dolores.'

Toen dacht ik aan Donald en Helga. 'Hou me één keer voor de gek, dan moet je je schamen,' zeg ik tegen helemaal niemand terwijl ik daar zat met bungelende voeten zo dicht boven de aanrollende golven dat ze soms met kloddens schuim werden bespat. 'Hou me twee keer voor de gek, en ik moet me schamen.' Behalve dat ze me nooit echt voor de gek heeft gehouden... haar ógen hebben me nooit voor de gek gehouden.

Ik herinner me dat het ineens tot me doordrong – op een dag tegen het eind van de jaren zestig moet dat zijn geweest – dat ik ze nooit meer had gezien, *zelfs niet één keer*, sinds ik ze door de lulhannes naar het vasteland had zien terugbrengen die julidag in 1961. En dat maakte me zo van streek, dat ik een oude regel van me brak nooit ook maar iets over hen te zeggen, tenzij Vera er als eerste over begon. 'Hoe gaat het met de kinderen, Vera?' vroeg ik haar – de woorden sprongen uit mijn mond voordat ik het wist – met God als mijn getuige, dat was precies hoe het ging. 'Hoe gaat het ècht met ze?'

Ik herinner me dat ze op dat moment in de salon zat te breien in de stoel bij de boogramen, en toen ik haar dat vroeg hield ze ermee op en keek naar me op. De zon scheen krachtig die dag, hij viel over haar gezicht in een felle, harde baan, en er was iets zo beangstigends aan de manier waarop ze me even aankeek, dat ik bijna gilde. Pas toen de aandrang was weggetrokken, realiseerde ik me dat het haar ogen waren. Het waren diepliggende ogen, zwarte cirkels in die baan zon waar verder alles licht was. Het waren net zíjn ogen toen hij naar me opkeek van de bodem van de put... als zwarte steentjes of stukken kool in wit deeg gedrukt. Die paar ogenblikken was het alsof ik een geest zag. Toen bewoog ze haar hoofd een beetje en was ze weer gewoon Vera die daar zat en die eruitzag alsof ze de avond tevoren te veel had gedronken. Het zou niet voor het eerst zijn geweest als dat het geval was.

'Ik weet het eigenlijk niet, Dolores,' zei ze. 'We zijn vervreemd.'

Dat was alles wat ze zei, en het was alles wat ze hoefde te zeggen. Al die verhalen die ze me vertelde over hun leven – verzonnen verhalen, weet ik nu – zeiden niet zoveel als die drie woorden: 'We zijn vervreemd.' Veel van de tijd die ik vandaag daarbeneden bij Simmons Dock was, dacht ik erover na wat voor 'n afschuwelijk woord dat is. Vervreemd. Alleen de klank al doet me huiveren.

Ik zat daar en dacht nog een keer over al die ouwe dingen na, en toen zette ik ze van me af en stond op van de plek waar ik het grootste deel van de dag had gezeten. Ik besloot dat het me niet veel kon schelen wat jij of wie ook geloofde. Het is allemaal voorbij, weet je – voor Joe, voor Vera, voor Michael Donovan, voor Donald en Helga... en ook voor Dolores Claiborne. Op de een of andere manier zijn alle bruggen tussen toen en nu verbrand. Tijd is ook een kanaal, weet je, net als dat tussen de eilanden en het vasteland, maar de enige veerboot die hem kan oversteken, is het geheugen en dat is als een spookschip – als je wilt dat het verdwijnt, doet het dat na een tijdje.

Maar los van dat alles, het is toch raar hoe alles is gelopen, niet? Ik herinner me wat er door mijn hoofd ging toen ik opstond en me weer omdraaide naar die gammele trap – hetzelfde wat er door me heen ging toen Joe zijn arm uit de put stak en me bijna erin trok. *Ik heb een kuil gegraven voor mijn vijanden en ik val er zelf in.* Het kwam me voor, toen ik die oude trapleuning vastpakte en aanstalten maakte al die treden weer op te klimmen (altijd ervan uitgaand dat ze me een tweede keer ook zouden houden, natuurlijk), dat het uiteindelijk was gebeurd, en dat ik altijd had geweten dat het zou gebeuren. Het kostte me alleen wat meer tijd om in die van mij te vallen dan het Joe had gekost in die van hem te vallen. Ook Vera had een kuil om in te vallen – en als er iets is waar ik dankbaar voor mag zijn, is het dat ik mijn kinderen niet weer tot leven hoefde te dromen... hoewel ik, als ik met Selena door de telefoon praat en ik haar haar woorden hoor verhaspelen, me soms afvraag of er voor ook maar iemand van ons een ontkomen is aan de pijn en het verdriet van ons leven. Ik kon haar niet voor de gek houden, Andy – ik moest me schamen.

Toch, ik neem wat ik krijgen kan en zet mijn tanden op elkaar zodat het een grijns lijkt, net zoals ik altijd heb gedaan. Ik probeer in gedachten te houden dat twee van mijn drie kinderen nog in leven zijn, dat ze succesvoller zijn dan wie ook op Little Tall zou hebben verwacht toen ze nog klein waren, en succesvoller dan ze misschien hadden kunnen worden als hun nietsnut van een vader niet een ongeluk had gekregen op de middag van 20 juli 1963. Het leven is geen kwestie van of-of, weet je, en als ik ooit vergeet dankbaar te zijn dat mijn meisje en een van mijn jongens nog steeds in leven zijn, terwijl Vera's jongen en meisje stierven, dan zal ik de zonde van ondankbaarheid moeten verantwoorden als ik voor de troon van de Almachtige verschijn. Dat wil ik niet. Ik heb al genoeg op mijn geweten – en op mijn ziel ook waarschijnlijk. Maar luister naar me, jullie alledrie, en begrijp in ieder geval dit: alles wat ik deed, deed ik uit liefde... de liefde die elke moeder voor haar kinderen voelt. Dat is de sterkste liefde ter wereld, en het is de dodelijkste. Geen groter kreng op aarde dan een moeder die in angst zit om haar kinderen.

Ik dacht aan mijn droom toen ik de kop van de trap weer bereikte en bleef op het platform, net achter het veiligheidstouw, staan, uitkijkend over de zee – de droom hoe Vera me steeds borden bleef aangeven en ik ze bleef laten vallen. Ik dacht aan het geluid dat de kei maakte toen die hem in zijn gezicht raakte en hoe die twee geluiden hetzelfde geluid waren.

Maar voornamelijk dacht ik over Vera en mij – twee krengen die op een stukje rots voor de kust van Maine woonden, die de laatste jaren de meeste tijd bij elkaar woonden. Ik dacht eraan hoe die twee krengen bij elkaar sliepen als de oudste bang was, en hoe ze de jaren doorbrachten in dat grote huis, twee krengen die uiteindelijk de meeste tijd krengerig tegen elkaar waren. Ik dacht eraan hoe ze me voor de gek had gehouden, en ik haar op mijn beurt voor de gek had gehouden, en hoe gelukkig ieder van ons was als we een ronde wonnen. Ik dacht eraan hoe ze was als de stofpluizen haar belaagden, hoe ze dan gilde en hoe ze trilde als een dier dat in een hoek is gedreven door een groter schepsel dat van plan is het aan stukken te scheuren. Ik herinner me hoe ik dan bij haar in bed kroop en mijn armen om haar heen sloeg en haar zo voelde trillen als een breekbaar glas dat door iemand wordt aangetikt met het heft van een mes. Dan voelde ik haar tranen in mijn hals en borstelde haar dunne, droge haar en zei: 'Stt, schat... stt. Die ellendige stofpluizen zijn allemaal weg. Je bent veilig. Veilig bij mij.'

Maar als ik al iets heb ontdekt, Andy, is het wel dat ze nóóit weg zijn, niet echt. Je denkt dat je ze kwijt bent, dat je ze allemaal opgeveegd hebt en er nergens meer een stofpluis is, en dan komen ze terug. Ze zien eruit als gezichten, ze zien er altíjd uit als gezichten, en de gezichten waar ze op lijken, zijn altijd die gezichten die je nooit meer wilde zien, niet wakker en niet in je dromen.

Ook dacht ik aan haar zoals ze daar op de trap lag en zei dat ze moe was, dat ze ervantussen wilde. En toen ik daar in mijn natte overschoenen op dat gammele platform stond, wist ik maar al te goed waarom ik had besloten op die trap te zijn die zo rot is dat zelfs belhamels er niet op willen spelen als de school is afgelopen, of op de dagen dat ze spijbelen. Ik was ook moe. Ik heb mijn leven naar alle eer en geweten geleefd. Ik heb me nooit gedrukt voor werk en me nooit onttrokken aan dingen die ik moest doen, zelfs niet als die dingen vreselijk waren. Vera had gelijk toen ze zei dat een vrouw soms een kreng moet zijn om te overleven, maar een kreng zijn is zwaar werk, dat kan ik iedereen vertellen, en ik was zo moe. Ik wilde ervantussen, en het kwam bij me op dat het nog niet te laat was om die trap weer af te gaan, en dat ik deze keer ook niet onderaan hoefde te stoppen... niet als ik dat niet wilde.

Toen hoorde ik haar weer – Vera. Ik hoorde haar net als die avond bij de put, niet zomaar in mijn hoofd, maar in mijn óren. En deze keer was het heel wat spookachtiger, dat kan ik je wel zeggen. Destijds in '63 lééfde ze tenminste nog.

'Hoe kùn je zoiets denken, Dolores?' zei ze met die hooghartige, lik-me-reet-stem van haar. 'Ik betaalde een hogere prijs dan jij; ik betaalde een hogere prijs dan ooit iemand zal weten, maar ik heb toch met de hoop geleefd. Ik deed meer. Toen de stofpluizen en de dromen van wat had kunnen zijn het enige waren wat ik nog had, nam ik de dromen en maakte ze zelf. De stofpluizen? Nou, misschien dat die me uiteindelijk te pakken hebben gekregen, maar ik heb een heleboel jaren met ze geleefd voordat het zover was. Nu heb je er zelf een stel waar je mee af hebt te rekenen, maar als je het lef kwijt bent dat je had op de dag dat je me vertelde dat het een rotstreek was om het meisje van Jolander te ontslaan, ga je gang. Ga je gang en spring. Omdat zonder je lef, Dolores Claiborne, je net zo'n domme, oude vrouw bent als ieder ander.'

Ik deinsde achteruit en keek om me heen, maar er was alleen East Head, donker en nat van die nevel die er op winderige dagen in de lucht hangt. Er was geen mens te zien. Ik bleef daar nog een tijdje staan, terwijl ik keek hoe de wolken langs de lucht dreven – ik kijk er graag naar, ze zijn zo hoog en vrij en stil, zoals ze daarboven hun weg gaan – en toen draaide ik me om en begon terug naar huis te lopen. Ik moest onderweg twee of drie keer rusten, want die lange zit onder aan de trap in de vochtige lucht had me een vreselijke pijn in mijn rug bezorgd. Maar ik haalde het. Toen ik weer thuis was, nam ik drie aspirines, stapte in mijn auto en reed rechtstreeks hierheen.

En dat was het.

Nancy, ik zie dat je zowat een dozijn van die kleine bandjes hebt opgestapeld, en dat knappe recordertje moet zo ongeveer versleten zijn. Net als ik, maar ik ben hier gekomen om mijn zegje te doen, en dat heb ik gedaan – tot het laatste woord, verdomme, en elk woord is waar. Je doet maar met me wat je moet doen, Andy; ik heb mijn deel gedaan en ik heb vrede met mezelf. Dat is het enige wat ertoe doet, denk ik; dat, en precies weten wie je bent. Ik weet wie ik ben: Dolores Claiborne, op twee maanden na zesenzestig, geregistreerd Democraat, mijn leven lang bewoonster van Little Tall Island.

Ik denk dat ik nog twee dingen wil zeggen, Nancy, voor je de STOP-knop van dat apparaat van je indrukt. Uiteindelijk zijn het alleen de krengen van deze wereld die blijven... en wat de stofpluizen aangaat: de kolére voor ze!

Plakboek

Uit de Ellsworth *American*, 6 november 1992 (p. 1):

EILANDBEWOONSTER VRIJGESPROKEN

Dolores Claiborne van Little Tall Island, sinds mensenheugenis gezelschapsdame van mevrouw Vera Donovan, ook van Little Tall, is gisteren tijdens een speciaal gerechtelijk onderzoek in Machias vrijgesproken van iedere schuld aan de dood van mevrouw Donovan. Het doel van het onderzoek was vast te stellen of er in het geval van mevrouw Donovan sprake is geweest van 'dood door schuld', dat wil zeggen een sterfgeval ten gevolge van onachtzaamheid of misdadig handelen. Speculaties betreffende de rol van Miss Claiborne bij de dood van haar werkgeefster werden gevoed door het feit dat mevrouw Donovan die, naar men zegt, op het tijdstip van haar overlijden dement was, haar gezelschapsdame en haar huishoudster het leeuwedeel van haar bezit naliet. Sommige bronnen schatten de waarde van het bezit op meer dan tien miljoen dollar.

Uit de Boston *Globe*, 20 november 1992 (p. 1):

Een gelukkige Thanksgiving in Somerville
ANONIEME WELDOENER SCHENKT
30 MILJ. AAN WEESHUIS

De verbijsterde directeuren van The New England Home for Little Wanderers maakten aan het eind van deze middag, tijdens een haastig georganiseerde persconferentie, bekend dat Kerstmis dit jaar een beetje vroeg komt voor het honderdvijftig jaar oude weeshuis, dank zij een gift van dertig miljoen dollar van een anonieme schenker.

'We kregen bericht van deze verbazingwekkende schenking van Alan Greenbush, een befaamde Newyorkse notaris en accountant,' zei een zichtbaar aangeslagen Brandon Jaegger, voorzitter van de raad van beheer van de N.E.H.L.W. 'Het blijkt volkomen in orde te zijn, maar de persoon achter de bijdrage – de beschermengel erachter, zou ik misschien moeten zeggen – is volstrekt serieus, waar het om zijn of haar anonimiteit gaat. Het spreekt natuurlijk haast vanzelf dat wij allen die met het tehuis te maken hebben, in de zevende hemel zijn.'

Als de multi-miljoen-dollar-schenking een feit blijkt te zijn, zou deze meevaller voor de Little Wanderers de grootste, op zichzelf staande liefdadigheidsbijdrage zijn aan een dergelijke instelling in Massachusetts sinds 1938, toen...

uit *The Weekly Tide*, 14 december 1992 (p. 16)

Berichten van Little Tall
door 'Nosy Nettie'

Mevrouw Lottie McCandless won vorige week op de Vrijdagavond Bingo in Jonesport de kerstprijs – de prijs bedraagt $240, en dat zijn een heleboel kerstcadeautjes! Nosy Nettie is *zoooo* jaloers! Even serieus, gefeliciteerd, Lottie!

John Carons broer, Philo, kwam over uit Derry om John te helpen met het breeuwen van zijn boot, de *Deepstar*, toen die in dok lag. Er gaat toch niets boven wat 'broederliefde' in dit gezegende jaargetijde, nietwaar, jongens?

Jolene Aubuchon, die bij haar kleindochter Patricia inwoont, heeft afgelopen donderdag een legpuzzel van 2000 stukjes van de Mt. St. Helens afgemaakt. Jolene zegt dat ze haar 90ste verjaardag volgend jaar gaat vieren met een puzzel van 5000 stukjes van de Sixtijnse kapel. Hoera, Jolene! Nosy Nettie en iedereen van de *Tide* zijn weg van je!

Dolores Claiborne zal dit jaar voor één persoon extra inkopen doen! Ze wist dat haar zoon Joe – 'Mr. Democrat' – naar huis zou komen met zijn gezin van zijn inspannende werk in Augusta voor een 'Eiland-kerst', maar nu zegt ze dat haar dochter, de befaamde schrijfster van tijdschriftartikelen, Selena St. George, voor het eerst in meer dan *twintig jaar* op bezoek zal komen. Dolores zegt dat ze zich 'erg gezegend' voelt. Toen Nosy vroeg of ze Selena's laatste hoofdartikel in de *Atlantic Monthly* zouden bespreken, glimlachte Dolores alleen maar en zei: 'We zullen vast een hoop te praten hebben.'

Uit het Revalidatiecentrum hoorde Nosy dat Vincent Bragg, die in oktober van dit jaar bij een partijtje football zijn arm brak...

oktober 1989 – februari 1992